D0657497

Bonne lecture

Ce livre est à moi. ne pas donner à la bibliothèque 514 624-9904

LES IMAGES DU PASSÉ

DU MÊME AUTEUR

Les Femmes de sa vie, Presses de la Cité, 1991 ; Pocket, 1993
L'amour est ailleurs, Presses de la Cité, 1997 ; le Livre de Poche, 1997
Le Secret de Katie Byrne, Presses de la Cité, 2002 ; le Livre de Poche, 2004
Trois Semaines à Paris, Presses de la Cité, 2003 ; le Livre de Poche, 2005
Le Secret d'Emma Harte, Presses de la Cité, 2004 ; le Livre de Poche, 2006
Les Héritières d'Emma Harte, Presses de la Cité, 2005 ; le Livre de Poche, 2007
La Succession d'Emma Harte, Presses de la Cité, 2006 ; le Livre de Poche, 2008
La Dynastie Ravenscar, Presses de la Cité, 2007 ; le Livre de Poche, 2009
Les Héritiers de Ravenscar, Presses de la Cité, 2008 ; le Livre de Poche, 2010
Le Défi d'Elizabeth, Presses de la Cité, 2009 ; le Livre de Poche, 2011
L'Amour pour seule loi, Presses de la Cité, 2010 ; le Livre de Poche, 2012
L'Espace d'une vie, Belfond, 1980 ; Presses de la Cité, 2010 ; le Livre de Poche, 1990
Les Pièges de l'amour, Presses de la Cité, 2011 ; le Livre de Poche, 2013
Lettre d'une étrangère, Presses de la Cité, 2012

Barbara Taylor Bradford

LES IMAGES DU PASSÉ

Roman

Traduit de l'anglais (Etats-Unis)
par Colette Vlérick

Titre original : *Secrets from the Past*

ISBN 978-2-258-08163-5

Presses de la Cité
un département **place des éditeurs**

place des éditeurs

Pour Bob, avec tout mon amour

Note de l'auteur

Tout au long de ma vie professionnelle, j'ai exercé le métier de journaliste. J'ai commencé ma carrière en écrivant dans le *Yorkshire Evening Post* à Leeds. A seize ans, j'étais stagiaire ; à dix-huit ans, rédactrice en chef des pages féminines ; et à vingt ans, j'étais embauchée dans le temple du journalisme à Londres, Fleet Street. D'abord nommée rédactrice en chef d'un magazine féminin, un an plus tard je retournais à la presse quotidienne, comme chroniqueuse au *London Evening News*. Je me sentais bien dans une salle de rédaction.

Bien que j'aie passé les trente dernières années, ou à peu près, à écrire des romans, je n'ai jamais cessé d'être journaliste. J'écris toujours pour des quotidiens et des magazines. Je dois beaucoup à ce métier, et aux journalistes, en particulier en ce qui concerne les recherches que j'ai dû faire pour ce roman.

J'ai une dette spéciale envers les correspondants de guerre et les photographes qui ont si courageusement couvert les récents conflits au Proche-Orient. Le Printemps arabe a commencé en décembre 2010 quand un jeune Tunisien, Mohamed Bouazizi, s'est immolé par le feu pour protester contre la façon dont une policière l'aurait traité. Ce faisant, c'est au pays entier qu'il a mis le feu, déclenchant la révolution qui a abouti à la chute du gouvernement tunisien.

Le soulèvement gagna rapidement l'Egypte, la Libye puis la Syrie. Comme je suis passionnée par ce qui se passe dans le monde, je suis restée rivée au petit écran et j'ai dévoré la presse. Je voulais en savoir autant que possible sur les événements en cours, puisque je commençais ce roman dont l'un des personnages principaux est une photographe de guerre.

Pendant l'été 2011, nous étions en France, mon mari et moi, mais je n'ai pas modifié mes habitudes. Je lisais quotidiennement les journaux et nous restions tous les deux devant la télévision pendant de longues heures pour regarder les reportages diffusés par Sky News, la BBC, ITN, CNN et les réseaux américains quand nous pouvions les capter. La guerre déchirait la Libye et nous y assistions sans y être réellement.

Je n'aurais pas pu écrire les chapitres qui se passent en Libye sans les reportages de correspondants comme Lara Logan de CBS, Christiane Amanpour de CNN, Richard Pendlebury du *Daily Mail*, ainsi que Marie Colvin du *Sunday Times* et son photographe, Paul Conroy. Leur extraordinaire travail m'a fourni les informations et les images dont j'avais besoin.

La mort tragique de Marie Colvin, abattue le 22 février 2012 à Homs en Syrie, m'a bouleversée. Elle restera à jamais pleurée par sa famille, ses amis, ses confrères et ses consœurs journalistes, moi comprise. Intrépide, intelligente et humaine, elle jouait depuis des années avec le destin. Ses remarquables reportages sur les atrocités de la guerre ont sauvé de nombreuses vies. Nous nous souviendrons toujours de son insistance à dire la vérité pour que le monde entier sache. Elle a réussi. Et elle en est morte. Pour cette raison, parmi d'autres, nous n'oublierons jamais Marie Colvin.

PREMIÈRE PARTIE

Souvenirs en forme d'instantanés

Manhattan, mars 2011

« Au plus profond de mon être, j'appartiens à ma famille. »
D. H. Lawrence, *Apocalypse*

« Ils sont nombreux, les souvenirs d'amour
dans mon cœur et dans mon esprit.
Ils me rassurent, rempart contre la folie,
et me redonnent envie de continuer à vivre. »
Anonyme

1

Il faisait un temps superbe. Dans la lumière d'un grand soleil, le ciel s'étendait, telle une coupole bleu vif sans nuages, au-dessus des gratte-ciel de Manhattan. En ce froid samedi matin, la ville où j'avais passé la plus grande partie de ma vie se montrait sous son meilleur jour.

Je frissonnai en traversant Sutton Place. De violentes rafales soufflaient depuis l'East River ; j'étais contente de porter un jean avec des vêtements chauds au lieu d'une jupe. Je remontai le col de ma veste bleue et resserrai mon écharpe de cachemire autour de mon cou.

En dépit de la température, qui restait très fraîche pour un mois de mars, j'appréciais ma promenade au grand air. Je venais de passer quatre jours enfermée chez moi, bataillant pour terminer un chapitre difficile.

Bien que photographe et photographe de presse, j'avais récemment décidé d'écrire un livre, mon premier livre. Au début de la semaine, j'étais arrivée à un passage ardu et je m'étais acharnée dessus pendant des jours, comme un chien qui refuse de lâcher son os. J'avais fini par trouver la solution la veille au soir. J'étais heureuse de sortir enfin, de me dégourdir les jambes, de regarder le spectacle de la ville et de renouer avec le monde.

Je pressai le pas. Il semblait faire plus froid de minute en minute. A présent, je courais presque, tant j'avais envie de retrouver la chaleur de mon appartement, au coin de Sutton et de la 57e Rue Est.

Enfin, j'arrivai en vue de mon immeuble. Dès que le feu passa au vert, je traversai au pas de charge pour entrer dans le hall à toute vitesse.

— Il fait un froid polaire, Sam ! lançai-je au portier.

— En effet, mademoiselle Stone. On est mieux à l'intérieur, aujourd'hui.

Un bref signe de tête assorti d'un sourire et je fonçai vers l'ascenseur. Enfin chez moi, je rangeai ma veste et mon écharpe dans le placard de l'entrée et mis la bouilloire à chauffer dans la cuisine avant de passer dans mon bureau.

Un regard au répondeur m'apprit que j'avais deux messages. Tout en m'asseyant, j'appuyai sur la touche de lecture.

Le premier message venait de ma sœur aînée, Cara. Elle appelait de Nice. « Coucou, Serena, c'est moi ! J'ai trouvé une autre boîte pleine de photos, surtout de maman. Superbe ! Au cas où tu voudrais en utiliser pour ton livre, veux-tu que je te les envoie par FedEx ? Ou bien quoi ? Comme je sors, là, tu peux me laisser un message ou m'appeler demain matin. Je t'embrasse très fort. »

Le second était de mon parrain. « C'est Harry. Serena, ma chérie, je voulais juste confirmer pour lundi soir. Sept heures et demie à l'endroit habituel. Pas la peine de me rappeler. A bientôt ! »

La bouilloire sifflait, et j'allai préparer mon thé dans la cuisine. De nouveau, je frissonnai, mais cette fois d'appréhension, comme si un étrange avertissement... Je le sentais dans mes os : quelque chose de mauvais approchait.

Je refoulai mes idées noires et regagnai le bureau en me disant que ces prémonitions se produisaient seulement quand j'étais sur le front, entourée de dangers imminents, quand je savais que je devais courir pour sauver ma peau, courir assez vite pour ne pas être anéantie par une bombe ou prendre une balle. Chez moi, ce genre d'impressions était irrationnel. Je secouai la tête, me reprochant mon imagination débordante. En réalité, par la suite, je me souviendrais de cet instant en me demandant si je n'avais pas fait l'expérience d'une sorte de sixième sens.

2

La pièce qui me servait de bureau avait été le salon de ma mère, des années plus tôt. Lumineuse et vaste, elle possédait de grandes fenêtres. Ma mère l'avait décorée dans une dominante crème et pêche soutenue d'une touche framboise. Je n'y avais rien changé, car ces teintes mettaient en valeur les dimensions de la salle, mais aussi parce que je les trouvais reposantes.

Je m'étais contentée d'acheter une chaise de bureau moderne. J'aimais l'ancien secrétaire georgien de ma mère, la longue bibliothèque murale remplie de livres, de bibelots variés et de photos de famille.

Du côté des fenêtres, ma mère avait créé un espace salon plein de charme avec un grand canapé confortable, des fauteuils et une table basse. C'est là que je m'installai avec mon mug de thé. Depuis le canapé, je m'émerveillai une nouvelle fois devant la vue qui s'offrait à moi : l'East River, les ponts suspendus, et les étonnants gratte-ciel qui rendent cette ville vraiment unique.

Les fenêtres donnaient sur le centre-ville : l'élégante flèche Art déco du Chrysler Building s'élevait juste à ma droite et, à côté, se dressait l'Empire State, tout aussi spectaculaire. La ville était belle. Elle avait fait un impressionnant retour au premier plan après les attentats du World Trade Center en 2001. Je réalisai, non sans étonnement, que cela faisait dix ans déjà. Dans quelques mois, en septembre, ce serait le dixième anniversaire de cette horrible attaque.

Toutefois, ce qui comptait était la construction de One World, la nouvelle tour, qui monterait jusqu'à atteindre la hauteur de 541 mètres, 1 776 pieds ! Ce nombre, 1776, commémore l'année de l'indépendance de notre pays et fera de ce gratte-ciel le plus haut du monde occidental.

Je garde un souvenir très vif du mois de septembre 2001, non seulement à cause du crime si haineux qui fut commis, mais aussi parce que toute ma famille était réunie ici même, dans cet appartement que ma mère avait acheté vingt ans auparavant, vers 1980, juste avant ma naissance.

Ma mère, qui avait un œil remarquable en matière d'art et d'architecture, affichait également un goût marqué pour les achats immobiliers, appartements et maisons. Cela explique pourquoi mes sœurs et moi avons passé notre enfance et notre adolescence autour du monde : New York, Londres, Paris, Nice ou encore Bel Air à Los Angeles. Ma grand-mère disait que nous étions comme des Gitans avec de l'argent.

Mon père aimait taquiner ma mère pour tout et rien. Il prétendait tirer une grande fierté de ne pas avoir investi dans la brique, de ne pas avoir cédé à ce genre de caprices. Il ajoutait qu'il ne le ferait jamais !

Ma mère lui faisait remarquer que cela ne l'empêchait pas de réquisitionner la plupart des armoires dans leurs différentes habitations pour y accrocher son imposante garde-robe, aussi belle que coûteuse. Comme c'était vrai, ils en riaient ensemble. Ils étaient heureux, ils s'aimaient.

Je les revis, soudain, tels qu'ils étaient, d'une parfaite loyauté l'un envers l'autre comme envers moi et mes sœurs. Cara et Jessica sont jumelles, elles ont huit ans de plus que moi ; elles avaient l'habitude de me tyranniser autrefois, mais avec beaucoup de gentillesse. Mon père nous appelait son équipe de filles et il était très fier de nous. Nous étions une famille heureuse.

En septembre 2001, mon père se trouvait à New York et non pas à l'autre bout de la planète pour couvrir un conflit. Son meilleur ami et associé, Harry Redford, était là, lui aussi. Ils se connaissaient depuis l'enfance. Nés et élevés à Manhattan, ils avaient fréquenté la même école, étaient devenus photographes tous les deux, puis s'étaient associés pour courir le monde.

Mon père et Harry avaient fondé Global Images en 1971, une agence photographique que dirigeait Florence, la sœur de Harry, puisque les deux hommes s'absentaient régulièrement de New York. Ils étaient inséparables et Harry faisait pratiquement partie de la famille. Nous l'aimions tous. Harry, le *compadre* de mon père, le protecteur et champion de ma mère. Il représentait une présence bienveillante dans nos vies, toujours là pour nous, quoi qu'il arrive. Il était devenu mon meilleur ami, pas seulement mon parrain. Il m'avait toujours traitée d'égal à égal, sans jamais me témoigner la moindre condescendance. J'étais sa confidente depuis mes dix-huit ans... J'avais été la première à apprendre qu'il divorçait de Melanie, dotée d'un tempérament trop volcanique ; la première encore quand il avait divorcé de Holly Grey, qui devenait jalouse de toute femme osant le regarder. Or, cela arrivait souvent. Quand Harry venait à Nice, c'était souvent avec une petite amie.

En 2001, nous avions un automne magnifique. Un été indien, avec un grand ciel bleu, du soleil et aucun signe de froid.

Les attentats qui venaient de se produire à New York et à Washington nous avaient laissés choqués, en colère et pleins de chagrin. Nous étions heureux de nous retrouver, réconfortés par la présence des uns et des autres en ces journées terribles.

Cara et Jessica, qui vivaient à Nice dans la vieille demeure des collines, nous avaient rejoints pour fêter leur vingt-huitième anniversaire avec nous, qui aurait lieu en octobre.

Pendant les jours qui avaient précédé le 11 septembre, nous étions allés au cinéma et au théâtre à Broadway, nous avions déjeuné ou dîné dans les restaurants préférés de mon père, en particulier chez Rao. Nous avions passé beaucoup de temps en famille et je me sentais rétrospectivement très heureuse de ces journées vécues ensemble.

La mère de ma mère, Alice Vasson, et sa sœur, Dora Clifford, avaient fait le déplacement depuis la Californie pour l'anniversaire des jumelles. Elles séjournaient au Carlyle, mais passaient la plus grande partie de leur temps à l'appartement.

Ma mère, bien qu'enfant unique, avait un grand sens de la famille et se réjouissait de ces occasions de se réunir. D'autant que, à cette époque, elle avait des ennuis de santé. Etre entourée de ceux qui l'aimaient l'aidait à se sentir mieux. Elle fut, ces jours-là, plus heureuse que je ne l'avais vue depuis longtemps.

Ma grand-mère et ma grand-tante avaient eu leur part de responsabilité dans la carrière de ma mère et, de façon assez compréhensible, elles ne pouvaient s'empêcher de s'en vanter. A les entendre, elles avaient fait d'elle une superstar, une des plus grandes vedettes de cinéma au monde.

Leurs histoires à dormir debout amusaient mon père. Ma mère se contentait de sourire avec indulgence. Nous, les filles, nous écoutions de toutes nos oreilles, captivées comme toujours, alors que nous entendions ces sottises depuis des années.

Je ne pus retenir un léger soupir au souvenir de ces deux femmes, du rôle qu'elles avaient joué dans nos vies. Je repensais à leur mort et à toutes les pertes subies au cours des dernières années...

La mort d'une personne aimée change tout. En un instant. Rien n'est plus jamais pareil. Le monde devient étranger, froid, vide...

Quand on se dispute avec une personne aimée, il est rare qu'on ne finisse pas par se réconcilier. Chacun met un peu d'eau dans son vin, et même si l'autre s'en va, choisit d'aller vivre ailleurs, on peut toujours rester en contact, lui parler au téléphone, lui envoyer des courriels ou des textos. En d'autres termes, il continue à faire partie de notre vie.

La mort n'offre aucune consolation de cet ordre.

La mort est la séparation *définitive*.

Des souvenirs. C'était cela qui me restait, des souvenirs qui ne me quitteraient qu'au jour de ma propre mort. Issus de la réalité, d'événements qui s'étaient vraiment produits. Et pour cette raison, ils m'apportaient une grande consolation.

Mon père était décédé onze mois auparavant, me laissant en état de choc, submergée de chagrin. Et un terrible sentiment de culpabilité ne me quittait pas : je n'avais pas pu lui dire tout mon amour ni lui faire mes adieux.

J'avais raté mon avion en Afghanistan. J'étais arrivée une dérisoire poignée d'heures trop tard, mais cela aurait pu être un mois ou un an, cela n'aurait rien changé. C'est exactement ce que signifie *trop tard*.

Au moment de mourir, il s'était accroché au trophée qu'il avait reçu pour son œuvre. Soudain, il n'y avait plus rien eu. Le vide, le néant. Un silence déchirant. Puis les souvenirs avaient commencé à revenir. Discrets mais précis. Ils m'avaient réconfortée.

Mon père était le sujet du livre auquel je travaillais depuis quelques mois. Plonger dans son passé et raconter sa vie extraordinaire le faisait revivre. C'était un sacré bonhomme ! Tout le monde le disait.

John Thomas Stone, connu de tous sous le simple nom de Tommy, était l'un des plus grands photographes de guerre du monde. Pour moi, il était de la même trempe que le célèbre Robert Capa, vous savez, celui qui mourut en marchant sur une mine alors qu'il couvrait la guerre du Vietnam.

Jusqu'à ce que mon père apparaisse sur la scène, de nombreuses années plus tard, il n'y avait pas eu beaucoup de photographes capables de soutenir aussi bien la comparaison avec Capa.

Pendant des années, Tommy avait joué avec la mort dans les zones de conflits du monde entier, puis, sans crier gare, il était mort. Mort chez lui, dans son lit, de causes naturelles – sa seconde crise cardiaque, cette fois massive. Il était parti, comme ça, sans prévenir. Sans préavis.

C'était le caractère soudain et inattendu de son décès qui m'avait anéantie. Le contrecoup. Mon père, qui utilisait volontiers le jargon militaire, aurait parlé de retour de flamme, et il aurait eu raison.

Ma mère, Elizabeth Vasson Stone, était morte depuis quatre ans déjà et cela m'avait causé un terrible chagrin. Cela me faisait encore mal, par moments, et elle me manquera toute ma vie. Cependant, la perte de mon père m'a atteinte de façon tout à fait différente, me laissant perdue pendant longtemps.

Peut-être est-ce lié au fait que mon père débordait de vigueur alors que ma mère avait toujours été en mauvaise santé. Pour moi, il était invincible. Je crois qu'il me paraissait immortel.

Mes sœurs pensaient que j'étais la préférée de papa. J'ai essayé de multiples fois de les convaincre du contraire, leur rappelant que j'étais la plus jeune et que, pour cette raison, j'avais été gâtée et même un peu dorlotée. Les petits derniers polarisent toujours l'attention de leur famille. Toutefois, en dépit de mes dénégations, je savais très bien qu'elles avaient raison. J'étais sa préférée.

Il ne l'avait jamais dit, bien sûr, ni à moi ni à personne d'autre. C'était un homme trop gentil pour blesser quelqu'un, mais il a laissé voir de bien des façons que j'occupais une place particulièrement importante dans sa vie. Par exemple, il faisait remarquer que j'étais celle qui lui ressemblait le plus par la personnalité, que j'avais hérité de son caractère et de la plupart de ses excentricités. Il était heureux que je sois celle de ses filles qui avait suivi sa voie en devenant photographe, et il ne s'en cachait pas.

J'ai eu un appareil photo entre les mains dès que j'ai été en âge d'en tenir un. Mon père m'a appris tout ce que je sais en ce domaine. Surtout, il m'a appris à me protéger quand je travaille dans un endroit dangereux, à regarder droit devant moi, à rester sur le qui-vive, toujours prête à parer à l'inattendu. Le danger peut surgir de n'importe où, spécialement dans les situations de guerre. Mon père m'a appris à éviter les balles au milieu d'un combat, à quitter rapidement une zone sinistrée, à trouver le meilleur abri possible sous les bombardements.

Le monde entier semblait aimer Tommy. Hommes et femmes étaient instantanément attirés par lui, séduits. Il était d'une intelligence remarquable et avait beaucoup de charisme. Ma mère disait qu'il donnait quelque chose de lui à chacun et qu'on se sentait mieux après l'avoir rencontré.

Sa beauté n'entrait même pas en ligne de compte. C'étaient son charme et sa personnalité hors du commun qui envoûtaient les gens. Dans son entourage professionnel, on savait qu'il se donnait corps et âme à son travail. Il n'avait peur de rien ni de personne, se jetait au milieu du danger pour obtenir les clichés les plus forts. Cela ne l'empêchait pas d'aider ses confrères. Il était l'ami de tous.

Au cours des derniers mois, mes recherches m'ont amenée à parler à un grand nombre de personnes qui l'ont connu. Presque toutes m'ont dit qu'il y avait quelque chose d'héroïque chez lui et je pense que c'est vrai.

Cette semaine cependant, j'ai commencé à comprendre qu'il y avait une part d'idolâtrie dans mon sentiment pour mon père. Je l'ai *idéalisé*. Or, comme tous les mortels, il avait aussi des défauts, des failles et des faiblesses. Ce n'était qu'un homme, pas un dieu. En fait, sa personnalité hors norme m'avait donné la certitude qu'il dépassait en tout la plupart des gens. J'ai grandi en le voyant comme un faiseur de miracles, un magicien qui vous captive par son charme. Il remplissait nos vies de rire, d'amusement et de passion.

Je me renfonçai dans mon canapé puis fermai les yeux pour mieux écouter la paix de cette pièce silencieuse. Soudain, depuis quelque recoin de mon esprit, j'entendis jaillir ma propre voix, prononçant les mots que j'avais dits à mes sœurs vingt et un ans plus tôt. Je leur expliquais que notre père était Superman, un magicien et un faiseur de miracles, tout cela dans un seul homme ! Je revis Jessica et Cara telles qu'elles étaient à l'époque. Elles me dévisageaient comme si je venais d'une autre planète, fixaient sur moi deux paires d'yeux sombres et incrédules.

J'avais seulement neuf ans, mais je me rappelle avoir alors compris qu'elles ne voyaient pas Tommy comme moi. Je ne pouvais expliquer autrement le fait que mes déclarations les intriguent tant. Elles étaient incapables de voir ce qu'était notre père au fond de lui-même comme je le faisais. Mes sœurs ne connaissaient pas la même personne que moi.

Maman était là, avec nous, assise sous l'immense parasol de la terrasse de notre villa dans les collines de Nice. Notre discussion l'avait fait rire. « Tu as raison, Serena. Il faut être très intelligente pour remarquer les dons exceptionnels de ton père. »

Les jumelles s'étaient levées d'un bond en gloussant, puis avaient foncé vers la piscine. Elles étaient turbulentes, athlétiques et folles de sport. Moi, j'étais l'artiste de la famille, tranquille, studieuse, toujours dans les livres, scrutant le moindre détail de mes photos, exactement comme mon père.

Jessica et Cara avaient beaucoup de traits physiques communs avec papa et cela m'avait toujours exaspérée. Elles avaient hérité de sa haute taille, de ses cheveux noirs et de ses yeux marron. Moi, je ne lui ressemblais pas, ni à lui ni à ma mère, qui était d'une grande beauté.

Une fois mes sœurs hors de vue, ma mère m'avait fait signe d'approcher. Je m'étais laissée tomber dans le fauteuil à côté d'elle et elle m'avait servi un verre de limonade. Nous avions parlé pendant un moment, parlé du magicien comme je l'appelais. Sans que je m'y attende, elle m'avait fait des confidences, me disant qu'elle était tombée sous son charme dès le premier instant.

« Je ne pouvais pas le quitter du regard et, depuis, je n'ai eu d'yeux que pour lui. C'est comme s'il m'avait jeté un sort ; je suis ensorcelée ! »

Elle s'était soudain détournée. Mon père arrivait sans prévenir, il était avec Harry et, comme toujours, un tourbillon d'activité les accompagnait. Ils couraient presque, chargés d'une montagne de sacs de boutiques chic ; ils s'étaient arrêtés devant nous en s'exclamant : « Cadeaux pour les filles ! »

Ils nous avaient embrassées avec empressement, ma mère et moi. Plus tard, Harry m'avait photographiée avec mes parents. L'un des clichés avait tellement plu à maman qu'elle l'avait fait encadrer.

Je rouvris les yeux et m'arrachai à ma rêverie pour aller chercher cette photo. Je la trouvai aussitôt, à sa place, sur un rayon de la bibliothèque. Mon père se tenait derrière le fauteuil de ma mère, penché sur elle, son visage contre le sien. Moi, j'étais accroupie contre les genoux de ma mère et elle avait passé ses bras autour de mes épaules, me serrant contre elle. Nous souriions tous les trois, mon père plein d'allure, ma mère ravissante, et moi. Nous semblions tellement insouciants ! Ma mère m'appelait parfois sa « petite souris » avec beaucoup de tendresse. Physiquement, je me juge un peu terne avec mes cheveux châtains et mes yeux gris, mais, sur cette photo si ancienne, je me trouve plutôt jolie et l'air très heureuse.

Pendant un long moment, j'ai contemplé le cliché, m'émerveillant comme toujours de la beauté de ma mère. L'objectif l'aimait, comme disait mon père, comme disait tout le monde, d'ailleurs ! Qu'elle fût photogénique à ce point avait été une des clés de sa réussite. Vedette de cinéma aussi célèbre qu'Elizabeth Taylor, elle avait été une des plus belles femmes de son époque, séduisante, adulée par des millions de spectateurs, une valeur sûre du box-office, mais aussi une proie de choix pour les magazines à sensation. Ma mère est restée une immense star jusqu'à sa mort. Elle était unique et, comme l'autre Elizabeth, plus grande que nature.

3

J'étais dans la cuisine, tentant tant bien que mal de faire trois choses à la fois : réchauffer une boîte de soupe à la tomate Campbell, faire griller du pain et appeler ma sœur à Nice, quand ma deuxième ligne se mit à sonner. Je terminai en vitesse dc laisser un message à Cara et je décrochai. A mon grand étonnement, c'était ma sœur Jessica.

— Salut, Pidge ! Alors ? Comment vas-tu ?

Pidge était le surnom qu'elle m'avait donné quand j'étais petite et que personne ne comprenait à part moi.

— Salut, Jess ! Je vais plutôt bien. Et toi, tu es où ? Je t'entends comme si tu étais tout près, dis-je avec espoir.

Nous avions une relation très forte et je ne l'avais pas vue depuis des mois. Sa présence me mettait toujours de très bonne humeur.

— Pas vraiment, mais pas très loin quand même... Je suis à Boston pour affaires. J'avais des réunions hier et ce matin. Comme j'ai fini, j'ai pensé que je pourrais sauter dans l'avion pour passer le week-end avec toi si tu es libre.

— Génial ! Je ne fais rien de spécial et je serais furieuse si tu ne venais pas. A quelle heure tu peux être là ?

— Je ne sais pas encore. Je file à l'aéroport et je prendrai le premier vol possible. Je serai à New York dans quelques heures, mais ne t'inquiète pas si tu dois sortir, j'ai ma clé.

— Non, je ne sors pas. J'ai hâte de te voir, dépêche-toi ! lui ordonnai-je.

Pour une fois, c'était moi qui faisais la chef ! Elle me répondit en utilisant une expression de notre enfance. Alice, notre grand-mère anglaise, en abusait, ce que nous trouvions assez énervant.

— Le temps qu'un agneau remue trois fois la queue et je serai là !

Un bref instant silencieuses, nous éclatâmes de rire avant de raccrocher.

Mon toast était froid et la soupe me parut fade. A la place, je me préparai un mug de thé avec des sandwichs au beurre de cacahuète et à la gelée. Je transportai le tout dans le bureau pour manger sur ma table de travail, comme souvent à midi, une mauvaise habitude héritée de mon père et de Harry.

Un peu plus tard, j'allai jeter un coup d'œil dans la chambre de Jessica. Tout était en ordre, grâce à Mme Watledge, qui venait deux fois par semaine faire le ménage et quelques bricoles. Elle faisait systématiquement la poussière de chaque pièce. A ma grande satisfaction, elle se montrait très méticuleuse.

Lors de son dernier séjour, en novembre dernier, Jessica avait dû repartir en hâte – un problème urgent dans la salle des ventes qu'elle possède à Nice réclamait son retour immédiat. J'avais rangé moi-même les vêtements qu'elle avait jetés aux quatre coins de la chambre, et ramassé les chaussures éparpillées. Mme Watledge avait passé l'aspirateur, ciré les meubles et changé les draps. Je savais que cela ferait plaisir à Jessica qui était, en temps normal, la plus soignée de nous trois.

Je ne tenais plus en place à l'idée qu'elle arrivait. Cara et elle me taquinaient sans merci quand j'étais petite, mais nos relations étaient devenues très chaleureuses avec les années. Nous étions très proches, très soudées. Nous partagions l'appartement de New York et la maison de Nice que maman nous avait laissés en indivision. Ces deux endroits avaient été les habitations principales de nos parents, celles qu'ils préféraient, tout comme nous. La propriété ne nous en avait été transférée que depuis un an, au décès de papa, comme maman l'avait stipulé dans son testament.

Après avoir fermé la porte de la chambre de Jessica, je retournai dans la cuisine pour évaluer le contenu du réfrigérateur. Mme Watledge s'assurait qu'il s'y trouve en permanence les provisions de base et y ajoutait un poulet prêt à cuire tous les vendredis. Nous avions donc tout ce qu'il fallait et, si ma sœur préférait dîner dehors, nous irions au pub de Jimmy Neary sur la 57ᵉ ou à notre restaurant français, Le Périgord, sur la 52ᵉ. Les deux faisaient partie de nos adresses favorites depuis notre adolescence.

Ensuite, je repris ma place derrière mon bureau et j'ouvris le tiroir du haut, où je rangeais mes deux téléphones portables et mon BlackBerry. Je savais qu'il n'y aurait pas de messages. Je ne me servais plus de mon BlackBerry et je n'emportais un portable que si je m'absentais pour plusieurs heures. Je leur tirai la langue, pris mon carnet en moleskine et repoussai fermement mon tiroir. Ces appareils me rappelaient trop le front. J'avais cessé de couvrir les guerres depuis onze mois et je n'avais pas l'intention de remettre les pieds sur un champ de bataille. A cette seule idée, un frisson glacé me fit trembler.

Pendant huit ans, j'avais eu de la chance, mais j'avais fini par penser que cette chance ne pourrait pas durer éternellement. J'avais commencé à avoir peur, peur d'enfiler mon gilet pare-balles et de coiffer mon casque pour me rendre dans quelque lointain no man's land, mon appareil photo braqué dans l'attente du cliché le plus spectaculaire jamais pris. La peur m'avait envahie petit à petit.

Or, quand on a peur, on ne réagit plus avec la même précision, avec la même rapidité. C'est là qu'on se met vraiment en danger. J'en étais parfaitement consciente. Le jeu était terminé pour moi.

En feuilletant mon carnet, je parcourus les notes que j'avais prises au cours de la semaine au sujet de l'année 1999. J'avais besoin de parler de tout ça à mes sœurs. Je possède une bonne mémoire photographique, mais plusieurs mois de cette année-là avaient comme disparu de mon esprit. Jessica se souviendrait certainement, elle. Je pris ensuite mon manuscrit et relus le long chapitre qui me posait problème. Je pris conscience que je n'y parlais que de mon père. Voilà ce qui clochait ! Sa famille et ses amis ne devaient-ils pas aussi figurer dans mon texte ? Oui ! me dis-je.

Une idée me frappa. Me levant d'un bond, j'allai ouvrir un des placards en bas de la bibliothèque. Des albums de photos y étaient empilés, soigneusement remplis par ma mère. Je vérifiai les dates. Ils remontaient au début des années 1990 et allaient jusqu'à 2004. Il y avait bien ceux de 1998 et de 2001, mais ni 1999 ni 2000. Les albums correspondants devaient se trouver à Nice. Or, j'en avais besoin.

4

Je pris les deux albums que je voulais regarder et me réinstallai sur le canapé. Tenant celui de 1998 en équilibre sur mes genoux, je l'ouvris et je me mis aussitôt à sourire. Au milieu de la première page, ma mère avait écrit : MES TROIS FILLES ADULTES !

Je tournai la page et découvris plusieurs instantanés de Jessica pris par mon père. Elle avait vingt-cinq ans. Elle était très grande et d'une beauté spectaculaire avec ses cheveux noirs et brillants qui encadraient son visage en forme de cœur. Ses yeux sombres pétillaient tandis que son sourire révélait des dents blanches parfaites. Notre grand-mère disait : « Elle a un sourire qui illumine tout autour d'elle. »

C'était une vraie bombe ! Les photos dataient de l'été 1998. Jessica arborait un magnifique bronzage, portait une chemise en coton blanc aux manches retroussées et un jean blanc. Ses espadrilles à semelles compensées la faisaient paraître encore plus grande.

Les pages suivantes la montraient devant Laurent's, la célèbre salle des ventes de Nice que les anciens propriétaires avaient laissée péricliter. Jessica l'avait rachetée avec l'aide de mes parents. Je réalisai que mon père avait pris soin de documenter presque chacune des étapes de l'aventure : on voyait ainsi Jessica en train de superviser la restauration des lieux, à l'extérieur comme à l'intérieur, et la redistribution des espaces dans le bâtiment Art nouveau. Ce récit en images disait le sérieux grâce auquel elle avait permis à l'immeuble de retrouver sa beauté.

Stone's, ainsi qu'elle l'avait nommée, était devenue sous sa direction une des salles des ventes les plus modernes d'Europe, pourvue des équipements informatiques et technologiques les plus récents. C'était également un endroit très chic. Rien n'aurait pu se faire sans sa capacité à se projeter dans le futur, sans son talent, sa puissance de travail et sa volonté.

Dans cette superbe chronique en images réalisée par mon père, la soirée d'inauguration de Stone's occupait la place d'honneur. Ma sœur avait organisé pour l'occasion une vente de grande envergure, tout le contenu de la maison de maman à Bel Air, qui venait d'être mise sur le marché. Le catalogue proposait en outre une partie de sa garde-robe haute couture, ainsi que certains de ses bijoux, signés des plus grands joailliers.

La vente avait fait beaucoup de bruit, et battu tous les records. Grâce à cela, Stone's s'était imposée sans difficulté et était à présent considérée comme une des plus importantes salles des ventes du monde.

Les clichés suivants me montraient avec Cara, lors de la soirée d'inauguration. Nous étions venues pour soutenir Jessica. Nous voulions que l'événement soit inoubliable. J'examinai les photos avec attention. Nous étions superbes, à moins que ce ne fût le talent de papa qui nous fasse paraître aussi belles, son talent associé à celui de la maquilleuse et du coiffeur de maman. Je me demandai qui nous essayions d'impressionner, ce jour-là. Y avait-il des beaux partis dans la salle ?

Cara, aussi spectaculaire que sa jumelle, portait une robe moulante en soie bleu roi avec un décolleté plongeant. Sa tenue soulignait la perfection de sa silhouette.

Jessica avait choisi sa couleur préférée, un beau jaune jonquille, et une robe de mousseline qui mettait en valeur sa minceur et son élégance. L'étoffe lui descendait jusqu'aux chevilles en longs plis étroits, dans un style qui rappelait la Grèce antique. Elle avait remonté ses cheveux noirs en haut chignon et elle portait des pendants d'oreilles en diamant prêtés par maman.

Me revoir dans ma robe rouge vif me fit un choc. Je me souvins de m'être sentie très audacieuse, à l'époque, en choisissant ce fourreau bustier en soie. Je le portais bien, pensai-je avec étonnement. Dix-sept ans ! Je venais d'avoir dix-sept ans et j'avais l'air tellement jeune, tellement innocente... J'eus l'impression que tout cela remontait à une éternité ! Quant à maman, elle nous éclipsait toutes, nous et toutes les femmes présentes. Elle était tout simplement sensationnelle avec ses cheveux blonds, ses traits si purs et ses yeux turquoise. Absolument incomparable. Elle arborait une robe vert d'eau et des bijoux en diamant et aigue-marine. Je me rappelle encore les compliments qui pleuvaient sur elle. Elle était aux anges ; même si elle paraissait très jeune, elle avait cinquante-neuf ans, à l'époque !

Dans la dernière partie de l'album, je découvris des portraits de mon père pris par Harry. *Tommy Stone...* Séduisant et élégant comme à son habitude, dans un style très viril. La chemise blanche sous son smoking faisait ressortir son hâle. D'après mes souvenirs, il avait fait sensation, entouré comme toujours par une nuée de femmes. Les photos le montraient au côté de maman, la tenant par la taille, ses filles autour de lui.

Suivait une série consacrée à Harry, aussi chic et sûr de lui que son copain Tommy. Quand ils n'enfilaient pas un treillis pour courir les zones en guerre, ces deux-là savaient s'habiller. Le smoking de Harry était d'une coupe irréprochable. Il souriait, très fier de Jessica, qui se tenait près de lui. Un élan de tendresse m'envahit. Que ferais-je sans lui ? Depuis la mort de papa, il était devenu mon point de repère, la personne sur qui je pouvais compter en toutes circonstances, nuit et jour, fidèle, attentionné et plein de bons conseils.

Soudain, je réalisai qu'il n'y avait pas une seule photo de Roger, le mari de Jessica. Puis tout me revint. Il était à Londres, ce soir-là ! Nous avions été furieux de son absence. Pauvre Roger ! Je n'avais que de bons souvenirs de lui, un homme charmant et attachant. J'éprouvai une grande pitié pour lui, car, avec le recul, je comprenais qu'il n'avait pas une seule chance dans une famille comme la nôtre.

Roger Galloway, un bel Irlandais au charme irrésistible, avait été « perdu en route », selon l'expression de Cara. Bien que peintre par vocation, il travaillait comme décorateur de théâtre à Dublin et à Londres, d'où ses absences fréquentes. Papa l'aimait bien, mais il n'avait jamais cru que ce mariage durerait. Un jour, il avait marmonné à mon intention que Roger et ma sœur étaient aux antipodes. Il avait dit cela avec une expression morose, voire inquiète. Ma mère l'avait entendu, avait froncé les sourcils, et m'avait lancé un regard soucieux. Elle pensait comme lui.

Quelle qu'ait été la raison de leur séparation, Jessica l'avait gardée pour elle. Elle m'en avait très peu parlé, et Cara n'avait rien su de plus. J'étais certaine que maman connaissait toute l'histoire, mais, en femme loyale et discrète, elle savait garder un secret. « Je n'ai pas envie de causer des ennuis aux autres ou de me prendre pour Dieu ! » m'avait-elle dit un jour.

Et donc Roger avait disparu de nos vies. Jessica, après avoir rendu les clés de l'appartement qu'ils louaient, était revenue vivre avec nous dans notre villa de Nice. Ils avaient divorcé à l'amiable. Du moins, c'était ce que j'avais entendu dire dans la famille.

Nous aimions beaucoup notre villa dans les collines, avec ses murs blancs couverts de lierre et ses persiennes vert foncé, ses orangers et le magnifique jardin qui lui avait donné son nom : Villa des Fleurs.

Maman avait acheté la maison en 1972, à trente-trois ans, quelques mois après avoir épousé papa. Au fil des ans, elle s'y était de plus en plus attachée ; c'était devenu le seul endroit où elle se sentait pleinement heureuse et détendue. De plus, ce n'était pas loin de l'aéroport international de Nice, ce qui était très pratique quand son travail l'appelait au loin.

Je fermai l'album, le posai sur la table basse et m'étirai en fermant les yeux. Un jour, je devais avoir sept ou huit ans, j'avais demandé à maman si elle aimait être une star. Je n'ai jamais oublié son regard intense et intrigué. « J'ai toujours été une star, avait-elle murmuré en plissant le front. Que ferais-je d'autre ? » Je n'avais su que répondre, je n'étais qu'une enfant.

Quelques années plus tard, j'avais remis ça sur le tapis, lui demandant si cela l'ennuyait d'être aussi célèbre. Cette fois encore, elle m'avait dit d'un ton perplexe : « J'ai toujours été célèbre, aussi loin que je me souvienne. La célébrité ne me dérange pas. »

Les deux fois, elle n'avait exprimé que la vérité. Elle avait été célèbre à l'âge de quatorze mois ! Née à Londres en mai 1939, elle avait été un très beau bébé avec un merveilleux sourire, des boucles blondes soyeuses et des yeux d'un exceptionnel bleu turquoise. On utilisa sa photo sur l'étiquette d'un aliment pour bébé et, très vite, ma mère devint le bébé le plus célèbre d'Angleterre. Toutes les femmes enceintes espéraient avoir une fille aussi belle qu'Elizabeth. Le produit devint rapidement aussi connu que le bébé.

A l'âge de cinq ans, ma mère fut mannequin de vêtements pour enfants. Et au lendemain de la Seconde Guerre mondiale, en 1948, elle tourna son premier film, qui remporta un grand succès. Elle avait dix ans et était devenue une enfant star. Après plusieurs autres films, Alice et Kenneth Vasson firent leurs valises et emmenèrent leur petit prodige à Hollywood. Pour eux, c'était là qu'Elizabeth trouverait sa vraie place.

La famille Vasson s'installa chez Dora, la jumelle d'Alice. Dora avait épousé Jim Clifford, un GI rencontré pendant la guerre. Ils habitaient à Los Angeles, ville natale de Jim. Il débutait comme juriste dans un cabinet bien implanté. Intelligent, astucieux et très débrouillard, Jim mit à profit ses relations et repéra toutes sortes d'ouvertures pour la carrière de sa nièce dont il voulait devenir l'agent.

Les Vasson, qui au départ devaient rester trois ans, ne rentrèrent jamais en Angleterre.

Dans son premier film tourné à Hollywood, ma mère avait quinze ans. Une étoile était née ! Elle n'a jamais regardé en arrière, pas un seul instant.

Le bruit de la porte d'entrée qu'on claquait me fit sursauter et je courus vers l'entrée pour accueillir ma sœur préférée.

5

Jessica avait toujours été très importante pour moi. Elle pouvait me taquiner ou me tyranniser sans que je me fâche jamais, car c'était fait sans la moindre méchanceté.

Un jour, alors que j'étais encore toute petite, j'avais demandé à maman pourquoi tout le monde l'aimait tant. Elle m'avait répondu que Jessica était bonne et que les gens le sentaient tout de suite. Ils voyaient qu'elle possédait un cœur d'or. J'avais aussitôt eu l'image d'un vrai cœur en or, comme celui que ma mère portait en pendentif. Pendant des années, j'ai cru que ma sœur en avait un dans la poitrine. Beaucoup plus tard, quand j'ai commencé à gagner ma vie, le premier cadeau que je lui ai fait fut un médaillon en forme de cœur. Quand nous sommes ensemble et qu'elle le porte, cela nous fait sourire.

Bien que Jessica ressemble à papa, elle a hérité de nombreuses qualités de maman, sa grâce, ses manières affectueuses et son optimisme. Toujours certaine que demain sera meilleur qu'aujourd'hui, elle rayonne de bonheur. Je ne connais personne d'aussi joyeux qu'elle.

Quand j'arrivai dans l'entrée, Jessica était déjà en train de ranger dans le placard un long manteau beige et une écharpe en laine rouge. Elle se retourna et me prit dans ses bras.

— Je suis tellement contente d'être ici ! Tu m'as manqué.

Mon moral grimpa en flèche.

— A moi aussi, tu m'as manqué, Jess ! Pourquoi ne m'as-tu pas dit plus tôt que tu venais à Boston ?

— Je ne voulais pas te décevoir au cas où je n'aurais pas pu me libérer, répondit-elle avec un de ses sourires éblouissants.

Tirant sa valise à roulettes derrière elle, elle se dirigea vers sa chambre. Arrivée sur le seuil, elle éclata de rire.

— Je vois que tu as rangé, Pidge ! C'est vraiment chic de ta part. J'avais laissé un affreux désordre. Excuse-moi !

— Ne t'inquiète pas, j'ai bien compris que c'était un cas de force majeure.

Je m'installai dans un fauteuil et regardai Jessica déballer ses affaires, un ensemble pantalon noir, deux chemisiers en soie blanche et un pull noir. Elle voyageait « léger », comme notre père nous avait appris à le faire. Toutefois, ses leçons n'avaient eu aucun résultat avec maman, qui estimait avoir besoin d'au moins six valises pour un simple week-end.

— J'ai raté un appel de Cara, tout à l'heure, dis-je. Il semblerait qu'elle ait trouvé des photos de papa et de maman qui l'ont emballée et que je pourrais peut-être utiliser dans mon livre.

Jessica me répondit sans interrompre ses rangements.

— Oui, elles sont formidables. Nous avons regardé les cartons dans le studio de papa ; c'est une vraie caverne d'Ali Baba ! Nous avons tout laissé en place. Tu es meilleur juge que nous, Serena. On veut que ce soit toi qui classes tout !

— Je le ferai bientôt.

— Je sais que tu viens pour le dîner à la mémoire de papa, le 22 avril, mais ne pourrais-tu nous rejoindre plus tôt ?

Quelque chose dans sa voix et dans son regard, une vague inquiétude, m'intrigua. Y avait-il un problème ? Cara étaitelle retombée dans la dépression où l'avait plongée le décès de son fiancé. Je faillis poser la question mais me retins.

— Je viendrai dès que possible, Jess, c'est promis.

Elle ferma le tiroir de la commode où elle avait soigneusement rangé sa lingerie.

— Ton livre avance bien ?

— Je suis satisfaite dans l'ensemble, mais je bute sur un chapitre. Je vais faire du café, ajoutai-je en me levant. Veuxtu manger quelque chose ?

— Je n'ai pas faim, mais j'apprécierai un café, Pidge. Je te retrouve dans le boudoir de maman d'ici quelques minutes.

Elle me lança un grand sourire et se pencha de nouveau sur sa valise presque vide.

Elle parlait toujours du boudoir de maman, même si la pièce était devenue mon bureau, l'endroit où je passais plus de temps que dans n'importe quelle autre partie de l'appartement.

Dix minutes plus tard, chargée du plateau avec le café et les tasses, je rejoignis Jessica.

— J'avais oublié cet album ! s'exclama Jessica.

— Oui, tu as vu, c'est incroyable comme nous sommes bien. Même papa a dû être impressionné en nous voyant, ce soir-là. Il a pris des photos formidables.

Jessica tournait les pages, admirait les clichés, éclatait de rire et poussait des exclamations.

— Papa a fait un travail impressionnant sur les différentes étapes de la restauration de ta salle des ventes, repris-je. Et tu es superbe sur les photos. Nous toutes, d'ailleurs, et surtout maman.

— C'est vrai, comme toujours... Mais pourquoi tu t'intéresses spécialement à cet album ?

— En réalité, je cherchais l'album de 1999 ; je voudrais savoir ce que nous faisions à l'époque. Il me faut des informations pour un chapitre que je dois remanier. As-tu des souvenirs de cette année-là ?

Jessica prit sa tasse de café et s'adossa dans le canapé.

— Oui, bien sûr ! En dehors du fait que je démarrais mon affaire, j'ai divorcé de Roger. Cara terminait la construction de sa deuxième grande serre. Papa était au Kosovo ou ailleurs dans les Balkans. Quant à maman et toi, vous étiez un peu fâchées.

Je sursautai.

— Fâchées ? De quoi parles-tu ? Je ne me suis jamais disputée avec maman.

— C’est vrai, mais, elle, elle était très en colère contre toi, Serena. L’as-tu oublié ?

Je restai sans voix, cherchant dans ma mémoire.

— Maman n’a jamais été fâchée contre moi, Jess, jamais ! Tu dois confondre avec Cara.

— Non, pas du tout ! Je le sais parce que j’étais là. Tu veux que je te raconte ?

J’acquiesçai.

6

La déclaration de Jessica m'avait abasourdie. J'étais persuadée qu'elle se trompait.

Elle me dévisagea quelques instants avant de reprendre la parole.

— Désolée, Pidge, je ne voulais pas te blesser.

— Je le sais. Tout va bien, ne t'inquiète pas !

— Tu as pourtant l'air bouleversée, ma chérie.

— Moi ? dis-je en fronçant les sourcils. Non, je me sens plutôt étonnée, parce que je ne me souviens de rien, ni de maman en colère contre moi, ni de moi en colère contre elle ! C'est avec Cara qu'elle avait des désaccords.

— Oui, c'est vrai, il y avait souvent des frictions entre maman et Cara, mais, sincèrement, je pense que tu as oublié l'incident entre elle et toi parce que...

— J'ai une excellente mémoire, la coupai-je. Papa appelait ça une mémoire photographique.

— Peut-être que tu n'as pas oublié, mais que tu as bloqué ce souvenir, parce que tu n'avais pas envie de vivre avec un événement si perturbant.

Elle ne me quittait pas des yeux. Je savais qu'elle désirait seulement m'aider. Jessica avait toujours été gentille et aimante, bien plus que Cara d'une certaine façon. Cara était totalement centrée sur elle-même, à une exception près : en cas de crise, personne ne savait affronter la situation comme elle.

— Peut-être as-tu raison, dis-je à contrecœur. Je crois que j'ai, en effet, bloqué ce souvenir. De plus, cela date d'il y a longtemps. 1999... ça fait douze ans !

— Tu sais, Serena, papa et maman t'aimaient particulièrement, répondit Jessica de sa voix chaleureuse. Ils ont attendu huit ans pour t'avoir et tu as été très désirée. Tu as tout de suite été la petite princesse de maman ! Elle t'a beaucoup gâtée. Ensuite, quand tu as grandi, papa t'a traitée comme le fils qu'ils n'ont pas eu. Tout cela explique que tu as eu une relation très spéciale avec eux.

Il n'y avait nulle trace de rancœur ni de jalousie dans ces propos. Ma sœur me disait la vérité, la simple vérité.

— Papa me considérait plutôt comme un copain que comme un fils. Mon côté garçon manqué, sûrement. Mais maman nous a toutes gâtées, Jess, pas seulement moi. C'était sa nature. Elle ne vivait que pour nous, pour papa, Cara et toi, comme pour grand-mère et tante Dora. Elle était comme ça, elle était...

Je ne trouvais pas le mot juste.

— C'est difficile à expliquer et cela peut paraître bizarre à cause de sa beauté, mais maman était comme une terre nourricière. Elle possédait cette merveilleuse qualité de savoir donner son amour sans limites. Je n'ai connu personne de plus généreux.

— Je suis d'accord, Pidge. Nous avons été chanceuses d'avoir de tels parents ! Je sais très bien que tu as eu une relation harmonieuse avec maman, mais je sais également que, ce jour-là, vous avez eu un gros problème.

J'étais en colère contre moi-même, contre mon incapacité à me rappeler l'épisode en question. Je me sentais stupide. Je préférais sans doute, comme l'avait dit Jessica, occulter tout ce qui aurait pu ternir le souvenir de ma relation avec maman.

— J'aimerais bien te parler de ce qui s'est passé ce jour-là, reprit-elle comme si elle avait lu dans mes pensées. Cela te permettrait de comprendre. Je ne veux pas que tes souvenirs de maman soient assombris. D'accord ?

— D'accord, je t'écoute !

Jessica attendit quelques instants en me fixant et je m'étonnai de découvrir une pointe d'appréhension dans son regard.

— Vas-y, Jess ! Si tu te souviens de cet incident, c'est qu'il s'est produit. Je sais que tu ne l'inventerais pas.

— Bien sûr que non ! Je t'ai toujours dit la vérité, comme Cara, même s'il lui est arrivé de ne pas être tout à fait franche avec nous.

— Disons qu'elle s'est contentée de ne pas tout dire. Elle ne le fait plus, n'est-ce pas ?

— Non, c'est même l'inverse ! répondit Jessica en riant.

Elle prit une grande inspiration et se lança.

— C'était à la fin du mois de septembre 1999. Nous avions passé la plus grande partie de l'année à Nice. Papa et Harry faisaient de brèves apparitions avant de repartir dans des zones de guerre.

— Oui, je m'en souviens maintenant. Grand-mère et tante Dora voyageaient en Europe et sont venues nous voir. Papa et Harry sont retournés au Kosovo début septembre pour photographier les conséquences de la guerre: Toi, tu étais en plein divorce. Cara créait son affaire d'orchidées. Moi, je nous photographiais dans nos différentes activités pour raconter à papa notre vie en images.

— Tu vois, tu te rappelles pas mal de choses ! dit Jessica avec une expression satisfaite. Quoi d'autre ?

— Je me souviens qu'un samedi j'ai parlé avec papa au téléphone et je lui ai dit que mon reportage sur Cara avançait bien. C'est tout. Mais... attends ! Si, il y a eu autre chose. Je lui ai dit que, la prochaine fois qu'il partait couvrir une guerre avec Harry, je voulais partir avec eux.

— Exactement ! Et quand tu as raccroché, maman t'a demandé ce que tu entendais par là. Tu lui as répondu que tu étais décidée à devenir photographe de guerre et que tu voulais travailler avec papa et Harry. Elle s'est mise dans une terrible colère, on aurait dit qu'elle perdait la tête ! Elle a hurlé qu'elle ne le permettrait pas, qu'il n'y avait pas eu un jour depuis son mariage où elle ne s'était pas inquiétée pour papa et qu'elle n'avait pas l'intention de connaître encore cet enfer, de trembler en permanence à l'idée que sa fille soit tuée.

J'avais écouté avec la plus grande attention.

— Désolée, mais ça ne me revient pas du tout.

Jessica prit sa tasse de café, silencieuse. Je remplis la mienne et me tournai vers la fenêtre. Le jour déclinait. Nous aurions sans doute une belle nuit, un ciel clair et étoilé de temps froid.

— Serena, dit enfin Jessica en me dévisageant, qu'as-tu fait d'autre ce samedi-là ?

— Je ne sais pas, répondis-je en haussant les épaules. Je suppose que je suis allée photographier Cara et ses orchidées.

— Eh bien, non, pas exactement. Je peux te donner les détails, si tu veux... J'étais avec maman et toi sur la terrasse quand papa a appelé du Kosovo. Je lui ai parlé, ensuite j'ai passé le téléphone à maman, qui te l'a donné à son tour. Je travaillais sur les notes que j'avais prises pour un catalogue quand maman s'est énervée comme jamais je ne l'avais vue le faire. Toi, tu as éclaté en sanglots et tu es partie en courant.

Jessica m'interrogea des yeux.

— Tu ne te rappelles pas ?

— Non, pas du tout. Que s'est-il passé ensuite ?

— Tu n'es pas rentrée pour le déjeuner. Un peu plus tard, il a commencé à pleuvoir et on a eu un orage. Maman s'inquiétait, parce que Cara lui avait dit t'avoir croisée sur la route en revenant des serres.

— Non, marmonné-je, je ne crois pas être sortie du parc.

— Maman s'est mise à ta recherche. Elle t'a trouvée dans ta chambre et vous avez passé une bonne partie de l'après-midi ensemble.

— Je vois... A quel moment les choses se sont-elles arrangées ? demandai-je à mi-voix.

— Le soir même ! Maman nous a emmenées toutes les trois dîner dehors et cela s'est très bien passé. On aurait cru qu'il n'y avait rien eu.

Je me levai pour aller m'asseoir sur le canapé à côté de Jessica.

— Je t'avoue que cela m'ennuie de ne pas m'en souvenir. J'ai dû tout refouler.

— C'est ce que je pense, Pidge. De toute façon, maman a fini par céder, n'est-ce pas ? Elle t'a laissée partir au front avec Harry et papa quand tu as eu vingt et un ans.

— Oui, on est allés en Afghanistan ; des années plus tard, j'étais de nouveau à Kaboul quand j'ai raté mon avion. Et je suis arrivée trop tard pour revoir papa avant qu'il meure.

Les larmes me vinrent aux yeux et je tentai de ne pas me laisser submerger par l'émotion. Jessica s'en aperçut, évidemment ! Rien ne lui échappait. Elle me prit dans ses bras, me consolant. Au bout de quelques minutes, elle se leva et me prit par la main pour m'obliger à la suivre.

— Je parie, dit-elle avec entrain, qu'il y a un poulet dans le réfrigérateur, selon la bonne vieille tradition des Stone !

— Bien sûr ! dis-je en riant.

— Viens, on va faire un poulet grand-mère façon Lulu. Tu as les ingrédients nécessaires ?

— Oui, mais, pour certains, il faudra se contenter de conserves.

Lulu, la gouvernante de la Villa des Fleurs, avait appris à Jessica l'art de la cuisine française et, à partir d'un âge jugé suffisant, j'avais été autorisée à suivre les leçons, moi aussi. Cara ne s'était jamais jointe à nous. Elle préférait jardiner. Elle avait besoin des fleurs, des plantes et de la nature pour vivre. C'est ainsi qu'elle était devenue une brillante spécialiste de l'horticulture et des orchidées. Depuis dix ans, elle fournissait des plantes extraordinaires aux hôtels, aux restaurants et à des clients privés de la Côte d'Azur. Elle s'était forgé une solide réputation.

Il n'y avait donc que Jessica et moi dans la grande cuisine à l'ancienne mode de Lulu. Au fil des ans, cette femme joviale nous a inculqué les bases de la cuisine française, nous enseignant la plupart de ses spécialités, dont le poulet grand-mère. C'est un plat sans complications : un poulet rôti au four sur un lit de pommes de terre et de carottes en rondelles, avec des champignons et des tomates.

Emportant le plateau du café, je suivis Jessica dans la cuisine, où j'entrepris d'explorer les placards.

— Tomates et champignons en conserve ! annonçai-je. Et Mme Watledge a acheté des pommes de terre et du bouillon de volaille.

— Ce sera parfait ! dit Jessica en consultant sa montre. Il est déjà cinq heures. Que dirais-tu d'un verre de vin ?

— Pourquoi pas ? J'ai du sancerre au frais.

Je sortis la bouteille du réfrigérateur puis préparai le poulet. Il fallait d'abord le beurrer et mettre un demi-citron à l'intérieur. Tout en travaillant, je demandai à ma sœur comment s'était passé son voyage à Boston.

— Nous avons été tellement occupées à évoquer le passé ! dis-je. Tu as un nouveau client ?

Elle me tendit un verre de vin.

— Oui, un homme de loi. Sa mère, qui était veuve, vient de mourir et lui a laissé sa fabuleuse villa du Cap-d'Ail, ainsi que des tableaux et du mobilier de valeur. Elle a longtemps été mariée à un Français. Mon client est son unique héritier, et c'est avec moi qu'il a signé. Je vais organiser la vente avant la fin de l'année. Ce sera exceptionnel : du mobilier Art déco et des tableaux postimpressionnistes.

— C'est génial, bravo, Jess !

Nos verres tintèrent. Et Jessica m'embrassa sur la joue.

— Tu es la meilleure sœur au monde, dit-elle.

7

J'étais dans un taxi, en route pour dîner avec Harry Redford. La journée avait été pénible. J'avais peiné sur mon chapitre à refaire et, à la fin de l'après-midi, j'avais renoncé, remettant au lendemain. Il me fallait du temps. J'étais contente de sortir de chez moi. Sans la joyeuse présence de Jessica, l'appartement me paraissait vide et triste. Elle était partie très tôt ce matin-là, pour prendre le vol de huit heures trente de British Airways à destination de Londres. Elle y avait quelques rendez-vous avant de rentrer à Nice.

Par chance, la Première Avenue n'était pas embouteillée – une bonne chose. Car je risquais d'être en retard. Nous devions nous retrouver chez Rao, un restaurant assez loin dans East Harlem, au coin de la 14e Rue Est et de Pleasant Avenue. Rao avait toujours été le restaurant préféré de mon père et Harry dans Manhattan. Ils avaient commencé à y aller dans les années 1970 et, ensuite, avaient occupé la même table tous les lundis soir. C'était « leur » table.

Quand ils étaient sur le terrain, il y avait souvent des membres de la famille ou des amis pour venir à leur place. Au fil des ans, Rao avait acquis une réputation mythique, due en partie aux personnalités qui le fréquentaient, et il était devenu presque impossible d'obtenir une réservation si l'on ne faisait pas partie des habitués.

Tommy et Harry s'étaient liés avec Vincent Rao et sa femme, Annie Pellegrino Rao. Le décès de Vincent et Annie, en 1994, les avait profondément marqués. La direction du restaurant, qui appartenait à la même famille depuis plus d'un siècle, avait été reprise par Frankie Pellegrino, un neveu d'Annie, et son cousin, Ron Staci. Rien n'avait changé. L'atmosphère restait la même, chaleureuse, accueillante et gaie. Des boiseries foncées, des décorations de Noël autour du bar toute l'année, du linge de table d'un blanc immaculé et un juke-box en sourdine créaient une ambiance intime et confortable.

Après un trajet qui prit vingt minutes, je poussai enfin la porte du restaurant, soudain environnée des bonnes odeurs de la cuisine italienne traditionnelle. Il était exactement sept heures et demie et, en définitive, je n'étais pas en retard. Frankie Pellegrino m'accueillit et m'embrassa avec élan ; il me connaissait depuis mes dix ans.

— Bonsoir, Serena, vous nous avez manqué.

— Je comprends, mais je suis venue il y a quinze jours !

— Cela m'a semblé très long, rétorqua-t-il avec un gentil sourire.

Passant devant la porte ouverte de la cuisine où régnait une belle agitation, il m'accompagna jusqu'à notre table des lundis soir, cachée dans une petite alcôve. Harry s'était levé et m'ouvrait les bras.

— Quelle vision réjouissante ! dit-il en m'embrassant.

Il me serra contre lui pendant quelques instants.

— Désolée de t'avoir abandonné depuis deux semaines, mais j'avais besoin de rester seule pour avancer dans mon livre.

— Je le sais, Serena. Tu n'as pas besoin de t'excuser. Je l'ai toujours pensé, on ne peut pas être un écrivain sérieux et, en même temps, s'occuper de mondanités. Il faut choisir, c'est l'un ou l'autre.

Il désigna le paquet que j'avais posé sur la banquette.

— C'est pour moi ? Ce sont les premiers chapitres que tu as promis de me faire lire ?

Ses yeux brillaient d'excitation. C'était lui seul qui m'avait encouragée à écrire la biographie de mon père et m'en croyait capable. Harry était mon plus grand fan. A vrai dire, j'étais la fille qu'il n'avait pas eue.

— Oui, je t'ai apporté les sept premiers chapitres. Je pense qu'ils sont au point. Cela suffira pour te donner une idée, je suppose ?

— C'est plus qu'il n'en faut. J'ai hâte de commencer ma lecture.

— Harry, je veux que tu sois franc avec moi. Il est très important que tu me dises la vérité.

— Je te le promets.

Faisant signe à l'un des serveurs, il demanda deux verres de vin blanc puis reprit :

— Te mentir pour te faire plaisir serait déloyal, incorrect.

J'acquiesçai. Harry se renfonça dans la banquette et me détailla.

— Je te trouve très en beauté, Serena.

— Travailler me réussit, et Jessica m'a redonné du tonus. La voir débarquer comme ça, à l'improviste, a été une bonne surprise.

— Dommage qu'elle n'ait pas pu venir ce soir.

Harry aimait les jumelles autant que moi.

— Oui, elle était déçue, mais elle ne pouvait pas annuler ses rendez-vous à Londres. Et elle aurait eu des difficultés pour changer son billet de retour.

— Je sais bien, je le lui ai dit au téléphone.

Nous trinquâmes gaiement. Tout en goûtant le vin, j'observai Harry du coin de l'œil. Il avait l'air en forme et il semblait beaucoup plus jeune que ses soixante-neuf ans tout proches. Il avait un beau bronzage, peu de rides, une silhouette presque maigre, des yeux bleu vif, des cheveux bruns mêlés de quelques mèches blanches. Sa voix m'arracha à mes réflexions.

— J'ai commandé une salade variée, avec les poivrons grillés que tu aimes tant, des pâtes à la tomate et du poulet au citron. Cela te convient-il ?

— Tu es vraiment comme papa, dis-je en riant. Tu commandes beaucoup trop.

— Tu n'auras qu'à goûter un peu de tout. Et tu pourras emporter le reste chez toi, cela te fera un repas d'avance. On a besoin de se sustenter quand on écrit !

— Merci, Harry, mais je ne préfère pas. Je dois faire attention ; je suis tout le temps assise.

— Ah ! La malédiction des écrivains ! J'en ai entendu parler, répondit-il en riant.

Je me penchai par-dessus la table.

— Harry, puisque nous parlons de mon travail, j'ai une question... J'essaye de rassembler tout ce que je peux sur l'année 1999. Jessica m'a déjà fourni ses propres souvenirs. Et toi ? Vous étiez au Kosovo, papa et toi, n'est-ce pas ?

Il garda quelques instants les yeux fixés sur le verre qu'il tenait à la main. Quand il releva la tête, son regard si bleu me parut assombri par la tristesse.

— Oui, dit-il enfin, je me souviens bien de l'horreur de cette guerre. Nous y sommes restés, Tommy et moi, de mars à juin. C'était une guerre dure, infecte. A vrai dire, toutes les guerres le sont. Le cessez-le-feu est intervenu en juin, après l'intervention de l'OTAN et de l'ONU, et nous sommes partis. Ton père est rentré à Nice et moi à New York. Je m'étais démoli le dos en aidant des femmes à bout de forces à pousser un camion en panne jusqu'à un abri. Il était plein d'enfants blessés ou mourants. Pour mon dos, il me fallait les meilleurs médecins. C'est pour cela que j'avais décidé de revenir ici.

— Mais vous êtes repartis au Kosovo en septembre, je crois ?

— En effet ! Ton père estimait que nous devions couvrir l'après-guerre et il avait raison. On a quand même pu rentrer à Nice à temps pour passer Thanksgiving avec vous tous. Tu te rappelles ?

— Oui, très bien. Harry, pendant cette période, as-tu entendu dire que maman s'était mise en colère contre moi ?

— D'après ce que Tommy m'a raconté, Elizabeth était très inquiète parce que tu voulais devenir photographe de guerre.

— Il y a quelque chose de très bizarre, Harry. Je n'en ai gardé aucune trace en mémoire. C'est troublant. C'est Jessica qui m'en a parlé.

— Il est probable que tu as refoulé cet épisode parce que tu préférais l'oublier. Tu as dû en souffrir, car tu étais très proche de ta mère. Elle a paniqué en t'imaginant sur le front, en danger permanent, mais Tommy l'a rassurée.

— Et elle m'a laissée partir.

Harry eut un petit sourire.

— Tu étais adulte, tu avais le droit d'agir selon ta volonté, et elle le savait. Mieux valait accepter les choses. Surtout, nous lui avions promis de veiller sur toi et de l'appeler tous les jours, moi comme ton père.

Au moment où j'allais lui répondre, on nous apporta une bouteille de vin blanc et des assiettes pleines de mets délicieux.

— Vas-y, prends des poivrons grillés ! m'encouragea Harry avec un sourire.

Tandis qu'il se servait de salade, je suivis sa suggestion et la conversation dévia sur d'autres sujets.

— Je dois te dire quelque chose de très important, déclara soudain Harry alors que nous terminions notre dîner.

Il avait adopté une expression grave et même soucieuse, une expression que je connaissais bien.

— Il y a un problème ?

— En quelque sorte...

Le regard lointain, il but son café à petites gorgées.

— Harry, je t'en prie ! Que se passe-t-il ?

Il me prit la main et plongea ses yeux dans les miens.

— Quand tu m'as annoncé que tu voulais écrire cette biographie de Tommy, tu as dit autre chose ensuite.

— J'ai dit que je voulais le faire comme un hommage à mon père. C'est à cela que tu fais allusion ?

— Oui. Tu sais qu'il y a une autre manière de lui rendre hommage ?

— Comment ça ?

— Je voudrais d'abord te raconter quelque chose. Il y a longtemps, ton père est venu me chercher en Bosnie. Il était rentré avant moi parce que Elizabeth était malade et avait besoin de lui. J'étais resté en arrière et je ne voulais plus partir. Il est revenu et il m'a fait sortir du pays… Il m'a *obligé* à partir avant que…

Je l'interrompis d'une voix soudain plus aiguë :

— Tu me demandes de faire sortir quelqu'un d'une zone de combat, d'une zone dangereuse…

Je le fixai et un frisson glacé me parcourut au moment où je compris de qui il s'agissait.

— Tu veux que j'aille chercher Zac, c'est bien cela, Harry ? Nous parlons de Zac North ?

Il poussa un grand soupir et accentua sa pression sur ma main.

— Oui, mais je ne te demande pas d'aller le chercher en Afghanistan. Il n'y est plus…

— Dans ce cas, il ne risque plus rien ! le coupai-je à nouveau.

— C'est vrai, mais il va très mal, Serena. Il est à bout, épuisé et angoissé. J'ai envoyé Geoff Barnes le récupérer depuis le Pakistan et il a réussi. Mais, d'après Geoff, Zac fait une terrible dépression. Il a besoin de soins. Selon les propres mots de Geoff, Zac est un mort-vivant.

— Où est-il ?

A peine avais-je prononcé ces mots que je savais la réponse.

— Il est au refuge, c'est ça ?

Harry hocha la tête d'un air sombre.

— Je ne peux pas y aller, dis-je avec un geste énergique de la main. Je refuse ! De plus, il me claquerait la porte au nez. Nous ne nous sommes pas parlé depuis onze mois !

— Serena, je te garantis qu'il ne ferait pas ça. C'est lui qui a demandé que tu viennes. Il dit que tu es la seule à pouvoir l'aider.

— Mais il a sa famille à Long Island, Harry, tu le sais ! Ses parents, sa sœur et son frère.

— Ils sont incapables de l'aider… Il a besoin de quelqu'un qui a partagé les mêmes expériences, qui connaît la guerre, qui a vu la mort, le sang, les destructions…

Avec un grand soupir, il se tut.

— Je ne peux pas, je ne peux pas, répétai-je d'une voix tremblante et pleine de larmes. Notre dispute à Nice après l'enterrement de papa a été horrible. Il a été d'une violence verbale incroyable. Je regrette, Harry, mais je lui en veux. C'est sa faute si nous avons raté l'avion, à Kaboul ; il voulait faire des photos de dernière minute !

— Je regrette, moi aussi, ma chérie. Je n'aurais même pas dû te le demander. C'était vraiment stupide. Tu n'avais pas besoin de ça. Je trouverai une autre idée en en discutant avec Geoff.

Je me mordis la lèvre pour ne pas pleurer, mais ce fut plus fort que moi.

— Donne-moi le temps de réfléchir, Harry. On en reparlera demain.

Harry me dévisagea en silence avant de me répondre à mi-voix :

— Non, ma chérie, je ne veux pas que tu y ailles. J'ai eu tort de t'en parler. C'est ma responsabilité, pas la tienne, et je dois trouver une solution moi-même.

Il était très tard, cette nuit-là, mais je ne trouvais pas le sommeil. J'étais bouleversée par ma conversation avec Harry. Zachary North avait besoin de moi et j'avais refusé de l'aider. Pourtant, je n'avais jamais aimé un autre homme que lui, même s'il m'avait brisé le cœur. J'avais conscience que Harry tenait à ce que j'y aille. Sans cela, il ne me l'aurait pas demandé. Il n'avait changé d'avis qu'en voyant ma réaction.

Mon père aussi l'aurait voulu, je n'avais aucun doute à ce sujet. Il y a toujours eu une camaraderie, une entraide et une loyauté entre photographes de guerre. Nous sommes là les uns pour les autres. Le problème, c'est que j'avais peur de Zac, peur de l'effet qu'il me faisait. J'avais peur de mes émotions, mais je devais y aller. J'irais !

DEUXIÈME PARTIE

Plans rapprochés personnels

Venise, avril

« Il n'y a de nouveau que ce qui est oublié. »
Attribué à Mlle Bertin, couturière de Marie-Antoinette

« Seul discerné-je
la passion illimitée, et la douleur
des cœurs limités qui souffrent. »
Robert Browning, *A deux dans la campagne romaine*

8

J'avais eu tort de dire non à Harry. Car la vérité, c'était que j'étais la seule capable d'aider Zac. J'avais l'habitude des combats. Je savais ce que l'on pouvait ressentir après être resté trop longtemps dans une zone de guerre. Personne ne pouvait aider un vétéran... Personne sauf un autre photojournaliste.

Et cet autre photojournaliste, c'était moi.

Je mis mes craintes et mon angoisse de côté et, le mercredi, je bouclai mon sac de voyage et pris à l'aéroport JFK le vol Alitalia de fin d'après-midi, avec escale le lendemain matin à Rome et arrivée à Venise à onze heures vingt-cinq, heure locale.

Je dormis pendant presque tout le vol. Un coup d'œil à ma montre m'apprit qu'il ne restait que trente minutes avant l'atterrissage à Venise, à l'aéroport Marco Polo, où Geoff Barnes m'attendrait. Il me dirait tout ce qu'il savait et, ensuite, je devrais me débrouiller seule. Harry m'avait promis que Geoff resterait dans la région pendant quelques jours si cela me paraissait nécessaire. Puis il repartirait au Pakistan. Heureusement, on ne lui avait pas demandé de remplacer Zac dans la province du Helmand. On n'y envoyait certainement plus personne, c'était un endroit abominable. Les talibans étaient partout et massacraient les gens.

J'avais prévenu Harry que, si Geoff restait plus de deux ou trois jours à Venise, il faudrait qu'il s'installe à l'hôtel Bauer.

Le refuge était petit et, en plus, j'aurais à m'occuper de Zac, un Zac en pleine dépression. Harry avait reconnu que c'était la seule façon de gérer la situation.

Le refuge ! J'y avais séjourné de nombreuses fois, avec mon père et Harry ou avec mes parents. Avec Zac, aussi. Tommy et Harry avaient trouvé cet appartement en 1982 et l'avaient d'abord loué pendant plusieurs années. L'immeuble, de taille modeste, était situé juste derrière la place Saint-Marc. Louisa Pignatelli, la propriétaire, habitait l'appartement en dessous du nôtre. En 1987, Global Images, l'agence photographique de Tommy et Harry, avait acheté l'appartement, car c'était une escale très pratique pour des photographes en constant déplacement.

Venise était idéale en raison de son emplacement stratégique, au milieu de plusieurs pays d'Europe et à un jet de pierre des Balkans. Il n'y avait que la mer Adriatique à traverser. La ville se trouvait aussi sur le trajet des vols pour Istanbul, pour le Moyen-Orient et pour l'Afrique. Pour les gens qui circulaient dans ces zones, elle représentait le lien parfait entre l'Est et l'Ouest.

Le refuge servait de lieu de repos pour les photographes de l'agence Global. Ils n'avaient pas toujours le temps de rejoindre leur foyer avant de redécoller pour une autre mission, mais ils avaient besoin de se ressourcer après plusieurs mois passés au milieu des combats. Et c'était à Venise qu'ils le faisaient.

Bien que de dimensions moyennes, l'appartement était agréable avec trois chambres, deux salles de bains, une cuisine en longueur et un grand salon. Mon père et Harry l'avaient meublé simplement mais confortablement : des canapés, des fauteuils, une table et des chaises pour les repas et, bien sûr, plusieurs téléviseurs allumés en permanence sur les chaînes d'informations du monde entier. Quand personne ne l'occupait, Claudia, la fille de la propriétaire, le nettoyait à fond et vérifiait que les draps utilisés avaient bien été déposés à la laverie.

J'avais téléphoné à Geoff avant de prendre l'avion. Il m'avait promis de m'attendre à la sortie de la douane. Je savais pouvoir lui faire confiance. Dans le passé, il m'était arrivé de dépendre de lui et il ne m'avait jamais laissée tomber. Il me dirait la vérité au sujet de Zac.

Au début de la semaine, après avoir pris la décision de faire ce voyage, je m'étais sentie mieux, mais cela ne m'avait pas empêchée de penser tout le temps à Zac. J'avais dix-neuf ans quand j'avais fait sa connaissance : il était venu travailler à l'agence, à New York, au printemps 2000. Lors de cette première rencontre, il ne me plut pas du tout. Il était suffisant et très satisfait de lui-même, du moins le pensais-je. Il se pavanait dans les bureaux sous prétexte qu'il avait reçu un prix. Je ne l'avais revu qu'en été : il était venu passer quelque temps chez nous, à Nice, un séjour dont l'annonce ne m'avait guère enchantée.

Or, j'avais été agréablement surprise. Zac s'était montré sous un jour différent, chaleureux, attendrissant, très sympathique et très amusant. Il se moquait de lui-même d'une façon qui me faisait mourir de rire. Il était resté plusieurs jours avec nous et cela avait suffi pour que je tombe follement amoureuse de lui, et lui de moi. Nous étions faits pour nous entendre.

Notre relation devint vraiment sérieuse en 2004. J'avais vingt-trois ans alors et Zac trente ans, soit sept ans de plus que moi et plus d'expérience dans tous les domaines. Notre histoire fut passionnée, romantique, mais aussi tumultueuse, par moments. Nous restâmes ensemble pendant presque six ans. Notre rupture fut violente, une violence verbale, du moins. Zac avait piqué une épouvantable colère. Il m'avait fait peur. Je savais qu'il était l'amour de ma vie, mais que cela ne marcherait jamais. Je ne lui avais pas parlé depuis près d'un an. Et voilà que j'étais en route pour l'aider à guérir. Je me doutais que la tâche serait difficile et je n'avais aucune certitude de réussir.

9

Le passage à la douane prit peu de temps et, à peine sortie de la zone de contrôle, je repérai Geoff. Il avait le type californien, très grand, quelque peu dégingandé, bronzé et blond avec des mèches décolorées par le soleil. Sa haute taille le rendait facilement visible parmi les gens qui attendaient dans le hall des arrivées. Je lui fis un signe de la main tout en tirant ma valise. Quelques secondes plus tard, nous nous embrassions avec affection. Il s'empara de mon bagage et m'entraîna vers la sortie.

— Heureux de te voir, Serena ! Tu as fait un bon vol ? Tu as pu dormir ?

— Oui, à peu près. Comment va-t-il, Geoff ?

— Pas bien, mon chou, mais probablement pas aussi mal que tu l'imagines. Pas suicidaire, en tout cas. En fait, il est épuisé. Et très déprimé, il ne parle presque pas.

Geoff s'interrompit pour me lancer un regard étrange. Il avait l'air vraiment inquiet.

— Je crois qu'il n'a tout simplement pas la force de parler. Cela peut paraître bizarre, mais il ne mange pas et ne dort pas. Je peux te dire qu'il a terriblement besoin que tu t'occupes de lui. C'est lui qui a demandé à Harry de te convaincre de venir.

Les derniers mots de Geoff me troublèrent. J'en avais la bouche sèche et je dus faire un effort pour poursuivre la conversation.

— A ton avis, devrait-il être hospitalisé ?

— J'en suis certain, mais il refuse d'en entendre parler, tout comme Harry quand je lui en ai fait la suggestion au téléphone. Je crains que tu ne doives le remettre sur pied toute seule.

Un certain désarroi m'assaillit.

— Il peut être terriblement têtu, repris-je. Mais comment oblige-t-on quelqu'un à manger ? Ou à boire... Il n'est pas déshydraté au moins ?

— Je ne pense pas, il boit les bouteilles que je lui donne. Tu te feras ta propre idée quand tu le verras.

Cela m'inquiéta encore plus. J'avais beau me répéter de ne pas paniquer, je sentais monter l'angoisse.

Dehors, Geoff me guida jusqu'au ponton des bateaux-taxis privés. Il me désigna l'une des vedettes.

— C'est la nôtre. J'avais demandé au type de nous attendre. Il va nous emmener place Saint-Marc.

Je levai les yeux vers le ciel. Il faisait gris, d'un gris menaçant, avec des nuages qu'on devinait prêts pour le déluge. A Venise, les mois de mars et avril sont les plus pluvieux. Même si j'étais contente de respirer de l'air frais et, même plus frais que je ne m'y attendais, je ne ressentais rien de mon enthousiasme habituel quand je posais le pied dans cette ville magnifique. J'étais en mission, et cela n'avait rien de merveilleux. Pendant quelques instants, je regrettai d'avoir accepté, mais je me repris aussitôt, me reprochant ma couardise. J'étais capable de faire face à la situation et d'aider Zac. Et le petit doute qui me restait, je décidai de l'écraser comme un vulgaire moustique. Je devais me montrer positive et décidée, exactement comme Jessica quand elle avait un défi à relever.

Le pilote de la vedette nous salua et m'aida à monter à bord puis à descendre dans la vaste cabine. Je m'obligeai à lui sourire et le remerciai. Geoff nous suivit, baissant la tête pour ne pas se cogner. Il s'assit en face de moi. Le pilote entreprit de se dégager du ponton puis, arrivé en eau libre, dirigea son bateau avec cette habileté qui semble être le propre des marins vénitiens.

— Geoff, y a-t-il de quoi manger, au refuge ? Tu as fait des courses ?

Il eut un regard de dédain.

— Ce n'est pas mon premier rodéo, m'dame ! s'exclama-t-il. Pour qui me prenez-vous ? Pour un gamin ?

Il avait pris un faux accent de cow-boy et je me mis à rire avec lui.

— Non, je sais bien que ce n'est pas ton premier rodéo, Geoff, mais j'imagine que tu as été très occupé.

— Je te rassure, j'ai rempli les placards. Claudia est restée avec Zac le lendemain de notre arrivée et ils ont pris un café pendant que j'allais au marché. J'ai acheté des tonnes de nourriture, selon les instructions de Harry.

— Des tonnes ? C'est-à-dire ?

— Des pâtes, des boîtes de conserve, beaucoup de fruits frais et de légumes. De quoi faire des soupes comme tu les aimes, toujours sur les conseils de Harry. Et ce matin, Claudia est allée chercher du pain frais, du beurre, du fromage et du lait, sans oublier deux poulets et du bouillon de volaille.

— Tu penses à mon célèbre poulet cocotte...

Soudain, je me rappelai que Zac en raffolait.

— Merci d'avoir fait les courses, Geoff.

— Je t'en prie, ce n'est rien. Par ailleurs, j'ai réservé une chambre au Bauer. J'y ai déjà transporté mes affaires. En cas d'urgence, appelle-moi, j'accourrai dans la seconde. Tu peux aussi compter sur Claudia. Elle n'a qu'un étage à monter.

— Ah ! C'est parfait, alors.

Parfait ? J'en doutais.

— Ne t'inquiète pas tant, Serena ! Il réagira mieux avec toi qu'avec moi. C'est toi qu'il veut voir, toi dont il a besoin.

Nous nous regardâmes sans parler. Ses yeux gris brillaient d'intelligence.

— Ne crois pas que je me défile ! reprit-il. Je pense sincèrement qu'il vaut mieux que je me tienne à l'écart. Avec toi, Zac se calmera. Il est toujours amoureux, tu sais.

J'eus l'angoissante vision d'un Zac énervé, se mettant en colère comme lors de notre rupture.

— Parce qu'il n'est pas calme ? Comment est-il ? Très agité ?

— Je dirais plutôt qu'il est sur les nerfs. Il n'arrête pas de bouger, il ne peut pas rester assis plus de quelques minutes, mais il ne crie pas. Je te l'ai dit, il ne parle pas. Il s'est replié sur lui-même, comme s'il vivait dans un autre monde.

Il doit être dans un état catatonique, pensai-je, alarmée. Ou, au moins, en état de choc. Pourquoi ne parlait-il pas à Geoff ? Ils avaient traversé beaucoup de choses ensemble, s'étaient trouvés dans les mêmes zones de combat. C'est pour cela que Harry avait envoyé Geoff le chercher en Afghanistan. Comment allais-je faire pour l'aider ?

Geoff avait dû lire sur mon visage le cours de mes pensées. Une main posée sur mon genou dans un geste rassurant, il m'encouragea.

— Tu t'en sortiras très bien, ma chérie, cesse de t'inquiéter. Zac a besoin de toi et tu réussiras là où n'importe qui d'autre échouerait.

— Je l'espère, soupirai-je. En tout cas, je vais essayer.

— Ça, je compte sur toi ! déclara-t-il avec assurance.

Le bateau-taxi nous laissa au ponton le plus proche de Saint-Marc et nous traversâmes la place en silence, perdus dans nos pensées.

Je revoyais toutes les fois où j'étais venue ici, les jours heureux avec ma famille ou seule avec Zac. C'était souvent en plein été, quand la place est bondée de touristes venus du monde entier. A présent, la saison du carnaval était passée et il y avait peu de monde sur la place en ce frais et gris matin. Devant nous, quelques personnes se dirigeaient vers les boutiques de la rue Frezzeria, le café Florian ou le Quadri. D'autres, assises aux petites tables de la place, regardaient les passants et les pigeons ou admiraient la basilique.

Geoff et moi nous dirigeâmes vers l'étroite rue pavée où se trouvait le refuge. Sans crier gare, Geoff s'arrêta et me prit par le bras.

— Serena ! J'ai oublié de te dire quelque chose. Je dois te prévenir...

— Me prévenir de quoi ? le coupai-je.

— Zac et la télévision. Il allume tous les postes en même temps mais sur des chaînes différentes et il les regarde en permanence. Si tu essayes d'en éteindre ne serait-ce qu'une seule, cela le rend furieux. Je crois qu'il vaut mieux éviter de le faire. Pour le moment...

— Je comprends. Que regarde-t-il ?

Je connaissais pourtant la réponse !

— Les reportages de guerre, évidemment ! Les nouvelles en général, mais surtout la guerre. Il est drogué à la guerre, Serena.

— Je sais, dis-je dans un souffle.

Nous atteignîmes enfin l'immeuble. Il ne restait plus qu'à monter au troisième étage dans le petit ascenseur. Devant la porte du refuge, je m'immobilisai, la fixant avec hésitation. Geoff m'observait sans un mot. Il attendait.

— D'accord, dis-je en prenant une grande inspiration. Ça va, on peut entrer.

10

Le vacarme des différents postes de télévision allumés dans tout l'appartement était assourdissant. Lorsqu'il me vit, Zac éteignit celui du salon et se leva. Ceux des chambres continuèrent à hurler, mais l'épaisseur des murs en atténuait un peu la violence.

Je pris le temps de poser mon sac sur la table et ma veste bleue sur le dossier d'une chaise. Zac restait planté à côté du téléviseur, immobile, me fixant. Dire que son apparence me choqua est faible. J'ai été horrifiée. Il avait beaucoup maigri, ce qui le faisait paraître encore plus grand, et, en dépit d'une barbe de plusieurs jours, on se rendait compte que son visage s'était émacié. Ses cheveux bruns pendaient, ternes, comme poussiéreux. Toute son allure indiquait un épuisement extrême. Même ses yeux verts avaient perdu leur éclat. Sa bouche n'était plus qu'un trait.

J'avançai vers lui et il se mit soudain en mouvement. Un instant plus tard, je le serrai contre moi. On sentait ses os sous sa chemise. J'en eus mal pour lui, pour toute la souffrance que cela trahissait. Un élan d'amour et de tendresse m'envahit.

Il payait un horrible tribut à la guerre. Je devais le remettre sur pied, le ramener à la vie, à ce qu'il était avant. J'ignorais si nous avions un quelconque avenir ensemble, mais cela n'avait aucune importance. Le guérir était la seule raison de ma présence.

Je le relâchai et me reculai d'un pas en tournant un peu la tête. Il portait des vêtements sales qui sentaient mauvais, tout comme lui. Il me fallut respirer à fond avant de pouvoir parler.

— C'est Harry qui m'envoie.

— Oui, je suis heureux que tu aies accepté.

Geoff, qui avait emporté ma valise dans l'une des chambres, nous rejoignit et nous regarda alternativement.

— Vous ne voulez pas un café ? Moi, j'en ai envie.

Nous acceptâmes d'un signe de la tête.

— Avec du lait et du sucre, s'il te plaît, Geoff, dis-je.

— Je n'en ai pas pour longtemps, répondit-il en se dirigeant vers la cuisine.

Prenant Zac par la main, je le conduisis jusqu'au grand canapé, où nous nous assîmes l'un à côté de l'autre. Il avait une expression que je n'arrivais pas à interpréter, nostalgie, lassitude ou chagrin. Soudain, son visage se plissa et il se mit à pleurer, caché derrière sa main. Quand il parvint enfin à se contrôler, il s'essuya les yeux.

— Excuse-moi, Pidge, je ne voulais pas craquer, chuchota-t-il.

En dehors de Jessica, il était la seule personne autorisée à m'appeler par mon surnom.

— Ne t'en fais pas, ce n'est pas grave.

Je le pris dans mes bras pour le rassurer, mais me reculai aussitôt, malgré moi. Une chose était certaine : je devais le convaincre d'urgence d'enlever ses vêtements puants et de prendre une douche. L'odeur était insoutenable !

Je regardai autour de moi. Ses appareils photo étaient sur la table, sa veste de treillis jetée sur une chaise, son fourre-tout par terre. Il se tenait prêt à repartir, à foncer vers une nouvelle zone de combat, où qu'elle se trouve. L'Afghanistan même, le pire endroit possible, ne lui ferait pas peur, me dis-je. Malgré l'odeur de la cordite, du sang et de la sueur, les mines qui explosent, les marines tués tous les jours... Une atroce boucherie.

Zac était accro à la guerre, à la montée d'adrénaline, comme tant d'entre nous l'étaient devenus. Je l'avais été, moi aussi, mais j'avais réussi à en sortir avant qu'il soit trop tard, comme mon père et Harry avaient su le faire avant moi. Si l'on n'arrivait pas à arrêter, on terminait comme Zac, réduit à néant. Les cendres retournent aux cendres, la poussière à la poussière... Un frisson me parcourut à ce souvenir de la liturgie des morts.

Geoff apparut et nous donna nos mugs de café avant d'aller chercher le sien dans la cuisine, ainsi qu'une assiette de cookies, qu'il posa sur la table basse. Silencieux, nous bûmes la boisson chaude.

— Zac, dis-je enfin tranquillement, dès que tu en auras le courage, je veux que tu prennes un bain ou une douche, selon ce que tu préféreras.

Il me jeta un regard rapide et sa bouche prit une expression butée.

— Demain, ce sera bien.

— Non, aujourd'hui, répondis-je en gardant un ton aussi « femme d'affaires » que possible. Tes vêtements sentent mauvais, et toi aussi. Pas de lessive, pas de toilette, pas de Serena. Je vais prendre une chambre au Bauer. Personne ne sent mauvais, à l'hôtel.

— C'est vraiment si horrible que ça ? dit-il à voix basse.

— Crois-moi ! De toute façon, maintenant que je suis ici – et rappelle-toi que c'est seulement parce que Harry a insisté –, c'est moi qui pose les règles.

— Je vois.

— Très bien ! conclus-je en me levant. Je te fais couler un bain ou tu préfères prendre une douche ?

Il s'enfonça dans les coussins, l'air morose, totalement passif. Laissant tomber la tête contre les coussins, il ferma les yeux, m'ignorant. Je compris en un éclair que la seule manière d'obtenir un résultat serait de me montrer ferme avec lui. Au moindre signe de faiblesse, il essayerait de me manipuler. Or, il était très doué pour cela, je ne le savais que trop bien. Heureusement, j'avais quelques moyens de pression. Car je savais qu'il avait réellement besoin de moi. Dans le cas contraire, il n'aurait pas abdiqué sa fierté et supplié Harry de me décider à venir l'aider.

Geoff considéra Zac, puis se tourna vers moi, haussant un sourcil perplexe. Je pris ma décision en un clin d'œil.

— J'ai été bien inspirée de ne pas défaire ma valise, Geoff. Viens, je m'installe au Bauer et, comme j'ai faim, nous déjeunerons sur la terrasse.

La voix de Zac s'éleva des profondeurs du canapé.

— Une douche. Ce sera plus facile pour l'instant.

Il se redressa lentement, l'air un peu sonné. Je le suivis du regard tandis qu'il traversait le salon et je vis qu'il boitait. Des années auparavant, il avait reçu un éclat d'obus et la vieille blessure semblait s'être réveillée.

— As-tu besoin d'aide ? criai-je.

Il refusa d'un grognement et entra dans la salle de bains. La porte claqua bruyamment derrière lui.

— Ouf ! dis-je en me tournant vers Geoff. Ses vêtements empestent. Tu aurais dû me prévenir !

— Pour te faire peur ? répondit-il. Pas question ! En tout cas, je peux te dire qu'il a semblé mieux dès qu'il t'a vue. Je pense qu'il essaye de se conduire aussi normalement que possible. Il n'a clairement pas envie de te voir repartir. Il y a des nuits...

Il s'interrompit brutalement, comme s'il regrettait ses derniers mots.

Je le fixai droit dans les yeux. Zac souffrait-il de cauchemars ou de flash-back ? C'était plus que vraisemblable.

— Il a des cauchemars, Serena. Il crie et il hurle des insultes... Il t'appelle...

Geoff me lança un regard pensif.

— Souvent, il t'appelle Pidge. D'où vient ce surnom, Serena ? C'est très inhabituel.

Je soupirai. Sans savoir pourquoi, j'avais toujours gardé le secret à ce sujet.

— Allons, dis-le-moi ! insista Geoff, visiblement dévoré par la curiosité.

— Je ne l'ai jamais dit à personne, même pas à Zac. Promets-moi de garder le secret.

— C'est promis !

— Quand j'étais petite, Jessica m'appelait Smidge, qui vient de *smidgen*, un tout petit peu, un iota… Pour elle, j'étais vraiment une petite chose ! C'était affectueux, mais je détestais ce surnom. Elle a donc laissé tomber et, à la place, elle m'a appelée Pidge, une abréviation de pigeon. Car le pigeon est un petit oiseau qui pépie, comme je le faisais ! Tu le gardes pour toi, n'est-ce pas ?

— Bien sûr ! Je suis flatté de ta confiance, mais je ne vois pas pourquoi en faire un tel secret. Ce n'est pas un surnom déshonorant !

Je lui souris avec tendresse. J'aimais beaucoup Geoff, c'était un ami précieux.

— Imagine-toi que les petites filles aiment bien avoir des secrets.

Il me sourit à son tour en me faisant un clin d'œil.

— Je comprends et je me tairai. Pour revenir à Zac, te voir lui a fait du bien. Il s'est détendu parce qu'il se sent en sécurité avec toi. Sa guérison n'est peut-être finalement pas si lointaine que ça.

Je réfléchis un instant. Il est vrai que Zac m'avait parlé, même si c'était en phrases très brèves. Cependant, il n'était plus lui-même. Il était très diminué et fragilisé. Son regard reflétait l'indicible chagrin de celui qui avait vu trop d'horreurs. Et bien qu'il semblât calme, je percevais une tension extrême sous cette apparence. Cela expliquait les cauchemars évoqués par Geoff.

— Qu'est-ce qui t'inquiète, Serena ?

Comme je voulais être honnête avec Geoff, je lui dis la vérité.

— Ton optimisme me réjouit, mais je le trouve en très mauvais état.

— En tout cas, je me sens moins ennuyé de te laisser seule avec lui.

— Geoff, ce n'était pas un problème de toute façon. Je ne suis pas très forte, mais je peux me défendre s'il perd la tête.

Je pris soudain conscience de la bizarrerie de mes paroles. Malgré la gravité de la situation, je ne pus m'empêcher de rire.

— Il est si faible que tu pourrais le faire tomber en soufflant dessus, répondit Geoff avec un sourire.

— Je n'irais quand même pas jusque-là ! Ce qui est positif, c'est qu'il a l'air prêt à obéir. Je sais qu'il est un peu ronchon, qu'il refuse de bouger, mais c'est dû à l'épuisement, n'est-ce pas ?

— J'imagine... Comme je te l'ai expliqué, il n'a presque pas dormi depuis que je l'ai amené ici ! Quand il sera propre, tu réussiras peut-être à le faire manger, surtout si tu fais ta recette de poulet. Manger l'aidera à dormir. C'est ce dont il a besoin dans l'immédiat, manger et dormir.

— Je vais le préparer, ce poulet ! dis-je en me levant.

Geoff me suivit dans la cuisine.

— Laisse-moi te montrer où j'ai rangé les provisions.

11

La première fois que Zac était venu avec moi au refuge, nous avions dormi dans la chambre où je m'étais installée plus tôt dans la journée. Cela avait été celle de mes parents et elle restait ma préférée. Zac l'avait examinée avec intérêt, puis s'était étonné qu'un couple aussi amoureux que celui de mes parents dorme dans des lits jumeaux. Or, il y avait chez les Stone une règle absolue : nous ne discutions pas de sujets privés avec des étrangers à la famille. Cette fois, cependant, j'avais été si embarrassée que je m'étais sentie obligée de fournir une explication. Je lui avais donc confié que ma mère souffrait d'une forme rare d'ostéoporose lui imposant de dormir dans un lit séparé pour plus de confort. Zac s'était montré assez sensible pour ne pas poser d'autres questions et je ne lui avais rien dit de plus. Je n'avais pas envie de détailler les problèmes de santé de ma mère.

Par la suite, à chacun de nos séjours, nous avions utilisé la chambre de mes parents. Les deux autres possédaient aussi des lits jumeaux. Le refuge était destiné aux photographes et photojournalistes de Global Images qui avaient besoin d'un temps de repos et de récupération. Il n'était pas prévu pour les escapades amoureuses.

Ce soir, la pièce était silencieuse à l'exception du faible frottement des voilages contre la fenêtre. Une légère brise s'était levée et j'avais besoin d'air frais. Bien réveillée, j'écoutais attentivement, et je sentais que Zac, couché dans le lit près du mien, ne dormait pas non plus. J'espérais que me savoir là l'aiderait à trouver le sommeil. Au cours de la soirée, j'avais réussi à lui faire avaler un peu de potage et de poulet, insuffisamment pour me rassurer, mais, au moins, il n'avait pas l'estomac vide.

Le voir propre m'avait fait plaisir. Ses cheveux avaient retrouvé leur brillance naturelle. Ils étaient longs, mais cela n'avait aucune importance. De plus, même s'il s'était coupé, Zac avait fait l'effort de se raser. Il avait enfilé un des pyjamas de Harry et un peignoir de bain déniché par Geoff. Ce dernier était rentré à son hôtel, et je m'étais activée dans la cuisine. Ensuite, j'étais descendue dire bonjour à Claudia. Enfin seulement, j'avais défait ma valise. Zac, quant à lui, était resté collé devant l'écran de la télévision, mais en mettant le son assez bas. Il avait l'air calme et moins tendu.

Mon instinct me dictait d'agir comme si tout était normal, sans pression d'aucune sorte. Si je laissais Zac se comporter à sa guise, la situation lui paraîtrait naturelle et confortable. Ma décision avait sans doute été la bonne. Il avait fini par m'adresser quelques mots banals et, moi, je ne lui avais pas posé de questions. Harry, que j'avais eu au téléphone un peu plus tôt, m'avait conseillé de ne pas aller trop vite ni de chercher à en savoir plus. Mieux valait accepter pour le moment sa version des faits : il avait quitté la province du Helmand parce qu'il était fatigué de se trouver en première ligne avec les troupes.

Peu à peu, je sentis mes paupières se fermer, mais je voulais rester éveillée pour tenir compagnie à Zac aussi longtemps que possible. Je me mis donc à dresser mentalement la liste des tâches à accomplir le lendemain. Je devais appeler Harry deux fois par jour. Il voulait savoir comment allait Zac et comment je me débrouillais. Il faudrait aussi que je téléphone à Jessica pour lui dire où je me trouvais. En vertu d'une autre règle de vie des Stone, nous devions toujours nous dire les unes aux autres où nous étions. Papa nous l'avait inculquée dès l'enfance. Par ailleurs, je devais parler à Cara, non seulement au sujet des photos de nos parents mais aussi du projet de livre de photos qu'elle avait récemment découvert, un projet commencé par mon père mais qu'il n'avait pu terminer.

Cara… Elle s'était baptisée « la sœur du milieu », parce que Jessica était née la première, dix minutes avant elle. C'était Cara qui m'avait expliqué la maladie de notre mère quand j'avais été en âge de comprendre. On considère en général que l'ostéoporose touche les femmes âgées. Or, maman souffrait d'une forme assez rare, qui avait été déclenchée par sa grossesse, une période où la densité osseuse d'une femme diminue. La perte de densité s'aggrave en cas d'allaitement. Maman avait trente-quatre ans à la naissance des jumelles et elle les avait allaitées. D'après les médecins, elle avait de toute façon, dès le départ, une masse osseuse faible. Cara m'avait dit aussi que, à ma naissance, huit ans plus tard, son état de santé était sous contrôle grâce aux médicaments mais qu'elle n'avait pas été autorisée à me nourrir.

J'étais reconnaissante à Cara d'avoir toujours pris le temps de m'éclairer au sujet des questions familiales compliquées ou délicates, même si, parfois, je n'avais pas envie de savoir. En général, elle n'y allait pas par quatre chemins. Elle me disait la vérité sans fard. Cara était très réaliste, pragmatique et un peu plus réservée que Jessica. Elle me faisait rire avec ses remarques piquantes sur les gens, avec ses commentaires caustiques sur la vie.

Quand elle était petite, elle avait passé beaucoup de temps avec notre grand-mère maternelle, Alice Vasson, notre unique grand-mère. Les parents de papa, David et Greta Stone, étaient morts bien avant notre naissance. Grand-mère Alice possédait un impressionnant répertoire de dictons, expressions et proverbes. Cara les avait très vite intégrés à son vocabulaire. Avec une préférence pour trois d'entre eux : « laisser entrer le loup dans la bergerie » ; « avant d'avoir pu dire ouf ! » ; « qui épargne gagne ». Je lui resservais souvent ce dernier, car elle était bien plus économe que Jessica et moi.

Je me reprochai soudain de l'avoir un peu laissée tomber ces derniers temps. Je n'avais pas été assez proche d'elle après la mort de papa. Mes sœurs avaient tout autant souffert que moi, et, au lieu de rester à leurs côtés, j'étais repartie à New York pour panser mes blessures et me battre avec ma culpabilité. A l'époque, Cara était particulièrement vulnérable en raison de la mort de son compagnon, deux ans plus tôt. Julien Nollet, son amour d'enfance, avait été tué lors d'un accident de ski alors qu'ils prenaient des vacances dans une station des Alpes. Cette mort était probablement à l'origine des fréquentes dépressions de ma sœur. Cara ne faisait plus qu'une chose, travailler dans son affaire d'orchidées. Je m'inquiétais pour elle.

J'avais dû m'endormir, car un cri me réveilla en sursaut. Je me levai précipitamment.

— Qu'y a-t-il, Zac ? Quelque chose ne va pas ?

— J'ai froid… Je gèle.

J'allumai la lampe de chevet. Il était livide, les paupières rouges, et il tremblait violemment, recroquevillé sous la couette. Je pris ma propre couette et l'étendis par-dessus la sienne, puis fermai la fenêtre. J'attrapai les deux bouillottes dans le tiroir de la commode, ainsi qu'une épaisse paire de chaussettes de lit en laine. Notre mère en pensait le plus grand bien et nous en faisait toujours porter. Il y en avait un plein tiroir, rempli par elle des années auparavant. Je réussis à en enfiler une paire à Zac. Il avait les pieds glacés. Je courus mettre de l'eau à chauffer pour les bouillottes, puis je revins dans la chambre.

— Est-ce que tu te sens mieux ? lui demandai-je en me penchant sur lui.

— Non, marmonna-t-il.

Il tremblait toujours autant. Son état m'inquiéta. Aurait-il attrapé une maladie, là-bas ? Ou bien n'était-ce qu'un symptôme de fatigue et de dénutrition ? Que faire, sinon essayer de le réchauffer ? La bouilloire se mit à siffler et, bientôt, je pus glisser les bouillottes dans son lit.

— Cela va te faire du bien et t'aider à te réchauffer…

Il me répondit par un grognement inintelligible. Je savais que, pour réchauffer quelqu'un, il n'y a rien de mieux que la chaleur d'une autre personne. Je me glissai donc auprès de lui et le serrai dans mes bras en essayant de le couvrir de tout mon corps. Il continua de frissonner pendant un long moment puis, peu à peu, ses tremblements se calmèrent et il s'assoupit.

Enfin, sa respiration changea, se fit profonde et régulière. Je sortis doucement du lit et j'éteignis sa lampe de chevet.

A mon grand soulagement, le reste de la nuit fut calme. A mon réveil, peu avant sept heures, Zac dormait toujours à poings fermés. Je mis ma robe de chambre et sortis sur la pointe des pieds pour aller préparer mon petit déjeuner, une pleine cafetière, des œufs brouillés et des toasts. Je posai le tout sur un plateau et m'installai à un bout de la table du salon.

Tout en dégustant mon café, je réfléchis à Zac et à sa vie. N'avait-il pas rencontré mon père et Harry en 1999 ? Hmm... toujours cette même année qui revenait... Ils étaient allés au Kosovo en septembre et, évidemment, Zac savait qui étaient ses célèbres confrères. Par la suite, il m'avait avoué qu'il les admirait et les redoutait en même temps. Harry et Tommy avaient apprécié le jeune photographe et, au fil du temps, il devint le protégé de Harry. L'année suivante, en 2000 donc, Global Images l'avait embauché. Rapidement, il fut le photographe phare de l'agence.

En réalité, Zac n'était pas un novice en matière de guerre. Il avait déjà une solide expérience, vu beaucoup de sang et de destructions. On pouvait parler d'un jeune vétéran croisant la route de deux vieux vétérans... deux hommes qui avaient eu une sacrée chance face au danger.

Tommy et Harry étaient devenus photographes de guerre au début des années 1960 et, jamais, ils n'avaient été touchés ou blessés. J'éprouvai un soulagement inattendu à l'idée que mon père était mort dans son lit et non sur un champ de bataille. Si son heure était venue, elle l'avait saisi au meilleur endroit possible, et alors que deux de ses filles étaient à ses côtés.

Je terminais mes œufs brouillés quand Zac fit son apparition, enveloppé à la diable dans son peignoir de bain, l'air chiffonné. Il se dirigea vers la cuisine.

— Bonjour, Serena, dit-il d'une voix rauque. Je vais me faire un mug de café.

— Bonjour, Zac ! Veux-tu que je te prépare des œufs ?

— Sais pas...

Il revint quelques instants plus tard avec son café, s'assit en face de moi, s'éclaircit la gorge et me regarda droit dans les yeux.

— Merci pour cette nuit. Je ne sais pas ce qui m'est arrivé, mais je me suis senti geler. Je n'ai jamais éprouvé une telle sensation de froid.

Il avait l'air un peu reposé, le visage moins creusé.

— Je dois avouer que tu m'as inquiétée. A mon avis, c'est une conséquence de l'épuisement et du manque de nourriture. C'est pour cela que tu devrais essayer de manger, Zac.

— Hmm... Peut-être des œufs brouillés... Si cela ne t'ennuie pas trop.

— Pas du tout, répondis-je en me levant.

Tandis que je battais quatre œufs, je ne pus m'empêcher de rire en moi-même. « Si cela ne t'ennuie pas trop », avait-il dit. Le même homme qui m'avait demandé de quitter New York pour m'occuper de lui ! En lui apportant ses œufs avec un toast, je remarquai qu'il n'avait pas allumé la télévision. Le silence est d'or ! pensai-je, heureuse de ce calme.

Zac mangea la moitié des œufs et un morceau du toast puis il but son café mais ne dit presque rien. Il semblait absent. Du moins était-il physiquement détendu et tranquille, à défaut d'être causant. Je fis donc la conversation toute seule. Je lui parlai du nouveau client de Jessica, de son détour par New York pour me voir et de la façon dont mon livre avançait. Il m'écouta, hocha la tête et même sourit plusieurs fois. J'eus même droit à deux ou trois commentaires anodins.

Ce n'était certes pas le Zac que je connaissais, passionné, bavard, avec un avis sur tout et un grand sens de l'humour. Il était éteint, apathique et, en même temps, préoccupé. Toutefois, et c'était le plus important, il avait repris le contrôle de lui-même. Je devais lui laisser du temps, songeai-je. Je n'étais là que depuis vingt-quatre heures ! Son état s'améliorerait de jour en jour et il redeviendrait bientôt l'homme que je connaissais.

Comment ai-je pu me tromper à ce point ? En réalité, je ne pouvais pas deviner, ce matin-là, que mes ennuis n'avaient même pas commencé.

12

La déclaration de Geoff m'étonna.

— Tu veux dire que tu ne retourneras plus jamais au Pakistan ou tu parles pour cette semaine seulement ?

— Plus jamais, ma chérie ! C'est comme ça, je ne marche plus. Je l'ai dit à Harry. C'est simple, Serena : je ne peux plus.

— Sincèrement, je te comprends. Il arrive un moment où on en a assez. C'est ce qui s'est passé pour moi, l'année dernière. J'ai senti que je ne devais pas retourner au front. Je n'en ai plus le courage, c'est une certitude. Quand cela se produit, on n'a pas le choix !

Geoff m'approuva de la tête et goûta son thé glacé. Nous étions assis à la terrasse de l'hôtel Bauer, au-dessus du ponton de l'hôtel sur le Grand Canal. On était mardi et cela faisait cinq jours que j'étais à Venise. Plus tôt dans la matinée, j'avais emmené Zac chez le coiffeur, à sa demande. J'y avais vu un signe de bon augure et j'avais appelé Geoff pour lui proposer de déjeuner ensuite tous les trois.

Assise au soleil avec Geoff, je me sentais bien. Zac s'était conduit de façon relativement normale. A mon grand soulagement, il mangeait un peu tous les jours. Surtout, il dormait beaucoup, parfois même l'après-midi. J'avais souvent vu mon père dormir ainsi au retour d'une zone de combat. L'épuisement était intense. Moi-même, je réagissais comme cela. Plusieurs fois, Zac s'était réveillé en sursaut en m'appelant, mais cela ne m'affolait plus. Je savais que ma présence l'aidait et j'étais contente d'être venue. Apparemment, cela en valait la peine.

Geoff interrompit le cours de ma rêverie en posant la main sur mon bras.

— Ecoute, mon chou, qu'est-ce que tu penses de cette crise bizarre... quand Zac a eu très froid la première nuit ?

— Je ne sais pas, nous n'en avons pas vraiment parlé. Il a accepté mon explication d'une réaction due à la fatigue. Ne t'inquiète pas, Geoff, il va bien.

— Je te crois, Serena, et je suis heureux de savoir qu'il ne passe pas son temps à boire ou à regarder la télé. Le mélange d'alcool et de reportages de guerre réalisés par des journalistes qui n'y sont même pas allés le met hors de lui. Mais, je peux te poser une question ? A ton avis, pourrait-il souffrir d'un stress post-traumatique ?

Je ne m'attendais pas à une pareille supposition.

— Non, je n'ai pas relevé de signes qui pourraient le laisser croire...

Geoff prit pensivement son verre de thé glacé.

— En fait, il avait un comportement bizarre quand je l'ai ramené d'Afghanistan. Il faisait les cent pas, il était très agité et il buvait. Comme pour noyer ses angoisses.

— Tu sais, j'en ai parlé avec Harry et il m'a conseillé de le laisser se mettre en colère ; il en a besoin. Il faut que ça sorte. Nous le savons, toi et moi, quand on revient, on est plein d'émotions refoulées, la peur, la colère, la frustration, le désespoir. Assister aux massacres, voir les gens se faire tuer, cela ne fait de bien à personne.

Après un silence, Geoff se pencha vers moi.

— Serena, j'ai un mauvais pressentiment. Depuis quelques jours, j'ai repris une vie normale et je me rends compte que je dois arrêter. Pas seulement le Pakistan ! Mais la guerre en général. Je crois que j'ai fait mon temps.

— Dans ce cas, il faut arrêter, répondis-je fermement. Car quand on perd son mordant, qu'on commence à hésiter ou à douter de ce qu'on fait, on se met en danger. Une erreur peut te coûter la vie.

— Je sais... Zac m'a fait remarquer qu'il couvre des conflits depuis l'âge de vingt et un ans. Cela dure donc depuis seize ans, c'est très long dans notre métier. Moi, je n'ai que sept années à mon actif et, ces derniers temps, cela me rend malade presque en permanence. Je n'ai pas envie de finir comme Zac, complètement vidé.

— Je comprends, Geoff. Je suis restée huit ans sur le front... Il est vrai que mon père et Harry m'obligeaient à revenir à Nice très régulièrement, pour faire des pauses. Ils estimaient cela nécessaire. De toute façon, ma mère l'exigeait.

Geoff sourit.

— Si tu veux mon avis, Serena, tu t'en es remarquablement tirée. Je me suis souvent demandé si ton père ou Harry avaient souffert de stress post-traumatique. Le sais-tu ?

— Oui, chacun d'eux, à des moments différents, d'après ce qu'ils m'ont dit. Ils ont réussi à s'en sortir. Mon père revenait souvent à Nice à cause de la santé de ma mère. L'autre jour, Harry m'a raconté comment papa l'avait récupéré en Bosnie, une fois. Il était dans un sale état, apparemment. Après cet épisode, papa et lui ont levé le pied pendant un long moment.

— Je veux bien croire qu'ils en avaient besoin !

— Et puis, avec Global Images, ils avaient une affaire à faire tourner. Pendant un certain temps, ils ont fait de la photo dans d'autres domaines. Et toi ? Que vas-tu faire ? J'espère que tu ne vas pas quitter la boîte, Geoff.

— Non ! Harry m'a dit de prendre un mois ou plus pour réfléchir à mon avenir. Je vais passer encore quelques jours ici, le temps de me sentir vraiment reposé. Je veux me débarrasser l'esprit de ces images monstrueuses. Ensuite, j'irai voir ma fille Chloe, en Californie. Comme tu sais, elle vit avec mon ex-femme. Tout se passe à l'amiable et, moi, j'ai besoin de reprendre contact avec elles.

Il consulta sa montre.

— Où est Zac ?

— Il devrait arriver d'un instant à l'autre, répondis-je en feignant une nonchalance que je ne ressentais pas.

13

Zac traversait la terrasse pour nous rejoindre. En le voyant, je me sentis étreinte d'une émotion inattendue. De loin, il avait l'air tellement jeune ! Je le revoyais tel qu'il était lors de notre première rencontre, onze ans auparavant. Pendant quelques instants, le temps fut comme aboli. Je me souvenais si bien de cet été, à Nice, lorsque j'étais tombée amoureuse de lui. Nous avions passé des jours idylliques, pleins de rires et de bonheur. Zac était aimant et tendre. Même s'il était bel homme, c'était son charme et son intelligence qui m'avaient séduite. Nous avions beaucoup en commun, en particulier l'amour du photojournalisme.

A cette époque, contrairement à lui, je n'étais pas encore allée au front. Il avait partagé son expérience avec moi et nous nous étions très vite rapprochés. Quatre ans plus tard, quand nos relations avaient pris un tour plus sérieux, nous avions cru que cela durerait toujours. Je pensais avoir trouvé mon âme sœur et il m'avait avoué éprouver le même sentiment. Mais nous avions tort... Nous nous étions séparés l'année précédente avec beaucoup d'amertume.

La nouvelle coupe de cheveux de Zac était courte et stylée et le rajeunissait. Le col de sa chemise blanche était ouvert, il était rasé de frais et paraissait détendu. Je dissimulai mon sourire en voyant qu'il portait le vieux blouson en cuir noir de mon père, qui avait connu des jours meilleurs. Avec le temps, c'était devenu un bien collectif et quiconque séjournait au refuge pouvait l'emprunter.

En arrivant à notre table, il me pressa l'épaule avec un demi-sourire. Maintenant qu'il était tout près, je voyais les petites rides de ses yeux, ses cernes et son expression terriblement lasse. Cependant, il se conduisait calmement. Sans doute voulait-il donner l'impression que tout allait pour le mieux.

Geoff se leva et serra Zac dans ses bras. Celui-ci lui rendit son accolade avec effusion. On ne pouvait se tromper sur la force de l'amitié qui les liait et le respect qu'ils avaient l'un pour l'autre. Si Geoff avait pris le risque d'aller chercher Zac dans la province du Helmand, c'était par loyauté.

Zac s'assit entre Geoff et moi.

— Je crois que j'aimerais prendre un verre de vin blanc, dit-il après un bref regard à notre thé glacé.

Je ressentis un moment de panique, mais ne dis rien. Du vin ? Mauvaise idée ! Le risque qu'il finisse par vider la bouteille entière n'était pas négligeable. Je lançai un coup d'œil inquiet à Geoff, qui prit aussitôt les choses en main.

— Prenons plutôt une coupe de champagne ! Du champagne, une matinée ensoleillée à Venise, loin des bombes et des balles, que demander de plus ? Qu'en penses-tu, Serena ?

— Oui, nous boirons à ta libération, Geoff, et le champagne s'impose pour fêter l'événement. Du champagne rosé !

— Cela me va, dit Zac. Mais de quelle libération parlez-vous ?

— J'ai décidé de ne pas retourner au Pakistan, Zac. C'est fini, pour moi.

Geoff s'interrompit pour commander trois coupes et le menu, puis poursuivit :

— J'ai prévenu Harry que je me retirais du front. De toute façon, il sait qu'un photographe qui part à contrecœur dans une zone de conflit représente de gros ennuis potentiels pour l'agence, et pour lui-même, car il se met en danger.

— Mais pourquoi maintenant ? demanda Zac. C'est très soudain !

— En te ramenant d'Afghanistan, j'ai compris que, tôt ou tard, je me retrouverais dans le même état que toi. J'arrête avant de me faire tuer.

Zac acquiesça sans un mot.

— Oui, quand on en est là, dis-je, il vaut mieux se retirer. C'est ce que j'ai fait.

Je sentis que les explications de Geoff, puis les miennes, surprenaient Zac, mais il n'en laissa rien paraître. Il se tourna vers Geoff.

— Quel genre de reportages feras-tu, si tu arrêtes la guerre ? C'est ce que tu as fait toute ta vie !

— Pour être franc, je l'ignore. Dans l'immédiat, je vais voir ma fille en Californie et me refaire une santé. Je n'ai aucun projet en particulier, c'est trop tôt. Je veux avant tout prendre le temps de vivre.

Zac restait pensif.

— Il y a plein d'autres sujets intéressants qui ont besoin de nous, dis-je. Moi, je veux continuer la photo et je vais peut-être travailler sur la faim dans le monde.

Zac me lança un coup d'œil incisif.

— Pourtant tu écris ton livre sur Tommy, dit-il d'un ton plutôt sec.

— Oui, mais je vois plus loin. Je réfléchis à ce que je pourrai faire après.

— Tu n'as pas envie de diriger Global Images avec Harry ? reprit Zac. Après tout, l'agence t'appartient à moitié, maintenant.

— Cela ne m'intéresse pas du tout. Florence s'en occupe depuis le début et j'estime qu'elle doit continuer. Je ne serais que la cinquième roue du carrosse ! Surtout, ce genre de boulot ne me tente pas. Tu m'imagines coincée dans un bureau ?

— Certainement pas ! s'exclama Zac.

C'était la première fois que je l'entendais rire depuis mon arrivée à Venise. Nous trinquâmes avec le champagne rosé qu'on venait de nous apporter. Ce fut encore mieux quand Zac déclara qu'il avait faim.

— C'est le grand air, dit Geoff. Sortir te fait du bien. Il faudra qu'on se retrouve ici plus souvent. Personnellement, j'ai envie de spaghettis à la bolognaise, mais le poisson est aussi très bien. D'ailleurs, tout est bon, ici ! Qu'est-ce qui te tente, Zac ?

— Je ne sais pas... Des gnocchis, peut-être, ou des lasagnes... Ma mère fait les meilleures lasagnes du monde. J'ai été élevé à la cuisine italienne, tu sais.

— Oui, tu me l'as déjà raconté !

Zac et moi prîmes finalement des spaghettis à la bolognaise, avec des tomates à la mozzarella en entrée. Geoff commanda trois autres coupes de champagne, ce qui m'inquiéta quelque peu. Je préférai néanmoins me taire et observai les deux hommes qui s'étaient lancés dans une conversation sur la cuisine italienne et leurs plats préférés. Je me réjouissais de voir Zac s'ouvrir un peu et parler normalement.

Zac était italien par sa mère, Lucia. Quand les parents de Lucia avaient émigré en Amérique, elle était encore bébé. Le père de Zac était, lui, d'ascendance irlandaise. A mes yeux, c'était le côté méditerranéen qui l'emportait chez son fils : Zac parlait couramment italien et son genre de beauté était typiquement latin. Seuls ses yeux trahissaient ses origines irlandaises, des yeux vert clair et lumineux. Quand il n'était pas à bout de fatigue.

Zac savoura son déjeuner avec un plaisir évident, comme Geoff et moi-même. Surtout, il ne se contenta pas de quelques bouchées, mais termina son plat. Au moment de l'addition, il insista pour payer. Avant de partir, j'appelai Harry. Il était environ quinze heures à Venise et j'avais pris l'habitude de lui faire mon rapport à ce moment-là. A New York, il était neuf heures du matin. Harry fut heureux de pouvoir parler à Zac et à Geoff, heureux de constater qu'ils semblaient en forme tous les deux.

Geoff regagna l'hôtel Bauer, tandis que Zac et moi prenions la direction de la place Saint-Marc. Soudain, Zac me prit la main. Je répondis à sa pression et tournai la tête vers lui. Il eut un sourire plein de douceur et se pencha pour m'embrasser sur la joue.

— Je te remercie d'être venue, Serena, je te remercie de t'occuper de moi.

— J'étais contente de venir, même si je m'inquiétais un peu. J'ignorais dans quel état je te trouverais.

— Je n'ai pas été trop abominable, j'espère ?

— Non, et tu ne fais pas tant de cauchemars que ça. En revanche, la semaine dernière, cette crise bizarre où tu avais tellement froid m'a fait peur.

— Je ne saurai sans doute jamais ce qui m'est arrivé, dit-il, perplexe. Sans doute, comme tu le supposes, une conséquence de l'épuisement et du stress.

— En tout cas, aujourd'hui, je te trouve bien mieux qu'à mon arrivée. Je pense que tu avais surtout besoin de te reposer et de t'alimenter.

— J'ai apprécié notre déjeuner avec Geoff, me répondit-il avec une nouvelle pression de la main.

Tout en bavardant, nous étions parvenus sur la place.

— Arrêtons-nous au Florian pour prendre quelque chose, proposa-t-il.

— D'accord, mais pas d'alcool, Zac !

Je m'étais instantanément crispée et me le reprochai.

— Ce n'était qu'une façon de parler, Serena, dit-il d'une voix égale. Une glace, un soda, un café, un simple verre d'eau ! Ce que tu veux. On est trop bien pour rentrer tout de suite au refuge. De plus, cette place est pleine de souvenirs, pour moi. Pas pour toi ?

Je restai quelques instants muette. J'avais l'impression que mon cœur s'était arrêté de battre. Soudain, j'avais peur, non de lui mais de moi-même, de mes réactions et de ce qui pourrait arriver entre nous.

— Oui, beaucoup de souvenirs, Zac…

14

Le Florian avait été un de nos endroits préférés. Nous y allions tous les jours à l'époque où nous étions amoureux... A présent, si le café était resté le même, on ne pouvait pas en dire autant de nous. Nous avions changé.

En dépit du soleil, l'après-midi restait frais. Le vent s'était levé. Nous nous installâmes donc à l'intérieur, à une table non loin du bar. Zac commanda un café et j'eus envie d'une glace à la vanille, que je dégustai lentement alors que Zac n'arrêtait pas de m'en prendre des cuillerées. Entre deux bouchées, il s'arrêta soudain.

— T'est-il déjà arrivé de laisser un autre homme que moi manger dans ton assiette ? Ou dans ta coupe de glace ?

Je retins un sourire. Si la jalousie de Zac au sujet des autres hommes montrait le bout de son nez, c'est qu'il allait mieux.

— Non, dis-je.

— Tant mieux, murmura-t-il avec un regard en coin. C'est très intime.

— Je sais.

— Cela t'ennuie ? Je l'ai toujours fait.

— Non, ça ne m'ennuie pas.

Il eut un drôle de petit sourire et s'appuya au dossier de sa chaise.

— J'ignore pourquoi, mais j'ai toujours aimé cet endroit. Peut-être parce qu'on y respire l'air d'une autre époque ?

— Oui, j'ai la même impression. Ma mère m'a dit un jour que ça a été un des premiers endroits d'Europe à servir du café, quand c'était une boisson exotique et rare. Et le décor original du XVIIIe siècle a été soigneusement préservé. Il y a quelque chose de chaleureux et d'accueillant, une sorte de charme suranné.

— J'adorais les petites anecdotes de ta mère, elle savait plein de choses sur tout. On s'amusait si bien avec elle !

J'acquiesçai en souriant.

— Elle disait qu'elle était comme une fontaine à informations dont personne n'avait besoin.

Je pris mon verre d'eau tout en observant Zac. Un peu de l'ancien Zac refaisait surface. Il avait repris des couleurs, ses yeux retrouvaient quelque éclat et les angles décharnés de son visage s'étaient adoucis. La détente qui s'opérait en lui se voyait également à son attitude générale.

— Tu m'observes, Pidge, dit-il soudain. Quelque chose ne va pas ?

— Au contraire, ça va bien, répondis-je promptement. Je te trouve moins tendu. Mais j'ai le sentiment que tu te surveilles à chaque instant, comme si tu avais peur d'être toi-même.

— Je sais, j'essaie de me contrôler.

— Tu me sembles pourtant moins rigide, cet après-midi, comme si tu avais décidé de me faire confiance.

Il eut une exclamation indignée et me lança un curieux regard.

— Si je ne t'avais pas fait confiance, je n'aurais pas demandé à Harry de te faire venir !

Il me regarda fixement pendant un long moment et m'avoua qu'il aurait été dans une situation terrible si j'avais refusé de l'aider.

— J'aurais été fichu. Ta présence m'apaise, Pidge. Je dirais même qu'elle me soigne. Je pense que je ne m'en sortirai pas sans toi.

— Je le pense aussi.

Il était temps d'aborder les questions importantes.

— Zac, comment as-tu su que tu devais rentrer ? S'est-il produit un incident particulier ? Quelque chose a-t-il mal tourné ? Te sens-tu capable de m'en parler ?

— Oui, je veux bien t'en parler, de cela et d'autres choses qui me troublent. Car tu peux comprendre. Toi aussi, tu as connu le front, tu as vu ce qui s'y passe, tu sais quelle horreur on peut ressentir, à en être tétanisé.

Il s'interrompit, bougea sur sa chaise, puis reprit la parole d'une voix à peine audible. Je me penchai vers lui pour l'entendre.

— Serena, je me sens tellement vidé, tellement usé que je me supporte à peine. Il y a dans la guerre une indifférence, quelque chose d'impitoyable qui me glace, qui détruit mon âme, la tue à petit feu. Et pourtant, j'y suis retourné, encore et encore, sans savoir pourquoi.

— Parce que tu ne pouvais pas faire autrement, Zac. A cause de ton humanité, de ton honnêteté, de ton besoin de dire au monde entier la vérité sur des régimes qui oppriment brutalement les peuples, la vérité sur les souffrances des gens dans les zones de conflit. Tu es photojournaliste, comme moi, et c'est notre métier.

Je lui pris la main avant de continuer :

— Oui, c'est notre métier, mais il arrive un moment où nous ne pouvons plus le faire ; nous sommes trop abîmés, trop épuisés… et nous avons perdu nos illusions.

Il acquiesça sans un mot et me serra la main très fort.

— Un jour, il y a eu quelque chose et, soudain, je ne supportais plus…

Il avait les yeux pleins de larmes.

— Je suis incapable d'en parler, dit-il d'une voix étranglée, pas maintenant, et surtout pas ici, au Florian. Je ne pourrais pas m'empêcher de pleurer…

— Je comprends, on garde ça pour plus tard, quand tu voudras. Donc, tu as demandé à Harry d'arrêter ?

— Oui, je ne pouvais plus rester au front, j'en étais conscient. Je me sentais très mal physiquement et mentalement. J'ai compris que j'avais besoin d'aide. Harry voulait venir me chercher, mais je le lui ai déconseillé. Alors, il a évoqué Geoff et j'ai accepté. Heureusement, Geoff a dit oui. Vingt-quatre heures plus tard, il était là et il n'a jamais flanché.

— C'est un type bien. Tu as semblé très étonné, tout à l'heure, quand il a annoncé qu'il ne repartirait pas au Pakistan.

— Oui, mais ça n'a pas duré. J'ai compris qu'il se sentait dans le même état que moi, complètement usé et détruit par ce qu'il a vu.

— Quand tu lui as demandé ce qu'il ferait après, il ne t'a pas vraiment répondu. Ça te perturbe, n'est-ce pas ? Tu te trouves face à la même question.

— Oui, dit-il avec un soupir. Nous sommes dans le même bateau, lui et moi. Dans le noir complet !

— Zac, à mon avis, tu devras attendre d'aller mieux avant de pouvoir y réfléchir vraiment. Le moment venu, tu sauras ce que tu veux photographier et comment tu as envie de vivre.

— Tu as sans doute raison, mais je regrette parfois de ne pas avoir un hobby, une passion...

Il avait l'air très triste.

— Il te faut surtout quelque chose qui te délivre de la guerre, qui te libère l'esprit des atrocités que tu as vues. En réalité, nous en avons tous besoin.

J'avais réveillé son intérêt.

— Et toi, Serena ? Tu as un hobby ?

— Il y a la biographie de papa que je suis en train d'écrire. Ce n'est pas exactement la même chose, mais j'y prends plaisir. Enfin, la plupart du temps ! En toute franchise, j'aimerais trouver une autre occupation, une activité qui me passionnerait. Tu vois, je suis comme toi. Jessica par exemple a toujours aimé la voile et les sorties en mer.

— Comme Marie Colvin.

Nous connaissions tous deux la célèbre correspondante de guerre.

— C'est sa passion quand elle ne couvre pas un conflit, reprit-il. Moi aussi, j'aime naviguer.

— Tu m'as dit autrefois que tu allais souvent faire de la voile avec ton père et...

— C'est vrai ! Nous avions une cabane dans la région des Grands Lacs. En fait, papa l'a gardée. Nous y passions une partie de nos week-ends, mais j'étais le seul à accompagner papa à la pêche.

Je souris en voyant une brève expression de plaisir apparaître sur ses traits fatigués. Ces années de sa jeunesse lui rappelaient de bons souvenirs.

Nous nous attardâmes au Florian. Nous aimions cette ambiance accueillante et familière. Cela ressemblait à une escapade dans le passé, à l'époque où nous étions ensemble et heureux. Nous bûmes du thé, parlant de tout et de rien. C'était la première fois depuis cinq jours qu'il se conduisait aussi normalement.

Je voulais qu'il aille mieux, rien d'autre. A ma façon, je l'aimais. Comment aurais-je pu ne plus avoir de sentiments pour lui alors que nous avions été aussi proches ? Toutefois, je savais que je ne pourrais plus avoir de relations amoureuses avec lui. Au cours des douze derniers mois, j'étais devenue prudente, méfiante même, et j'avais appris à me protéger. En dépit de notre attirance réciproque, nous n'avions aucun avenir sérieux ensemble. Je savais que Zac éprouvait les mêmes sentiments que moi. Il avait dormi dans ma chambre les premières nuits, puis il avait déménagé ses affaires dans une autre. Il n'en avait pas parlé, et moi non plus. Je comprenais : cette intimité le troublait, comme moi.

L'aider à se remettre debout était une chose, retomber sous son charme fatal en était une autre. Et s'il ressentait le besoin compulsif de retourner au front, de se confronter à ces horreurs qui s'y déroulent quotidiennement ? S'il ressentait le besoin de se mettre en danger, par pur goût du risque ? Ou pour se mettre à l'épreuve... Un cycle désastreux se mettrait alors en place et je refusais de m'y laisser entraîner.

De toute façon, il fallait rejeter cette idée inacceptable : il ne devait pas retourner au front, il y avait d'autres domaines dans la photo professionnelle, moins dangereux.

— Je crois que j'aimerais suivre les traces de ton père, dit-il comme s'il avait lu dans mes pensées.

— De quoi parles-tu ?

— Pendant les dernières années de sa vie, il a photographié des présidents, des hommes politiques, des altesses et des célébrités en tout genre. Je pourrais peut-être en faire autant. Qu'en penses-tu ?

— C'est une excellente idée ! Papa s'amusait beaucoup à faire leur portrait.

J'aurais applaudi à n'importe quelle idée, pourvu qu'elle ne le mette pas physiquement en danger.

— Ce qu'il y avait de formidable dans son travail, reprit Zac, c'était son talent pour les montrer dans des situations amusantes, drôles et inhabituelles. Il savait les persuader de faire des choses qu'ils ne font pas normalement. C'est le génie de ces photos.

— Zac, tu en es capable aussi, tu peux enfiler ses bottes sans problème ! Je suis sincère.

— Je dois y réfléchir. Et toi, Serena, tu n'as pas vraiment l'intention de faire un sujet sur la famine dans le monde ?

Il avait soudain l'air soucieux.

— Franchement, je l'ignore. Voir souffrir des femmes et des enfants, c'est un spectacle qui peut te démolir, et tu en sais quelque chose. Cependant, il faut bien rappeler au reste du monde que la famine touche des millions de gens.

Il acquiesça de la tête, mais je crus déceler de la désapprobation dans son regard.

— Comme toi, repris-je, je cherche ce que je pourrais faire. D'abord, je dois finir la biographie de papa et, ensuite, je reprendrai peut-être un livre de photos qu'il a commencé sans pouvoir le finir. Cara et Jessica ont trouvé un important fonds d'archives à Nice, des milliers de photos prises par papa tout au long de sa vie.

Zac se redressa vivement sur sa chaise. Il souriait.

— Quelle bonne idée ! Ce serait une autre façon de lui rendre hommage.

— C'est ce que mes sœurs m'ont dit.

Zac contempla un instant sa tasse de thé puis releva la tête.

— Je peux te poser une question, Pidge ?

— Toutes les questions que tu veux !

— Pourquoi certains d'entre nous reviennent-ils du front complètement brisés, comme moi, mais pas les autres ?

— En toute sincérité, je ne sais pas. Nous avançons avec les troupes et le fait d'avoir le mot « PRESSE » inscrit sur notre casque et notre treillis ne nous protège pas des balles. Au contraire, nous sommes souvent une cible. Certains d'entre nous gèrent la situation sans problème et sont capables de travailler sur le terrain toute leur vie. D'autres ne le peuvent pas.

Au moment où je prononçais ces mots, je réalisai que ce n'était pas tout à fait exact.

— Non, dis-je, en fait, la plupart d'entre nous n'y arrivent pas. On finit presque tous par craquer à force de voir des horreurs. Comme les soldats ! Tu sais qu'en rentrant chez eux beaucoup souffrent d'un syndrome de stress post-traumatique. Cela peut nous arriver aussi.

Zac avait pris une expression attentive.

— Ce n'est pas mon cas, répondit-il.

— Tu es pourtant en mauvais état, Zac, même si j'ai la conviction que tu guériras.

— Je l'espère de toutes mes forces. On finit par être accro à la guerre, n'est-ce pas ?

Il jetait des coups d'œil autour de lui, observant ce qui se passait dans le café, comme pour s'assurer qu'il était bien au Florian et pas ailleurs.

— Oui, c'est vrai, lui dis-je. On devient dépendant à l'adrénaline ; il faut savoir s'arrêter avant qu'il ne soit trop tard. Si l'on tient à sa peau, on choisit une vie moins dangereuse.

Après un silence, Zac se pencha vers moi.

— Je serais incapable d'y retourner, Serena, dit-il à mi-voix. Quoi que tu en penses, je ne peux plus.

Un immense soulagement m'envahit. Je savais qu'il disait la vérité et ne changerait pas d'avis.

Nous ne quittâmes le Florian qu'en début de soirée. Après avoir parlé pendant des heures, nous rentrâmes au refuge en silence. Le silence n'avait jamais été un problème entre nous. Et là, pas plus qu'autrefois ; nous nous sentions bien ensemble.

Je regardais autour de moi, détendue. Il y avait beaucoup moins de monde sur la place Saint-Marc, en raison de l'heure. Le vent était tombé et le temps était délicieux. Le ciel avait pris des teintes profondes, un beau bleu qui rappelait les plumes des paons. Une légère brume très douce enveloppait les bâtiments, comme si un voile de gaze avait été drapé sur les façades. Venise respirait la paix, devenait presque immatérielle dans le crépuscule. C'était un endroit idéal pour un convalescent comme Zac.

Alors que nous avions atteint le milieu de la place, Zac me prit par la main et me fit pivoter face à lui.

— Qu'y a-t-il, Zac ?

— Que m'est-il arrivé ? Et à toi ? Que nous est-il arrivé, Serena ?

Sa question me prit de court.

— La vie...

— Comment cela ?

— La vie nous a changés, toi comme moi.

— Veux-tu dire que c'est la vie qui nous a séparés ?

— D'une certaine façon, oui. Nous sommes des victimes de la vie et des mauvais tours qu'elle joue parfois. Elle nous renvoie volontiers les choses en pleine figure...

— Penses-tu que ça pourrait être réparé ? demanda-t-il à voix basse.

— Quoi donc ?

— Notre relation ?

Malgré moi, je me raidis et il me fallut du temps pour trouver une réponse aussi neutre que possible.

— Je ne sais pas... Je ne suis pas certaine, Zac.

Il se contenta de hocher la tête pensivement et nous reprîmes notre marche. Bientôt, sa voix s'éleva de nouveau, très douce et pleine de tendresse.

— Serena, j'ai toujours des sentiments pour toi.

Comme je ne répondais pas, il insista.

— Pas toi ?

— Certains sentiments, oui... Mais ce qui compte, Zac, c'est d'abord que tu ailles mieux. Après, nous pourrons réfléchir à notre passé.

Je ne voulais pas évoquer un quelconque avenir commun.

— J'ai compris, marmonna-t-il.

Nous terminâmes le trajet en silence.

15

Le bruit me réveilla en sursaut. Quelqu'un plantait un clou dans le mur, me dis-je dans un demi-sommeil. Puis, comme il devenait de plus en plus violent, je pensai que cela venait de l'extérieur. Non, ce n'était pas cela.

Le bruit provenait du salon. Je me levai à toute vitesse, allumai, enfilai ma robe de chambre et mes pantoufles et courus ouvrir ma porte. Une lumière brutale me fit cligner des yeux. Toutes les lampes étaient allumées. Le spectacle était horrible. Zac se tenait au milieu du salon, l'air dément, et réduisait rageusement le téléviseur en miettes dans une sorte de concentration maniaque. Avec quoi ? Une poêle ? J'ignorais que nous en avions une. Je repoussai ces considérations hors de propos et me précipitai vers lui.

— Zac ! Arrête ! Arrête tout de suite ! Tu vas réveiller Claudia. Elle va monter pour savoir ce qui se passe.

Je le pris fermement par les bras et le serrai contre moi. On aurait dit un bloc de pierre. Il avait le regard vitreux et ne semblait pas me voir, mais son visage ruisselait de larmes.

— Zac, chuchotai-je, j'ai mal de te voir autant souffrir. Je te promets de t'aider de toutes mes forces. Viens, donne-moi cette poêle.

Il s'écarta de moi, me regarda d'un air presque en colère cette fois, puis, dans un grand geste théâtral, jeta la poêle par terre et voulut s'éloigner. Je poussai un cri. Il était pieds nus !

— Zac, reste où tu es ! Tu vas te couper les pieds.

Le parquet était jonché de bouts de métal tordus, de verre brisé et de fils. Une image traversa brièvement mon esprit, celle de Richard Burton dans *La Nuit de l'iguane*, quand il se déchire les pieds en marchant sur les bouteilles qu'il a cassées.

— Je vais te chercher tes chaussures ! hurlai-je. Ne bouge pas !

Je me ruai dans sa chambre.

Quand je revins, il m'avait obéi, comme figé, muet, les yeux fixés sur le sol, semblant s'étonner d'y voir les débris du poste de télévision. Je me dirigeai vers lui en écartant avec précaution, du bout de la pantoufle, les morceaux de verre et de métal, dégageant un espace suffisant et posant ses mocassins devant lui.

— Mets-les ! lui ordonnai-je.

Il obéit encore en silence et je pus enfin le guider vers le canapé, où je le forçai à s'asseoir. Il se laissa tomber contre les coussins et ferma les yeux. Il paraissait très affaibli. Comment l'aider ? Que faire sinon l'obliger à se calmer ? Je me demandai ce qui avait pu provoquer cette crise. Aurait-il regardé les informations ? Il y avait en permanence des reportages sur le Printemps arabe, les soulèvements qui avaient suivi l'immolation d'un jeune Tunisien, Mohamed Bouazizi en décembre 2010 et son décès il y avait deux mois, en janvier. Ces images auraient-elles agi comme un déclencheur ?

Je savais par Geoff que Zac avait suivi la montée de la violence dans les pays arabes, mais il m'avait promis de ne plus regarder les informations. A moins qu'il n'ait eu un cauchemar ? Ou l'un de ces terrifiants flash-back où l'on revit une mauvaise expérience avec la même intensité que la première fois ? Comment aurais-je pu savoir ce qui arrivait à Zac ?

Une chose semblait certaine : un élément avait réveillé sa colère, et il n'avait pas fallu grand-chose. Depuis que je le connaissais, Zac était dans un état de colère presque permanent. Colère contre les tyrans et les dictateurs, les politiciens et les gouvernants, les terroristes et les insurgés, contre toutes les horreurs qu'il avait vues au cours de ses seize années de travail dans des zones de conflit. Je ne comprenais que trop sa rage, sa tristesse et son désespoir. Il avait emporté son objectif en Sierra Leone, en Somalie, en Côte d'Ivoire, en Israël, en Palestine, au Liban, au Koweït, en Bosnie, au Kosovo, en Irak, en Afghanistan et dans bien d'autres régions du monde livrées à la violence. Il y avait passé deux fois plus de temps que moi, immergé dans l'horreur permanente.

Avec un mouchoir, je lui essuyai les joues. Il ouvrit les yeux et me dévisagea.

— Serena ?

— Oui, Zac ?

— Qu'est-ce qui s'est passé ?

— Tu as démoli la télé en tapant dessus si fort que le bruit m'a réveillée. Le résultat est par terre...

Il suivit la direction de mon regard, puis se tourna vers moi en se mordant la lèvre, comme s'il se trouvait confronté à un mystère incompréhensible. Une expression soucieuse et dépitée apparut sur son visage.

— Tu regardais les infos ? demandai-je. Il y avait des images du Printemps arabe ? De l'Egypte ? Ou était-ce l'Afghanistan ?

— Non. Je t'ai dit que je ne les regarderais pas. J'ai tenu ma promesse, Serena.

— Mais tu regardais la télé ? insistai-je sans le quitter des yeux.

— Oui, mais pas les infos. Je zappais sans faire attention à une émission en particulier. Je m'étais relevé parce que je n'arrivais pas à dormir. J'ai pris un verre de lait, j'ai regardé des bouts d'émissions, mais pas les infos.

— Alors, pourquoi as-tu cassé l'appareil ?

Zac garda le silence un long moment.

— J'ai eu un flash-back, dit-il enfin d'une voix étouffée. Très dur. Je crois que j'ai perdu la tête. Une colère incontrôlable m'a envahi...

Son visage se crispa et ses larmes se remirent à couler. Zac enfouit son visage dans ses mains, cherchant à se maîtriser, mais en vain. Sans doute par pudeur, il se détourna, posa la tête sur le large accoudoir du canapé et pleura sans retenue. Me rapprochant de lui, je lui caressai doucement le dos. Au bout d'un certain temps, je lui dis de pleurer tant qu'il voulait.

— Il faut que ça sorte, Zac ; ne te gêne pas pour moi. C'est la seule façon de soulager les peines.

Il bredouilla des mots incompréhensibles, puis se mit à sangloter avec des gémissements de souffrance qui en disaient long sur la violence du flash-back qu'il avait subi. Il me sembla que je devais à présent le laisser seul. Je m'éclipsai donc pour attendre dans ma chambre le moment où il aurait besoin de moi. Le réveil sur ma table de chevet indiquait deux heures. L'idée d'appeler Harry à New York me traversa l'esprit, mais je changeai d'avis. J'étais une grande fille ! J'étais capable de gérer la situation sans ses conseils.

Je connaissais Zachary North par cœur. Personne ne le connaissait mieux que moi ! C'était d'ailleurs la raison pour laquelle il avait réclamé ma présence. Il savait que j'étais seule capable de l'aider à retrouver son équilibre mental.

Fermant les yeux, je tentai de dormir. Les images de la guerre en Afghanistan m'obsédaient... et le bruit ! Le vacarme des armes, les obus qui éclataient, les mines dissimulées le long des routes qui explosaient et, par-dessus tout cela, le bourdonnement des hélicoptères. Le bruit ne s'arrêtait jamais. Même dans l'obscurité, cela continuait, des coups de feu, des explosions, à cause des snipers, quand un insurgé ne sautait pas avec sa propre bombe. Et puis, l'odeur de la sueur, de la poudre et du sang... Les morts, les blessés... Les images m'assaillaient. Comment avais-je réussi à traverser ces années de cauchemar ? Réussi à éviter les balles et les bombes, avec mon appareil photo capturant ces horribles clichés ? Et la peur qui ne vous quittait pas, mais que l'on mettait de côté pour faire son boulot ! J'ignore comment, mais j'étais parvenue à la dominer.

16

— Si, je veux absolument remplacer le téléviseur que j'ai cassé, répéta Zac. J'ai téléphoné à Claudia pendant que tu prenais ta douche et elle m'a donné le nom du meilleur magasin. Ce n'est pas loin d'ici.

J'attrapai mon sac sur la table du salon et me dirigeai vers la porte.

— Allons-y, répondis-je entre mes dents.

Ce n'était pas la première fois que je lui voyais cette expression butée et je savais qu'il était inutile de discuter. Mieux valait se plier à ses désirs.

Il m'adressa un de ses petits sourires en coin, ces sourires devenus si rares, et nous fûmes bientôt dans la rue. La chaleur me surprit. Pour une fois, il n'y avait pas de vent ! Le soleil brillait et j'étais heureuse de sortir du refuge, de voir des gens, de voir le monde.

Nous prîmes le chemin du magasin, côte à côte, marchant en silence comme d'habitude, perdus dans nos pensées. J'étais soulagée de ce qu'il avait enfin parlé de l'appareil qu'il avait détruit. Un peu plus tard, peut-être m'en dirait-il plus sur le flash-back qui avait déclenché sa crise, cinq nuits auparavant. J'avais tenté d'aborder le sujet, mais j'avais immédiatement renoncé en le voyant se crisper. Il me parlerait quand il s'en sentirait capable, au moment qui lui conviendrait.

J'avais informé Harry de l'incident dès le lendemain. Il m'avait recommandé de le laisser tranquille.

— Donc, Geoff revient ce soir, dit soudainement Zac.

Nous étions en train de traverser la place Saint-Marc. Il y avait déjà beaucoup de monde, mais ce n'était rien à côté de la foule attendue pour les vacances de Pâques, à la fin du mois d'avril.

— Oui. Et il voudrait nous inviter à dîner, ce soir, au Harry's Bar. Il reste quelques jours, et après, il prend l'avion pour Los Angeles.

— Tu as accepté ?

— Plus ou moins. Je lui ai dit qu'il fallait que je te pose la question, même si j'étais certaine d'avoir ton accord. Il m'a répondu qu'un refus de ta part n'était pas envisageable et qu'il avait déjà réservé pour trois au Harry's Bar depuis Londres !

— C'est tout à fait lui ! s'esclaffa Zac. Bien sûr que je viens ! T'a-t-il fait des confidences au sujet de sa décision ?

— Non, mais je sais que Harry désire le voir prendre la direction de l'agence à Londres. Si Geoff est avisé, il le fera.

Zac me lança un regard en coin.

— Quitter le terrain serait une façon pour lui de se réconcilier avec son ex-femme, dit-il à mi-voix. C'est ce qu'il veut, je crois ?

— Oui ! Il m'a souvent dit que Martha ne supportait pas de le voir partir dans des zones de guerre. D'après lui, ils tiennent toujours beaucoup l'un à l'autre, et une réconciliation serait envisageable… s'il évitait les endroits dangereux.

Zac hocha la tête, comme pour dire qu'il comprenait, et se plongea dans ses réflexions. Quelques instants plus tard, nous arrivâmes au magasin indiqué par Claudia, où Zac discuta dans un italien impeccable avec « Luigi », le vendeur. Ce dernier était un vieil ami de Claudia, et, d'après elle, il nous ferait un prix intéressant. Le courant passant bien entre Luigi et Zac, je les laissai se mettre d'accord et fis distraitement le tour de la boutique. Tout ce matériel compliqué m'intéressait peu.

J'avais l'esprit ailleurs. Je m'inquiétais pour Jessica. La veille, Clara m'avait appelée pour m'annoncer que Jessica avait eu un accident dans sa salle des ventes. Dans l'après-midi, elle avait fait une mauvaise chute et dévalé un petit escalier tête la première. Apparemment, elle ne s'était rien cassé, mais elle devait passer d'autres radios dans une clinique de Nice.

Cara m'appelait aussi pour savoir quand j'arriverais à Nice. Le 22 avril, notre père serait mort depuis un an et j'avais promis à mes sœurs d'être avec elles pour ce premier anniversaire, pour nous souvenir de sa vie avec fierté et amour. Je comptais rester tout le mois de mai. Notre mère était née en mai et, depuis son décès, quatre ans auparavant, nous avions l'habitude de nous réunir en son honneur le jour de sa naissance.

J'avais dit à Cara que je voulais venir avec Zac. Elle n'avait pu s'empêcher de faire une remarque : « Je suis heureuse d'apprendre qu'il va mieux, mais n'oublie pas, Serena, qui a bu boira ! » J'avais éclaté de rire en lui disant de lâcher un peu les vieux dictons de notre grand-mère. Elle avait ri à son tour et ajouté qu'elle serait heureuse de voir Zac se joindre à nous en souvenir de papa. « C'est vrai, ils étaient tellement copains ! »

Je décidai d'annoncer la nouvelle à Zac avant la fin de la journée. Cela faisait deux semaines que j'étais à Venise. Le temps avait passé à une vitesse incroyable.

Je fis du regard le tour du magasin. Zac était plongé dans une discussion très animée avec Luigi. Il avait meilleure allure. En exploitant son goût pour la cuisine italienne que lui faisait sa mère, j'avais réussi à lui faire reprendre du poids. Il dormait mieux, également, et il avait les traits moins tirés. De façon assez curieuse, après la nuit où il avait eu son flash-back, il avait fait peu de cauchemars et m'avait semblé plus calme. Il n'avait plus eu une seule attaque d'angoisse ou de panique.

L'idée me vint qu'il était suffisamment en forme pour voyager et que mes sœurs sauraient m'aider si ses symptômes revenaient. Après tout, nous avions grandi avec un photographe de guerre comme père, et ce père avait souffert de crises liées au stress post-traumatique. Zac n'arrêtait pas de répéter qu'il n'en était pas atteint, mais comment aurais-je pu en être sûre ? Il n'avait pas consulté de médecin.

Et puis, le refuge était fantastique tant qu'on n'y restait pas trop longtemps. On s'y sentait vite enfermé. C'était d'ailleurs pour cela que j'avais obligé Zac à sortir avec moi tous les jours. Nous avions même fait du tourisme, chose qui ne nous était pas arrivée depuis belle lurette ! Nous prenions nos repas dans des petits restaurants ou des cafés, où je l'encourageais à se régaler des plats de son enfance. Je pensais, à Nice, pouvoir amener Zac à s'intéresser au livre de photos laissé inachevé par mon père ainsi qu'à ses archives. J'avais le sentiment que cela lui redonnerait un centre d'intérêt, que cela le distrairait de ses obsessions.

Enfin, mes sœurs me manquaient ! J'avais hâte de pouvoir passer du temps avec elles dans ce lieu que j'avais toujours aimé, la maison de ma mère sur les hauteurs de Nice, la Villa des Fleurs.

Zac termina sa conversation avec Luigi et nous sortîmes du magasin.

— Allons déjeuner au Florian, proposa-t-il.

— Excellente idée !

Il semblait très satisfait de l'accord auquel il était parvenu pour le téléviseur à écran plat. Luigi avait promis de le livrer et de l'installer dès le lendemain.

— Pourquoi pas aujourd'hui ? demandai-je à Zac.

— Parce qu'il fait un temps superbe et que je préfère être dehors ! Je me sens beaucoup mieux. J'ai l'impression d'avoir retrouvé une partie de mon énergie.

Il me prit par le bras avant de poursuivre :

— Tu m'as fait du bien, Pidge, et Venise aussi. Ici, on peut se détendre, on ne se sent pas agressé, et tout parle du passé. Venise est une ville qui rassure et console.

Il me sourit, se baissa vers moi et déposa un baiser sur ma joue.

— Je me sens en forme et toi, Serena, tu es superbe, vraiment très belle.

Mon cœur s'arrêta le temps d'un battement. Sa présence, si proche de moi, ne me laissait pas indifférente. Je devais bien m'avouer m'être inquiétée de l'attirance qu'il exerçait sur moi. J'avais toujours ressenti une tension particulière avec Zac North, quelque chose d'unique qui me faisait tourner la tête.

Nous nous installâmes à la terrasse du Florian. Je me répétais de rester sur mes gardes. Je devais m'interdire de retomber dans ses bras. Ou c'en serait fait de moi. Définitivement, cette fois !

— Serena, que dirais-tu d'une coupe de champagne pour fêter l'événement ?

— Quel événement ?

— Celui que tu veux ! Le prix que j'ai obtenu pour le téléviseur, l'arrivée inattendue de Geoff, le dîner au Harry's Bar, l'amélioration de mon état mental et physique, au choix !

Il me prit la main en souriant.

— Ou le fait d'être ensemble, ici, dans un de nos endroits préférés, en train de profiter du printemps.

Une petite alarme retentit dans mon esprit. Je reconnaissais la lueur de flirt dans ses yeux, le sourire chaleureux qui flottait sur ses lèvres, ce charme irrésistible émanant de toute sa personne.

— Et que penserais-tu de fêter notre prochain voyage ?

Il ne s'attendait pas à cela et en resta les yeux ronds.

— Notre prochain voyage ? Où allons-nous ? Pas à New York, j'espère !

— Non, nous allons à Nice ! Moi, en tout cas, je dois y aller. J'ai pensé que tu pourrais m'accompagner. Cara et Jessica seraient ravies et nous célébrerions ensemble la mémoire de papa. Cela fait un an...

Son expression s'assombrit.

— C'est à cause de moi que tu as raté l'avion à Kaboul, ce jour-là, dit-il tristement. Je doute que tu aies envie de ma compagnie ?

— Mais si, bien sûr que si, répondis-je de mon ton le plus convaincu. Cara m'a rappelé à quel point vous étiez proches, papa et toi. D'une certaine façon, tu as été un fils pour lui.

— Certainement pas ! Pas moi ! C'était toi, Serena, et tu le sais parfaitement.

Je préférai ne pas commenter.

— Bon, je te propose de boire du champagne pour fêter le simple fait d'être en vie, et d'être de nouveau amis.

Tout en parlant, j'avais dégagé ma main qu'il tenait toujours. Je farfouillai quelques instants dans mon sac pour y prendre mon téléphone, que je glissai dans la poche de ma veste. De son côté, Zac fit signe à un serveur et commanda deux coupes de champagne rosé.

— Tu as raison, dit-il, ce sont deux choses formidables à célébrer ; je suis heureux de notre réconciliation.

Je ne répondis pas tout de suite, me demandant avec inquiétude où tout cela nous menait. Avait-il pris mes paroles comme le signe que nous pourrions nous remettre ensemble ? Je ressentais des émotions très mêlées, peur, angoisse, inquiétude, mais je m'efforçai de les refouler. Si la moindre trace de mon trouble se trahit sur mon visage, Zac ne parut pas s'en apercevoir. Il se laissa aller contre le dossier de sa chaise dans une attitude décontractée. Il semblait redevenu lui-même. Ma présence était-elle donc si importante pour lui ? Avais-je réellement permis au processus de guérison de s'enclencher ? Comme je n'avais aucune réponse à ces questions, je décidai de me détendre, moi aussi, et de laisser les choses suivre leur cours.

Le champagne arriva, pétillant gaiement dans les flûtes, et Zac commanda un assortiment de mini-sandwichs et de pâtisseries.

— Zac, dis-je en sortant mon téléphone de ma poche, je n'ai pas encore eu l'occasion de t'en parler, mais Jessica a fait une chute hier. Elle doit passer des radios, cet après-midi. Cara m'a dit de ne pas m'inquiéter, mais… Si cela ne t'ennuie pas, je préférerais garder mon téléphone à portée de main. J'ai peur de rater l'appel de Cara.

— Bien sûr que non ! Cela ne m'ennuie pas du tout, Serena. Pourquoi ne m'en as-tu pas parlé plus tôt ? Et pourquoi Jessica doit-elle passer des radios ?

— Elle ne se sent pas bien depuis qu'elle est tombée.

— C'est probablement le choc… Si tu veux, on peut partir dès demain.

— C'est une bonne idée, je vais y réfléchir. Merci, Zac.

— Quoi que tu décides, ce sera bien pour moi. Je suis vraiment désolé que Jessica ait eu cet accident.

— Cara va m'appeler et me dira exactement ce qui se passe. Tu sais qu'elle est toujours très directe et n'a pas peur d'annoncer les mauvaises nouvelles.

Zac me lança un regard entendu, prit une gorgée de champagne puis offrit son visage au soleil, les yeux clos.

Il faisait un temps merveilleux. La place Saint-Marc baignait dans une lumière éblouissante, sous un ciel d'un bleu pur. Pas un seul nuage à l'horizon ! La basilique et les autres bâtiments avaient pris une teinte dorée. Ils semblaient intemporels, non sans une dose de théâtralité… Cela faisait partie de la magie du lieu.

Mon père disait que Venise était à la hauteur des tableaux qu'en avait peints Turner. Personne n'avait aussi bien rendu la cité et ses canaux que lui. Personne ne l'avait égalé.

Je me laissai dériver au fil de mes pensées… Je me souvins du jour où la capeline de ma mère s'était envolée avec le vent à travers la place. Nous étions en train de déguster une glace. Ma mère avait esquissé le geste de se lever, mais s'était ravisée, réalisant qu'elle serait immédiatement reconnue si elle courait pour rattraper son chapeau. Cara et moi nous étions précipitées à sa poursuite. Je nous revis, faisant de grands signes à maman, la capeline en main et l'air triomphant.

Me décidant à suivre l'exemple de Zac, je fermai les yeux et levai le visage vers le soleil. Derrière mes paupières closes, surgit l'image de ma mère telle qu'elle était ce jour-là, vêtue de blanc et de rose pâle, ses cheveux blond clair dessinant une auréole dorée autour de son visage, et ses yeux couleur du ciel brillant d'un merveilleux éclat. Je l'aimais tellement ! Nous l'aimions tous. Nous avions cet été-là quitté le refuge pour nous installer à l'hôtel Gritti : ma mère avait estimé qu'il nous fallait plus d'espace… en particulier pour ses bagages ! L'exiguïté de l'appartement causait des frictions.

Cela se passait… Oui, c'était cela : en 1992. J'avais onze ans. Comme cela semblait loin…

Mon téléphone sonna. Je décrochai immédiatement.

— Serena ? C'est Cara. Tout va bien. Jessica ne s'est rien cassé. Je te la passe, elle voudrait te parler.

— Salut, Pidge, dit Jessica d'une voix tout à fait normale.

— Bonjour, Jess ! Tu vas vraiment bien ?

— Oui, je te le promets. Ne t'inquiète pas ! Je pense que j'ai simplement eu le contrecoup de la chute. J'ai été… Ça m'a fait un choc, en fait, de tomber comme ça. Ça m'a secouée. Cara m'a dit que tu nous rejoignais dans deux ou trois jours ?

— Vers le 20, si ce n'est pas avant. Merci d'avoir appelé, Jess. Je t'avoue que je me faisais du souci.

Jessica éclata de rire.

— Te souviens-tu du surnom que te donnait maman ?

— Il y en avait plus d'un… Duquel parles-tu ?

— En fait, c'était plutôt une expression. Elle t'appelait l'inquiète professionnelle ! Mais elle plaisantait, bien sûr.

— Non, pas du tout. Je pense plutôt qu'elle disait ça très sérieusement : j'étais tellement douée pour me faire du souci que j'avais atteint un niveau professionnel.

Jessica rit de plus belle, et moi aussi.

17

Alors que nous longions la Calle Vallaresso en direction du Harry's Bar, Zac me prit par la main et me fit pivoter vers lui. Sans un mot, il me dévisagea, puis me serra contre lui un long moment.

— Je me sens si heureux avec toi, Serena, dit-il enfin. Mais pourquoi ?

Sa question m'étonna.

— Peut-être parce que nous sommes « compatibles » ? hasardai-je. Du moins, quand nous ne nous disputons pas !

— Tu dois avoir raison, c'est une question de compatibilité.

Un sourire ironique passa sur ses lèvres et disparut aussitôt.

— Nous ne nous disputons pas souvent, protesta-t-il.

Comme je ne répondais pas, il insista.

— Tu trouves qu'on se dispute souvent ?

— Non, mais quand cela nous arrive, c'est catastrophique.

Je souriais, plutôt amusée. Sans me lâcher la main, Zac m'entraîna et nous reprîmes notre marche. Il s'était calé sur mon rythme.

— Mieux vaudrait éviter le sujet dans l'immédiat, reprit-il. Pourquoi gâcher la tranquillité de cette soirée en parlant de nos affreuses disputes ?

— Je suis d'accord. Oublions nos querelles passées, et regardons devant nous ! Nous allons passer une bonne soirée avec Geoff et lui faire des adieux mémorables.

— Je suis heureux de le retrouver au Harry's Bar, c'est un de mes endroits préférés.

Il nous fallut peu de temps pour y arriver. Geoff nous attendait, installé à l'une des meilleures tables, au fond de la salle. Il se leva en nous voyant. Après un échange d'étreintes pleines de chaleur et d'amitié, nous nous assîmes. Je ne pouvais m'empêcher de trouver Geoff très séduisant, ce soir-là. Une étincelle spéciale brillait dans ses yeux et son expression sévère s'était adoucie. Il était détendu et même serein. J'aurais mis ma main au feu qu'il avait accepté le poste à Londres comme je l'espérais.

— J'ai commandé un Bellini, dit-il. Et vous, que voulez-vous ?

— Je prendrai aussi un Bellini, dis-je. Tu devrais suivre notre exemple, Zac.

J'estimais qu'un cocktail à base de jus de pêche et de prosecco ne lui ferait pas de mal.

— Bonne idée, répondit-il. Merci, Geoff.

Geoff fit signe au serveur, puis se tourna vers nous.

— J'ai beaucoup apprécié mon séjour à Londres. L'équipe de Global Images est la meilleure au monde. Des cracks ! Pourtant, je ne suis pas certain d'accepter le poste...

Zac l'interrompit brutalement.

— Pourquoi ? C'est la ville idéale ! De Londres, tu peux aller dans toute l'Europe. Tu ne devrais pas laisser passer cette chance.

Il semblait très concerné par la situation de Geoff.

— Hésites-tu à cause de ton ex-femme ? demandai-je à mon tour.

— Je crois, oui. C'est ce que j'ai expliqué à Harry, tout à l'heure. Je veux essayer de réparer les choses avec elle. Chloe me manque et elle a besoin de son père, besoin de moi ! Pas d'un autre type.

— Parce qu'il y a quelqu'un d'autre dans le tableau ? dit Zac.

Sa question me fit sursauter et Geoff parut un peu choqué, lui aussi.

— Pas que je sache, mais Martha est jeune et séduisante. Tout peut arriver, dit-il en soupirant. Ces deux dernières semaines, j'ai mené une vie normale, ici avec vous, puis à Londres... Franchement, la normalité me va très bien. Les guerres, c'est fini pour moi ! C'est un jeu dangereux et je ne veux plus y toucher.

— Que penserait Martha de l'idée d'emménager à Londres avec toi ? demandai-je.

— Je ne lui en ai pas encore parlé. J'avais d'abord besoin de me rendre sur place, de rencontrer l'équipe, de me faire une idée de la situation générale. Evaluer le terrain, en quelque sorte.

Zac se pencha vers Geoff, le fixant de son regard sombre, l'air à la fois très intéressé et préoccupé.

— Mais tu as évoqué la possibilité d'une réconciliation avec elle, n'est-ce pas ? interrogea-t-il.

— Il y a quelque temps, oui. Elle m'a dit qu'elle y réfléchirait si je ne mettais plus les pieds dans les pays en guerre.

— Geoff, Londres est la ville idéale pour toi ! s'exclama Zac. Il n'y a aucun problème de langue et tout est presque comme aux Etats-Unis. Martha et Chloe n'auraient aucune difficulté d'adaptation.

— Je n'en suis pas aussi certain, répondit Geoff. Londres n'est pas la Californie.

— Elles s'y habitueront, répliqua Zac. Tu devrais parler à Martha le plus vite possible.

— Je suis d'accord avec Zac, dis-je. Pourquoi attendre, Geoff ?

— Pour vous dire la vérité, j'ai prévu de l'appeler ce soir. N'oubliez pas qu'il y a neuf heures de décalage entre Venise et Los Angeles. Tout ce que j'espère, c'est qu'elle souhaite vraiment recommencer avec moi. Je ne pense qu'à ça, en ce moment.

— Alors, tu dois tout tenter pour la convaincre, dit Zac. Fais-lui comprendre à quel point tu as besoin d'elle !

Tout en disant ces mots, Zac me regardait avec son irrésistible sourire en coin. Je lui rendis spontanément son sourire avant de me raidir sur ma chaise. Zac pensait à reprendre nos relations ! Je détournai la tête, cherchai un serveur du regard et articulai silencieusement : « Les menus, s'il vous plaît ! »

— Et vous deux, quels sont vos projets ? demanda Geoff.

— Nous allons à Nice la semaine prochaine, répondis-je. J'ai promis à mes sœurs d'y être pour le premier anniversaire de la mort de papa. Zac va m'accompagner. Je crois que nous en avons tous les deux assez du refuge. Comme tu le sais, on finit par s'y sentir à l'étroit.

— En effet ! Zac, comment vas-tu ? Tu sembles être en forme...

Il l'observait d'un regard pénétrant.

— Encore quelques cauchemars et un sale flash-back, mais je vais mieux que je ne l'espérais, n'est-ce pas, Serena ?

— Oui, murmurai-je, tu vas beaucoup mieux.

— Je n'ai pas de symptômes de stress post-traumatique. Je ne pense pas que j'aurai besoin d'une aide médicale et je suis tout à fait en état de voyager.

— Voilà d'excellentes nouvelles ! s'exclama Geoff.

Il avait un grand sourire, visiblement convaincu que tout irait pour le mieux dans le meilleur des mondes. Je me contentai de sourire poliment et jetai un œil au menu. Je choisis le carpaccio et le bar grillé. Mes deux compagnons préférèrent un risotto primavera en plat principal. Quand le serveur nous laissa, Geoff se tourna vers moi.

— Si je ne prends pas la direction de l'agence de Londres, pourquoi ne le ferais-tu pas, Serena ? Avec Zac.

Sa suggestion me laissa sans voix. Zac, bien qu'abasourdi lui aussi, réagit avant moi.

— Ce n'est pas une mauvaise idée, Geoff, pas mauvaise du tout !

Très étonnée, je répondis de mon ton le plus professionnel :

— Zachary North, je vous imagine mal, assis toute la journée dans un bureau à vous occuper de la gestion de Global Images ! Vous ne tiendriez pas un seul jour. Même pas une demi-journée !

— Je crains que tu n'aies raison, dit-il. Mais Londres est un formidable port d'attache. En dehors du fait que nous pourrions couvrir tout le Royaume-Uni, ce serait facile d'aller en Russie, dans toute l'Europe et en Afrique.

— Certes, mais cela ne m'enthousiasme guère, dis-je avec fermeté.

Zac se tut et s'absorba dans son Bellini. Quant à Geoff, il comprit qu'il valait mieux changer de sujet et revint à ses projets. Il envisageait de repartir en Californie pour se rapprocher de sa femme et de leur fille, mais seulement s'il abandonnait l'idée d'habiter Londres. Geoff était un homme intelligent. Il avait choisi la vie plutôt que le danger et le risque de mourir.

Il commanda une autre tournée de Bellini, puis le carpaccio arriva. Zac et Geoff se lancèrent dans une grande conversation sur le football tandis que je me plongeais dans mes pensées.

J'espérais que Zac avait compris les raisons qu'avait Geoff d'arrêter le reportage de guerre et que cela renforcerait sa propre intention d'en faire autant. Une chose au moins me semblait claire : Zac voulait que nous nous remettions ensemble. Il en avait exprimé le désir sans ambiguïté. Cela pourrait-il marcher ? Pour moi, le fait qu'il renonce à la photographie de guerre était une condition sine qua none.

Toutefois, s'il prenait cette décision, ne finirait-il pas par s'ennuyer ? Et pourrait-il s'y tenir ? Ne succomberait-il pas à l'attrait du danger, au besoin de ressentir cette terrible montée d'adrénaline ? Je ne savais que penser. D'un autre côté, j'étais consciente que, pour aller de l'avant, il avait besoin d'exorciser ces horribles souvenirs de mort et de destruction. Et moi, je l'aiderais dans toute la mesure de mes possibilités.

Je l'écoutais et l'observais, me sentant succomber à son charme une fois de plus. Il n'y en avait qu'un comme lui ! Tout aussi original que mon père, tout aussi charismatique. Zac était le seul homme que j'avais vraiment aimé. Que j'aimais toujours. L'idée me traversa l'esprit de lui revenir. Si je ne tentais pas l'aventure, ne le regretterais-je pas un jour ?

Plus tard dans la soirée, alors que nous traversions la place pour rentrer au refuge, Zac pila, me prit dans ses bras et m'embrassa avec passion. Je répondis à son baiser, me serrant contre lui comme pour le retenir à jamais. Le désir me fit tourner la tête, je nous voyais déjà faisant l'amour... Soudain, le mot surgit dans mon esprit : *Non !*

Non, je ne dois pas !

TROISIÈME PARTIE

Des angles de prise de vue révélateurs

Nice, avril

« La beauté du monde… a deux arêtes, l'une de rire, l'autre d'angoisse, coupant le cœur en deux. »

Virginia Woolf, *Une chambre à soi*

« Si deux êtres s'unissent, il y a souvent une cicatrice,
Ils sont un et un, avec un troisième, fantôme ;
Un près de l'autre, c'est trop de distance. »

Robert Browning, « Au coin du feu »

18

Ma mère disait qu'elle possédait un don pour « sentir » une maison ou un appartement. Il lui suffisait d'en faire le tour. D'après elle, les murs gardaient l'empreinte du passage des êtres qui y avaient vécu ; leur histoire faisait l'atmosphère du lieu.

Mes sœurs et moi, nous la regardions arpenter les pièces d'une nouvelle maison et guettions son sourire. Bientôt, elle déclarait que celle-ci vivait et respirait. Nous savions alors que nous y emménagerions tôt ou tard. Un jour, j'avais environ treize ans, elle m'a dit : « As-tu déjà entendu cette expression, Serena : *Si les murs pouvaient parler* ? »

Elle avait eu un de ses sourires énigmatiques pour ajouter : « Je crois que tout ce qui se passe dans une famille – bon, mauvais, heureux ou triste – s'inscrit pour toujours dans la maison. Les mariages, les naissances, les morts, les maladies... Parfois même des événements abominables comme un meurtre, une tragédie d'une sorte ou d'une autre. Oui, les murs qui nous abritent savent tout. »

Ma mère avait sans aucun doute laissé une empreinte indélébile sur la Villa des Fleurs, de même que mon père. Mais c'était l'esprit de ma mère, sa joie de vivre et son profond amour de la vieille maison de maître qui en imprégnaient les pièces et le jardin. Elle avait découvert la maison en tournant un film dans la région de Nice, en 1970. Elle avait quitté peu auparavant son troisième mari et venait de vivre un âpre et long divorce. Quitter Hollywood pour tourner à l'étranger l'avait donc soulagée.

C'était Louise Obrey qui l'avait amenée à la Villa des Fleurs. Louise était sa maquilleuse ainsi qu'une amie dévouée. Elle l'accompagnait sur tous ses tournages en France ou en Angleterre. La maison appartenait à Pauline Doumer, une amie de Louise, dont le mari, Arnaud, avait créé une marque réputée de cosmétiques. Il l'avait dirigée jusqu'à son décès. Ma mère avait eu le coup de foudre pour la villa et Pauline Doumer l'y avait plusieurs fois invitée à dîner avec Louise. Deux ans plus tard, en 1972, Pauline Doumer était morte et sa propriété avait été mise en vente.

Mes parents, qui venaient de se marier, se trouvaient à Paris à ce moment-là. Ils avaient tout de suite pris l'avion pour se rendre à Nice. « Je voulais la *sentir* de nouveau », nous avait expliqué maman plus tard.

« Qu'est-ce que tu as senti ? » avait demandé Jessica, passionnée par le récit de maman.

« L'amour, avait-elle répondu sans hésiter. L'amour dans toute sa splendeur et sous toutes ses formes. Votre père aussi l'a ressenti, ainsi que cette ambiance chaleureuse et accueillante, ce sentiment de paix et de tranquillité. » Elle avait ri et envoyé un baiser du bout des doigts à Jessica avant de reprendre ses confidences. « Cara et toi, vous avez été conçues lors de la première nuit que nous avons passée ici ! »

C'était donc dans cette maison que je me trouvais à nouveau. J'étais arrivée la veille avec Zac. Je m'étais installée dans la pièce octogonale, tout en haut du grand escalier. C'était dans cette pièce que s'était le mieux exprimé le goût de ma mère. Elle était, d'une certaine façon, « la nôtre », celle où nous lui faisions nos confidences, où nous partagions nos secrets et nos problèmes avec elle, lui demandions conseil...

Elle avait fait peindre les murs de cet étonnant vert clair à peine nuancé de gris dont seuls les Français possèdent le secret. Le parquet ciré avait été laissé nu à l'exception d'un antique et ravissant tapis d'Aubusson ancien ; devant la cheminée, un canapé et deux fauteuils étaient disposés autour d'une table basse ancienne. Le bureau de ma mère trônait devant la haute fenêtre cintrée. Diverses pièces de mobilier provençal français ornaient le reste de la pièce, faisant écho au thème décoratif de la maison.

Un des violons d'Ingres de mon père avait été la peinture et quelques-unes de ses meilleures aquarelles étaient accrochées aux murs. Le portrait en pied de ma mère au-dessus de la cheminée avait quant à lui été peint par Pietro Annigoni. A l'époque, ma mère avait vingt-sept ans. De tous les portraits d'elle, c'était mon préféré. Annigoni l'avait représentée légèrement de trois quarts, le regard portant loin, avec, en arrière-plan, un délicat jardin paysager sous un ciel léger. Ma mère, vêtue d'une robe de soirée bleu clair et d'une cape en organza, était d'une beauté parfaite. Le peintre avait su en saisir tout le caractère énigmatique : ses yeux bleus pleins de rêve, son sourire mystérieux, sa sérénité...

La porte s'ouvrit et je me redressai en sursaut. C'était Jessica.

— Je pensais bien te trouver ici ! Ça va, Pidge ? Tu as l'air soucieuse.

Je lui souris. Elle était très chic ce matin : un pantalon bleu marine étroit, un chemisier blanc, et, pour seuls bijoux, une montre et des anneaux d'oreilles en or.

— Non, je vais bien, je pensais simplement à maman.

— A quoi précisément ?

— Rien d'important... Hier soir, en arrivant, ça m'a fait un drôle d'effet : comme si je pouvais sentir tout l'amour qu'il y a dans cette vieille maison. Cela m'a rappelé les théories de maman sur l'atmosphère des lieux et la mémoire des murs.

— Tu sais quoi ? Pidge, quand je regarde en arrière et que je pense à maman, je me rends compte à quel point son esprit était subtil. Un peu excentrique, aussi, de temps en temps ! Le problème, c'était sa beauté. Personne n'arrivait réellement à l'oublier. Du coup, le brillant cerveau à l'œuvre derrière cette magnifique apparence passait inaperçu.

Les yeux de Jessica brillaient. Sachant à quel point elle aimait notre mère, je crus qu'elle allait pleurer. Au lieu de cela, elle s'absorba en silence dans ses souvenirs.

— Par moments, reprit-elle d'un ton uni, elle était très drôle, n'est-ce pas ?

— C'est vrai...

Elle me manquait. Soudain, j'eus l'impression qu'elle était là, avec nous, dans la pièce. C'était si fort que je regardai autour de moi, m'attendant à la voir, mais Jessica changea de sujet.

— Zac a l'air mieux que je ne le pensais, Serena, et il est toujours aussi beau ! Je l'ai trouvé détendu hier, même si on voit bien qu'il est épuisé.

— Oui, il va mieux. Il était content ce matin d'aller courir avec Cara. Il dit qu'il a besoin d'exercice et de se défouler. Cela lui fera du bien.

— Tu sais, je me suis inquiétée pour toi. Je n'ai pas oublié les troubles de papa. C'était éprouvant. Penses-tu que Zac est en état de stress post-traumatique ?

— Je l'ignore, mais ne te fais pas de souci. Même si Zac en était atteint, il ne me ferait pas de mal. Les gens qui en souffrent ne tournent en général pas leur violence contre les autres, mais contre eux-mêmes.

— Oui, même si j'imagine qu'il doit bien y avoir quelques exceptions à la règle...

— Jess, Zac va bien en ce moment. Il fait beaucoup d'efforts pour se conduire de façon aussi normale que possible. A mon avis, il aimerait que nous nous remettions ensemble.

Je racontais toujours à Jessica ce qui se passait dans ma vie. Elle m'écoutait et ne jugeait pas. Cette fois, elle se pencha vers moi et prit un ton très sérieux.

— Tu veux recommencer avec lui ? Mais où cela te mènerait-il ?

— Je l'ignore, et je ne suis pas certaine de le vouloir. Je ne supporterais pas qu'il retourne au front. Renouer avec lui ne serait possible que s'il menait une vie normale, comme papa et Harry ont fini par le faire. Franchement, je me demande comment maman a fait quand je pense à toutes ces années passées à s'inquiéter pour la vie de papa.

— Et pour la tienne ! Quand vous partiez en reportage, papa et toi, maman était en permanence sur le qui-vive. Elle gardait ses craintes pour elle et ne se plaignait pas, mais elle vivait dans un état d'angoisse constante.

— Et moi qui voulais tellement devenir photographe de guerre. Ça m'obsédait et tu sais comme on peut se montrer égoïste quand on est jeune.

D'un signe de la tête, elle me signifia qu'elle était tout à fait d'accord avec moi.

— Serena, reprit-elle, es-tu encore amoureuse de Zac ?

— J'ai des sentiments pour lui. Après tout, nous sommes restés ensemble pendant plusieurs années ! Je tiens à lui, je me préoccupe de son bien-être…

— Pidge, ne tourne pas autour du pot. Je parle d'être amoureuse. Donc, je répète : es-tu amoureuse de Zac ?

— Eh bien, un jour je crois l'être et le lendemain je ne le crois plus.

— Ce n'est pas clair, tout ça ! A mon avis, tu *es* amoureuse de Zac, mais tu es aussi en colère contre lui. Il t'a mal parlé quand vous vous êtes séparés, j'ai presque tout entendu.

Elle s'interrompit ; dans ses yeux, je lus l'immense affection qu'elle me portait.

— Tu sais, ajouta-t-elle, tu as le droit de l'aimer ! Je n'interviendrai jamais dans ta vie privée, pas plus que Cara.

Je me tassai dans mon fauteuil.

— Je reconnais que, depuis que je l'ai retrouvé à Venise, mon cœur est dans une grande incertitude. Ce dont j'ai le plus peur, c'est que son désir du terrain le reprenne.

— Cela ne m'étonne pas ! D'après ce que tu m'as expliqué, il est rentré de sa dernière mission dans un état effrayant. A-t-il eu d'autres flash-back ?

— Non, ce n'est arrivé qu'une seule fois. Il ne m'a toujours pas donné de détails à ce sujet.

Jessica soupira, alla se poster à la fenêtre et regarda le jardin, songeuse, avant de venir s'asseoir à côté de moi.

— Je suis très heureuse que tu sois là, Serena, avec Zac. Cette maison a des qualités thérapeutiques, comme disait maman.

— Oui, je sais. A propos de guérison, comment va Cara ? Est-ce qu'elle arrive à faire son deuil de Julien ?

— Disons qu'elle est moins déprimée.

— Elle avait l'air très contente de nous voir, hier soir.

— Oui, et puis elle a toujours eu un faible pour Zac, tu sais !

— En effet ! J'aimerais bien que Cara rencontre quelqu'un, et toi aussi, ajoutai-je prudemment. Pas d'homme en vue ?

Jessica eut un de ses merveilleux éclats de rire.

— Malheureusement non ! Mais je suis satisfaite de mon sort, Pidge. J'ai beaucoup de plaisir à diriger ma salle des ventes et j'ai une vie sociale très agréable, ici comme à Paris. Je finirai bien par rencontrer quelqu'un. Maman disait qu'il suffit de chercher un homme pour ne pas en trouver ! Donc, je ne cherche pas. En attendant, je me réjouis de te voir et je te soutiendrai, quoi que tu décides au sujet de Zac.

— C'est gentil, Jess. Tu sais, je tiens toujours compte de tes avis.

Ce qui était la vérité.

Un sourire joua sur ses lèvres et elle me répondit d'une voix pleine de douceur.

— Au cours des derniers mois de sa vie, maman parlait souvent de toi, Serena. Je ne te l'ai jamais dit, mais elle m'a demandé de veiller sur toi. Pour elle, en ma qualité d'aînée, j'étais responsable de toi. Ce sont ses propres mots. Je lui ai promis de surveiller tes arrières. L'expression l'a beaucoup fait rire. C'était le jargon militaire de papa.

Je me sentis émue au point que des larmes me montèrent aux yeux ; je serrai très fort Jessica dans mes bras. Elle me rendit mon étreinte et poursuivit en me parlant à l'oreille :

— Tu as été l'enfant qu'elle avait si longtemps désirée et pensait ne plus pouvoir avoir. Elle disait que tu étais sa petite fille et le trésor de sa vie.

La gorge serrée, je ne pus rien dire.

Nous restâmes ainsi, serrées l'une contre l'autre, pendant un long moment.

19

Après le départ de Jessica pour le marché à Nice, je sortis dans le jardin et me rendis au studio de mon père, tout au bout de ce que ma grand-mère s'obstinait à appeler « la pelouse de devant » – expression anglaise pour désigner une belle pelouse devant une maison – bien que la nôtre s'étendît à l'arrière, descendant en pente douce après la longue terrasse de pierre. Nous avions beau la taquiner à ce sujet, grand-mère n'en démordait pas !

Il n'était que huit heures et demie, mais l'air était déjà très doux, chargé de parfums apportés par une brise légère. Les petits nuages blancs rebondis dans le ciel reflétaient les rayons d'un soleil encore timide. J'aimais ces journées délicieuses de la fin avril dans le sud de la France, quand il ne fait pas trop chaud.

Tout en suivant l'allée, j'admirais les fleurs. Il y en avait partout ! C'était l'œuvre de Cara, et son talent. Même si elle travaillait très dur dans son commerce d'orchidées, en vraie droguée du travail qu'elle était, elle trouvait toujours le temps de rejoindre Raffi, notre jardinier. C'était ma mère qui avait repensé le jardin de la villa et Cara marchait dans ses pas. Tout cela était réalisé avec beaucoup d'amour, et cela se voyait.

Je dépassai la piscine puis tournai à droite pour arriver au studio. Une pergola courait contre un mur de pierre et je ne pus la voir sans m'y arrêter. C'étaient papa et Harry qui l'avaient construite. La main posée sur l'un des poteaux, je fermai les yeux et m'immobilisai. J'entendais encore le bruit de leurs coups de marteau, entrecoupés d'éclats de rire tonitruants.

Ils en avaient dessiné eux-mêmes les plans : quatre solides poteaux plantés profondément dans la terre avec un treillage en bois par-dessus. Le lierre grimpait avec générosité autour des piliers puis sur le treillage, et cela nous faisait un ravissant abri de verdure à l'ombre. En vingt ans, les deux complices avaient érigé trois pergolas en divers points de la propriété. Ma mère, bonne joueuse, admirait toujours leur travail : « Tommy, mon amour, comme c'est gentil d'en avoir fait une autre ! C'est si agréable de s'y asseoir au frais. Merci, et merci à toi aussi, cher Harry. » C'était dit avec une telle conviction que nous la croyions, oubliant quelle actrice elle était ! Or, au fil des ans, j'avais remarqué – et peut-être n'étais-je pas la seule – qu'elle s'y installait rarement, préférant s'abriter du soleil sous un grand parasol.

Je pris la clé dans ma poche et entrai dans le studio. Eclairée par quatre grandes fenêtres, la pièce était baignée de lumière. Rien n'avait changé depuis le mois de septembre, quand j'y étais venue pour la dernière fois. Je fis le tour des lieux, touchant affectueusement un objet ou un autre, regardant les photos posées ou accrochées un peu partout, puis je m'arrêtai devant la longue crédence encastrée où papa avait aligné ses tables lumineuses. D'un petit format très pratique, il y en avait six qui lui permettaient de voir un grand nombre de photos en même temps quand il préparait les séquences de ses sujets.

Oui, tout était à sa place. Mes sœurs n'avaient rien dérangé. On aurait cru que papa venait de quitter son poste de travail pour aller déjeuner. Si seulement cela avait été vrai !

Je m'assis dans son fauteuil, un siège que j'adorais quand j'étais petite, parce qu'il avait des roulettes. Il suffisait d'une légère poussée pour le faire rouler sur le plancher et, en plus, il pivotait sur lui-même. J'aimais m'installer sur les genoux de papa pour qu'il me fasse « faire un tour », comme il disait.

En souvenir de ces jours heureux, je fis encore une fois tourner le fauteuil sur lui-même.

Le bureau de papa était une grande table Parsons. Ses blocs-notes et objets favoris s'y entassaient, avec quatre photos alignées en un seul rang : maman, Jessica, Cara et moi.

Confortablement renversée dans le fauteuil, je les contemplai un instant. Elles avaient été prises par mon père ici, dans le jardin, au cours de l'été qui avait précédé la mort de maman. Il y avait donc cinq ans. Un élan de tristesse m'envahit et je me levai précipitamment, me dirigeant vers une autre table couverte des récompenses et trophées décernés à papa pour ses clichés si poignants. Il y avait aussi des photos de lui-même ou de Harry dans des zones de combat ; sur d'autres, il était avec moi ou avec Zac. Et partout, d'innombrables photos de maman dans sa splendeur de star, entourée de gens célèbres, des acteurs, des écrivains, des journalistes de renom.

Une pensée me frappa : mon père avait eu une belle vie. Une vie hors du commun. Il avait connu le meilleur dans bien des domaines. Cette idée me rendit heureuse, comme le fait qu'il soit mort ici, à la Villa des Fleurs, et non sur un champ de bataille à l'autre bout du monde.

Devant l'une des fenêtres, mes sœurs avaient ouvert deux tables à jouer pliantes, un gros carton posé sur chacune d'elles. Sur l'un des cartons, l'étiquette indiquait qu'il s'agissait du livre inachevé de notre père, qu'il avait intitulé *Courage.* L'autre carton s'appelait « divers », ce qui ne me donnait aucune information sur son contenu ! Il y en avait un dernier, plus petit, qui portait la mention « Venise ». Pendant quelques instants, je gardai ma main sur le couvercle du carton du livre, songeant à ce qu'il renfermait. Je décidai finalement de ne pas l'ouvrir. Commencer avant Pâques ne servirait à rien. On était mercredi, Harry arriverait demain, et après-demain ce serait le Vendredi saint, ainsi que l'anniversaire de la mort de papa. Oui, dans deux jours, cela ferait un an qu'il nous avait quittés.

Alors que je sortais de l'atelier, je sentis mon téléphone vibrer et m'empressai de répondre.

— Serena ? C'est Harry.

— Bonjour, Harry ! Comment va ce bon vieux Londres ?

— Toujours debout ! Serena, est-ce que je tombe mal ? Ou as-tu quelques minutes pour parler ?

— J'ai tout mon temps, j'attends Cara et Zac qui sont allés courir. Je viens de faire le tour de l'atelier de papa. Rien n'a changé.

— Je m'en doute ! Ecoute, j'ai un problème dont je voudrais discuter avec toi.

— Ah. Dis-moi ce qui ne va pas.

— Tu sais que j'ai demandé à Geoff Barnes s'il pouvait, avant de poursuivre vers Los Angeles, passer par Londres pour tenir l'agence à ma place pendant quelques jours. Or, il ne va plus à Los Angeles et je me demandais...

J'étais tellement étonnée que je l'interrompis brutalement :

— Il ne va pas voir Martha et Chloe ? Mais pourquoi ?

J'entendis Harry pousser un long soupir.

— C'est Martha. Elle ne veut pas le voir. Elle était d'accord au départ pour qu'il rende visite à Chloe, mais, après qu'il lui a eu dit qu'il prenait un mois de congé en Californie et, surtout, qu'il voulait qu'elle vive à Londres avec lui, elle a refusé même qu'il vienne. Plus précisément, elle accepte une visite de deux ou trois jours, mais rien de plus.

Il n'y avait qu'une seule explication possible.

— Elle a rencontré un autre homme ! lâchai-je.

— On ne peut rien te cacher ! Tu es trop futée...

— Donc, j'ai raison ?

— Oui, tu as raison. Evidemment, Geoff est très malheureux. Il ne s'y attendait pas, je pense. Et voici mon problème : je ne veux pas le laisser seul à Londres pendant tout un week-end. Annie Stewart m'a dit qu'elle pouvait très bien se débrouiller seule pour tenir l'agence et je me demandais s'il ne serait pas possible d'amener Geoff à Nice avec moi... Qu'en penses-tu ?

— Cela me va très bien, Harry, et je ne pense pas que mes sœurs y voient le moindre inconvénient. Bien sûr, vendredi est un jour particulier pour nous, mais Geoff fait partie de la famille Global Images. Il a connu papa pendant des années. Donc, pas de problème, Harry, viens avec lui !

— J'étais sûr de ta réponse, Serena ! Merci beaucoup.

— Il est vraiment mal ?

— Malheureux et incrédule, mais, comme je le lui ai fait remarquer, cela fait déjà un certain temps qu'ils ont divorcé. En toute franchise, sa réaction m'a étonné. Après tout, l'idée qu'il puisse revivre avec son ex n'a jamais été qu'une supposition de sa part.

— Oui, c'est vrai, il a imaginé le scénario dont il avait envie. Pauvre Geoff ! Mais nous nous occuperons de lui remonter le moral. Quand arrivez-vous ? Veux-tu que je vienne vous chercher à l'aéroport ?

— Merci, Serena, mais j'ai réservé un taxi. Nous atterrissons vers quinze heures et nous devrions donc être là vers seize heures trente ou dix-sept heures, selon la circulation.

— Je suis très heureuse que tu viennes, Harry. Et mes sœurs le seront aussi, j'en suis sûre. Ce sera comme au bon vieux temps…

Je m'interrompis, fâchée de ma maladresse.

— Non, achevai-je tristement, pas vraiment.

— Tu sais, ma chérie, être ensemble nous aidera à supporter l'absence. Nous évoquerons le souvenir de Tommy avec toute l'affection qu'il nous inspirait. Nous parlerons aussi de ta mère. Elle a sa place dans cette célébration.

Assise sous la pergola, je pensais à Geoff. La conduite des gens m'étonnait parfois. Voilà un homme intelligent, réaliste et fiable, qui ne s'en était pas moins raconté des histoires sur le retour de sa femme, pensant qu'il suffirait qu'il échange un travail dangereux contre un poste tranquille !

Martha, il est vrai, avait vécu dans la terreur d'apprendre sa mort chaque fois qu'il partait en reportage au front. Il existait toutefois d'autres motifs à leur divorce, c'était évident. Et pourquoi n'y aurait-il pas eu un autre homme dans la vie de Martha ? Elle était jeune et belle d'après les photos que j'avais vues. Et d'une intelligence exceptionnelle, à en croire Geoff, même si je me doutais qu'il n'était pas totalement impartial.

Cara m'arracha à ma rêverie. Levant les yeux, je la vis descendre la colline en courant, toute mince dans un jogging noir, ses cheveux retenus par son habituel chouchou. Quand elle fut assez près, je me rendis compte qu'elle était couverte de sueur. Derrière elle, à une certaine distance, Zac se traînait, l'air vidé. Cara s'arrêta à côté de moi et sortit un mouchoir en papier de sa poche pour s'essuyer le visage.

— Qu'est-ce qu'on a bien couru ! J'espère que je n'ai pas trop forcé pour Zac.

J'éclatai de rire ; sa considération peinée pour Zac ne l'avait pas empêchée d'y aller à fond.

— Il survivra, mais il n'a pas l'air très en forme, c'est vrai.

— Oh, zut ! murmura Cara en l'observant.

Zac nous rejoignit, dégoulinant de transpiration, livide et exténué. Je me levai pour le prendre par le bras.

— Zac, ça va ?

— Ça va aller, grogna-t-il en tentant de sourire. Elle court sacrément vite, ta sœur !

Cara lui adressa un sourire non dénué de remords.

— Excuse-moi, Zac, je ne voulais pas t'obliger à forcer l'allure.

— Que dirais-tu d'un bon café avec un petit déjeuner ? repris-je.

— Surtout pas ! Je suis trempé et affreusement poisseux. J'ai besoin d'une douche et d'une bouteille d'eau. Ensuite, je petit-déjeunerai avec vous.

— Adjugé !

— Et moi, je t'accompagne, Serena, dit Cara. Je dois te parler.

20

Quand Cara m'annonçait qu'elle devait me parler, c'était de mauvais augure. Toujours des mauvaises nouvelles. Aussitôt, je me raidis et me tins sur mes gardes. Ce matin-là, j'avais avant tout besoin de paix et de calme.

Je la suivis néanmoins dans l'alcôve adjacente à la cuisine. Nous en avions fait un recoin agréable pour prendre un verre, déjeuner sur le pouce ou lire. La banquette nous accueillit. Nos mugs de café, posés devant nous sur la table en chêne, fumaient.

— Cara, j'ai quelque chose à te dire, moi aussi. Si cela ne t'ennuie pas, j'aimerais le faire en premier.

— Bien sûr !

Elle me scruta d'un œil interrogateur.

— Harry m'a appelée juste avant votre arrivée. Il aimerait amener Geoff avec lui, demain. Je lui ai dit oui ; j'espère que cela te convient aussi.

Je poursuivis en lui expliquant la situation telle que Harry me l'avait exposée.

— Cela ne me dérange pas du tout, répondit-elle. Comme ça, je ferai sa connaissance. J'ai besoin d'un verre d'eau, ajouta-t-elle en se levant.

Quand elle revint une minute plus tard, elle reprit la conversation exactement où nous l'avions laissée.

— Non, je ne vois pourquoi ça me dérangerait. Si ma mémoire est bonne, Geoff Barnes fait partie de Global Images depuis des années.

— A ton avis, que dira Jessica ?

— Il n'y aura aucun problème, Serena. En fait, c'est au sujet de Jessica que je veux te parler.

Elle avait prononcé ces derniers mots avec une expression très étrange.

— Quelque chose ne va pas ? demandai-je, aussitôt alarmée.

— Je ne sais pas, mais... Ce n'est pas impossible du côté de sa santé.

— Qu'essayes-tu de me faire comprendre ? Est-elle malade ?

— Je crains qu'elle ne souffre du même type d'ostéoporose que maman.

— Mais Jess n'est pas enceinte ! Ou bien...

Je scrutai son visage, sachant qu'elle me dirait la vérité. Cara se faisait un devoir d'être parfaitement honnête et directe. Je me demandais parfois si ce rôle ne lui procurait pas une certaine forme de satisfaction.

— Non, elle n'est pas enceinte, j'en suis certaine. Elle me l'aurait dit. Le problème se situe ailleurs. Depuis quelque temps, elle se plaint d'avoir mal dans les os, d'avoir les jambes fatiguées. Et il y a eu cette chute à la salle des ventes.

Perplexe, je me penchai vers Cara, la regardant droit dans les yeux.

— Mais elle ne s'est rien cassé ! Si elle avait de l'ostéoporose, elle aurait eu au moins une fracture, tu ne crois pas ?

— Si, tu n'as pas tort, mais elle se plaint beaucoup de ses douleurs. Je voudrais donc que tu fasses une chose...

— Moi ? l'interrompis-je.

— Oui, je veux que tu lui parles. Tu as toujours su la convaincre. Demande-lui de passer des examens, des radios par exemple. Moi, elle ne m'écoute plus ! Je ne peux plus rien lui dire.

J'eus une exclamation incrédule.

— Voyons, Cara, je t'assure qu'elle t'écoute ! Vous êtes jumelles et plus intimes que n'importe qui depuis toujours. Maman m'a dit qu'à l'âge de six mois vous vous teniez déjà par la main dans votre berceau !

Cara eut un geste de dénégation.

— Il vaut mieux que tu lui parles. Toi, elle t'écoutera. Elle n'a même pas voulu qu'on discute d'Allen Lambert.

J'allais de surprise en surprise.

— Qui est Allen Lambert ?

— Son petit ami.

— Jessica a un petit ami !

Je n'en revenais pas. Pourquoi n'étais-je pas au courant ?

— Oui, répondit Cara. Je t'avoue qu'il ne m'emballe pas et, comme je l'ai dit à Jess, elle s'est mise en colère, évidemment.

— Cela m'étonne qu'elle ne m'en ait pas soufflé mot.

Je me sentais même blessée du silence de Jessica.

— Oui, moi aussi, reconnut Cara.

— Depuis quand sort-elle avec lui ?

— Environ un an, mais ce n'est pas régulier. Il voyage souvent.

— Comment l'a-t-elle rencontré ? Que fait-il ?

A présent, la curiosité l'emportait.

— Il habite dans la région et à Londres. Ils se connaissent depuis cinq ou six ans mais, d'après mes déductions, ils ne se fréquentent vraiment que depuis un an.

— Comment est-il ?

— Discret. Il ne parle pas beaucoup – plutôt du genre froussard, quand j'y pense. Physiquement, il n'est pas mal, dans un style blond et anglais. Il a une société de relations publiques ou de publicité, je ne suis pas sûre.

— Sais-tu si elle l'a invité à la soirée de demain ?

— J'en doute. A mon avis, elle considère cette soirée à la mémoire de papa comme un événement privé et familial. Il n'y aura que nous trois, Zac et Harry, et Geoff Barnes en plus.

— Peut-être que je pourrais le rencontrer pendant le week-end de Pâques, alors... Cara, ça ne t'ennuie pas si je dis à

Jess que tu m'en as parlé ? Je veux en savoir plus. J'ai l'intention de lui poser une tonne de questions...

— Aucun problème, Serena. J'espère qu'elle sera plus ouverte avec toi.

— Penses-tu que ce soit sérieux, cette histoire entre eux ?

— Je l'ignore, répondit Cara en haussant les épaules. Comme je te l'ai dit, elle reste muette.

— Il est libre ? Il n'est pas marié, au moins ?

— Non, il est veuf.

Cara eut une drôle de petite moue.

— Sa femme est morte d'une façon bizarre, en Afrique.

Zac choisit cet instant pour entrer dans la cuisine, mettant fin à notre conversation. Il avait pris une douche, s'était rasé et portait son jean et un tee-shirt blanc ; il avait meilleure allure que tout à l'heure.

— Veux-tu que je te prépare des œufs et du café, Zac ? dis-je en me levant. Ou bien préfères-tu un croissant ?

Il me sourit.

— Un croissant, s'il te plaît.

Il se servit du café et alla chercher le lait. Pendant ce temps, Cara avait mis son mug et son verre dans le lave-vaisselle.

— A tout à l'heure, vous deux ! dit-elle. Je dois me laver et aller aux serres.

Je la regardai s'éloigner. Je ne comprenais pas pourquoi elle désapprouvait la relation entre Jessica et Allen Lambert. Avait-elle des renseignements négatifs à son sujet ? Dans ce cas, avait-elle essayé de mettre Jessica en garde ? Tout cela me laissait perplexe et je me promis de mener mon enquête.

21

Zac, assis sur le siège passager, se tourna vers moi.

— Donc, tu penses que Geoff s'est raconté des histoires ?

— En effet ! répondis-je sans quitter la route des yeux.

Nous allions à Nice, où Zac voulait faire quelques achats ; la circulation était dense.

— Il avait tellement envie de reprendre la vie à deux. Il a imaginé que Martha éprouvait les mêmes sentiments.

Zac poussa un long soupir et se plongea dans ses pensées.

— Pauvre gars ! dit-il enfin d'une voix sombre. Il a dû avoir un terrible choc. En plus, apprendre ça par téléphone ! Ce n'est pas très élégant.

— Tu oublies qu'ils sont divorcés depuis plusieurs années. Et puis Martha est encore jeune. C'est lui qui a voulu rêver.

— Cela ne m'empêche pas d'être triste pour lui.

— Oui, moi aussi. Heureusement, mes sœurs n'ont fait aucune objection à ce qu'il vienne.

— Harry a eu une bonne idée, nous allons lui remonter le moral. Geoff est un chic type. Je n'oublierai jamais ce qu'il a fait pour moi en venant me chercher en Afghanistan.

Zac se secoua comme pour chasser les mauvais souvenirs.

— Et après le week-end ? Quels sont ses projets ?

— Je l'ignore. Harry lui a demandé de prendre en charge le bureau de Londres. Il a envoyé Matt White au Pakistan pour le remplacer.

— Je suppose que Geoff va accepter la direction du bureau. Qu'irait-il faire en Californie si son ex-femme a un autre homme dans sa vie ?

— J'espère qu'il dira oui, mais, de toute façon, cela ne m'inquiète pas. Il y a deux ou trois autres personnes capables d'assumer le poste aussi bien que lui.

— Pete Sheldon serait parfait. Il s'adapte très vite.

— Oui, c'est vrai. Pour en revenir à Harry et Geoff, ils arrivent demain en fin d'après-midi. Et maintenant, dis-moi comment s'est passé ton jogging avec Cara ?

— Eh bien, disons que ta sœur devrait participer au marathon de New York. Quant à moi, je crains d'avoir perdu la forme. Mais cela ne m'a pas découragé : on remet ça demain.

— Tant mieux !

Je me demandais si je devais lui rapporter ma conversation avec Cara au sujet de Jessica. Je choisis de me taire, suivant en cela les règles de conduite que l'on m'avait apprises : garder en famille ce qui concerne la famille.

— Je vais me garer dans l'allée devant la maison de Lulu, repris-je. Tu te souviens de notre vieille cuisinière ?

— Plutôt ! Je n'ai jamais aussi bien mangé, sauf chez ma mère. Et elle te laisse te garer chez elle ?

— Tu sais, je doute qu'elle s'en rende compte, elle est très âgée. C'est Adeline, sa fille, qui m'a proposé de me garer là quand je vais à Nice. Elle a appelé chez sa mère ce matin pour prévenir l'auxiliaire de vie. Adeline travaille toujours chez nous. C'est elle qui tient la maison. Magali, sa sœur, donne un coup de main lorsque nous avons des invités et lorsque Jessica donne un dîner important ou un cocktail.

Zac eut un geste d'approbation.

— Quand nous aurons fait nos courses, j'aimerais bien t'offrir un verre au Negresco en souvenir du bon vieux temps. J'avais l'habitude d'y aller avec Tommy. Et ensuite, pourquoi pas un bistrot pour déjeuner ?

— Parfait !

Nous arrivions en ville et je redoublai d'attention. A l'approche de Pâques, la circulation devenait impossible.

Nous nous garâmes et partîmes en direction du Vieux Nice. En chemin, Zac acheta des tee-shirts et des sous-vêtements.

— J'aimerais trouver un cadeau pour tes sœurs, dit-il soudain. D'après toi, qu'est-ce qui leur ferait plaisir ?

J'hésitai un instant, puis une idée me vint.

— Le mieux serait un parfum, je pense. Leur faire un cadeau est toujours un casse-tête, même pour moi.

Nous avions atteint la Promenade des Anglais. Celle-ci avait été imaginée au début du XIXe siècle par des Anglais qui vivaient à Nice. Plantés de palmiers, ses sept kilomètres s'étendaient devant nous. Les meilleurs hôtels, dont le Negresco, s'y trouvaient, ainsi que de nombreuses boutiques.

— Quand nous étions petites, papa nous disait que le Negresco était un château de conte de fées. Il avait raison, tu ne trouves pas ? Un château tout blanc, avec son dôme et ses balcons...

Zac acquiesça.

— Viens, on va s'installer au bar et boire à la santé de ton père ! J'aimais venir ici avec lui. Il se montrait sous un jour différent.

Comme je demandais à Zac de commander des mimosas, il fronça les sourcils.

— Hé ! lui dis-je, n'oublie pas que je dois conduire pour rentrer. Le jus d'orange limitera les effets du champagne.

En réalité, j'étais contrariée par sa consommation d'alcool. Il ne savait pas toujours s'arrêter à temps. Je le vis changer d'expression et faire signe à un serveur.

— Bon, très bien ! Après tout, c'est ce que Tommy avait l'habitude de prendre.

Nous bûmes à la santé de mon père, puis Zac s'enfonça dans son fauteuil et me raconta, non sans jubilation, quelques anecdotes au sujet des aventures qu'ils avaient partagées. Je les connaissais déjà, mais je l'écoutai néanmoins avec attention, soulagée de le voir détendu. Au cours de la nuit, il avait crié. Je m'étais levée pour aller le voir, mais il s'était déjà calmé, pelotonné sous la couverture. Avant de quitter Venise, j'avais téléphoné à Jessica en lui disant que ce serait bien que Zac ait la chambre contiguë à la mienne.

Comme ça, en laissant la porte entrebâillée, je l'entendrais s'il avait des cauchemars.

Tout en sachant que c'était une erreur, je laissai Zac commander deux autres mimosas. Il était temps de quitter ce bar !

Comme je lui proposais les noms de plusieurs bistrots que nous connaissions pour déjeuner, il me répondit avec un de ses irrésistibles sourires en coin :

— Restons ici ! Pas au bar, mais dehors, en terrasse. Pourquoi partir à la recherche d'un bistrot alors que nous sommes dans le meilleur endroit de la ville ?

Il avait l'air si enthousiaste que je me mis à rire. En réalité, il n'avait pas envie de se remuer. Toutefois, après le train d'enfer que Cara lui avait imposé ce matin, c'était compréhensible !

A notre retour, il était quatre heures de l'après-midi. Jessica était dans la cuisine, en train de préparer une de ses spécialités, du bœuf bourguignon. Sans cesser d'éplucher ses légumes, elle m'accueillit avec un sourire éclatant. La délicieuse odeur qui s'échappait de la casserole me mit l'eau à la bouche. Je m'installai sur l'un des hauts tabourets face à ma sœur.

— Je sens qu'on va encore se régaler, ce soir !

— Eh oui, j'ai fait un bœuf bourguignon ; je sais que c'est un de tes plats préférés, Pidge ! Où est Zac ?

— Il est monté se reposer. Apparemment, les courses l'ont fatigué.

— Je suis contente, on dirait qu'il a retrouvé un certain équilibre, même s'il me paraît un peu trop tranquille par rapport à son exubérance habituelle.

Tout en écoutant Jessica, je me demandais comment aborder le sujet de son petit ami. La situation était bizarre. Tout embarras me fut cependant épargné.

— Pidge, si je ne t'ai pas encore parlé d'Allen Lambert, c'est parce qu'il n'y a presque rien à en dire ! Nous ne sommes pas dans une grande histoire d'amour, loin de là ! J'apprécie son amitié, mais rien de plus.

Je la dévisageai en silence et elle se mit à rire.

— Ah ! Cela t'étonne ! Oui, je sais que Cara t'a parlé de lui... Tu la connais ! Elle adore les petits ragots. Quand je suis rentrée de la salle des ventes, il y a une heure, elle s'est précipitée pour me l'avouer. Je crois qu'elle se sentait légèrement coupable d'avoir bavardé dans mon dos. Je lui ai dit que c'était sans importance, on fait ça dans toutes les familles !

— Pas moi, répondis-je d'un ton choqué. Je ne parle pas dans votre dos !

— Ne monte pas sur tes grands chevaux, Serena ! Je me doute que tu te sens blessée par mon silence au sujet d'Allen, mais, sincèrement, il n'y a rien à raconter ! S'il se passait quoi que ce soit entre lui et moi, tu serais la première informée.

— Jess, il y a autre chose. Cara m'a demandé de te convaincre de passer des examens médicaux complémentaires. Elle craint que tu n'aies hérité de l'ostéoporose de maman...

Un éclair de colère traversa les yeux de Jess.

— Elle exagère ! C'est n'importe quoi ! Nous en avons discuté à n'en plus finir, elle et moi, et j'ai passé une deuxième radio le lendemain de ma chute. Je t'ai donné les résultats quand tu étais à Venise.

— Elle s'inquiète pour toi, c'est tout.

Jessica me lança un regard assuré, mais sa voix trahissait une pointe de gêne quand elle répéta qu'elle n'était pas malade.

— Je t'assure que je suis même en très bonne santé !

— Ne sois pas fâchée contre Cara ! Elle a cru bien faire. Et puis, à ma connaissance, elle ne nous a jamais menti, même si, autrefois, elle nous a caché certaines choses. Je ne comprends donc pas pourquoi elle me mentirait à ton sujet ?

— Comment ça ?

— D'après elle, tu te plains très souvent d'avoir les jambes fatiguées et mal dans les os.

Jessica eut une mimique exaspérée.

— Elle en rajoute. Je reconnais que cela m'est arrivé, mais seulement après ma chute.

— Bon, parlons d'autre chose ! Je suppose qu'elle t'a annoncé l'arrivée de Geoff Barnes avec Harry. Cela ne t'ennuie pas ?

— Pas du tout ! Geoff fait partie de la famille de Global Images.

Elle rinça les légumes qu'elle venait d'éplucher puis baissa le feu sous la casserole. Ensuite, elle ôta son tablier et me prit par la main.

— Viens t'asseoir dans le jardin avec moi ! Je vais tout te dire sur Allen Lambert.

— D'accord !

Je la suivis, dévorée de curiosité. Etait-ce un don Juan, pour utiliser une expression de notre grand-mère ? Un de ces hommes à la séduction dangereuse pour les femmes ?

22

Nous nous installâmes sous la pergola construite par papa et Harry à côté de la cuisine. Devant nous s'étendait le paysage des Alpes. Les montagnes s'élevaient, magnifiques. Quand j'étais petite, papa m'avait affirmé qu'elles protégeaient notre maison et que, grâce à cela, nous serions toujours en sécurité. Je l'avais écouté de toutes mes oreilles, croyant dur comme fer à chacune de ses paroles.

De la même façon, je croyais Jessica. Elle, ma sœur préférée, ne m'avait jamais menti. J'aimais Cara, mais elle avait tendance à m'irriter, comme elle irritait parfois Jessica. Elle n'était pas méchante mais compliquée et parfois curieusement distante. Par moments, on aurait dit qu'elle n'était pas comme nous, qu'elle ne faisait pas partie de la famille.

Jessica interrompit mes réflexions.

— Pidge, tu t'inquiètes pour Zac ?

— Non, pas du tout. Pourquoi ?

— Tu semblais très pensive.

— Non, je pensais à Cara, à la façon dont elle m'énerve, des fois.

— Elle énervait même maman ! Mais c'est une chic fille. Elle nous aime, tu sais. En cas de problème, elle nous aiderait de toutes ses forces. Elle se ferait tuer pour nous.

— Oui, Jess. Parle-moi plutôt d'Allen Lambert, et sans rien omettre !

Elle éclata de rire, de son rire franc et réjouissant.

— D'accord, dit-elle en s'enfonçant dans son fauteuil en rotin. Je le connais depuis six ans. Il travaille pour une agence de relations publiques à Londres. Il a perdu sa mère très jeune, et son père s'est remarié avec une Française. Cela explique pourquoi il a passé beaucoup de temps ici depuis son enfance. Après le décès de son père et de sa belle-mère, il a décidé de garder leur maison de Nice. Il y vient pour les vacances d'été et des week-ends. Je l'ai rencontré dans une réception et, par la suite, il s'est occupé des relations publiques pour ma salle des ventes.

— Quand as-tu commencé à sortir avec lui ?

— Depuis quelques mois, nous sommes devenus plus proches et nous nous voyons plus souvent. Mais, j'insiste, nous sommes seulement amis !

— J'ai été très étonnée quand Cara m'a parlé de lui.

— Pidge, ce n'est pas mon amoureux ! C'est pour ça que je ne t'ai rien dit quand je t'ai vue à New York.

— Cara ne...

Je m'interrompis aussitôt, mais trop tard. Jessica avait deviné ce que j'allais dire.

— Je sais que Cara n'apprécie pas Allen, sans doute parce qu'il est réservé et ne fait pas d'histoires. Elle n'a pas la moindre idée de ce qu'est sa vraie personnalité ; elle n'a jamais passé plus de quelques minutes avec lui !

— Comment est-il ?

— Charmant, très séduisant, mais, comme je viens de te le dire, réservé. Cela ne l'empêche pas d'avoir un grand sens de l'humour, une culture remarquable, une bonne éducation... et d'être un peu compliqué.

Je n'y résistai pas.

— En quel sens ? demandai-je.

— En fait, il serait plus juste de dire que c'est sa vie qui est compliquée. Sa femme, qui s'appelait Felicity, a été tuée en Afrique, il y a huit ans.

— Cara y a fait allusion. Que lui est-il arrivé ? Que faisait-elle en Afrique ?

— Elle dirigeait une association, une organisation caritative venant en aide aux enfants démunis. Un jour, elle s'est trouvée prise entre deux factions rivales qui se livraient une guerre meurtrière. Elle et tous les membres de son équipe ont été tués.

— Quelle horreur ! Je suppose qu'Allen n'était pas avec elle ?

— Non, il travaillait à Londres.

— Dans quel pays c'était ?

— Au Soudan.

— Donc, tu veux dire que sa vie est compliquée parce qu'il ne s'est pas remis de la perte de sa femme ?

Les sourcils froncés, je fixais Jessica. Huit années me semblaient une longue période de deuil.

— Pas exactement. Il a surmonté son chagrin, mais je pense que cette mort le hante. Il se sent coupable, il se reproche de l'avoir laissée partir dans une région aussi dangereuse, au milieu d'une guerre civile sans pitié.

— Ils ont eu des enfants ?

— Non et il s'en félicite, crois-moi, compte tenu de ce qui est arrivé.

— C'est compréhensible, soupirai-je. La vie nous réserve parfois des horreurs. On ne sait jamais quelle sera la prochaine tragédie.

— Au début de notre relation – d'amitié, je te le répète –, il m'a très peu parlé de cette histoire. Il n'y a pas si longtemps que j'en connais les détails. Maintenant, je le comprends mieux.

Jessica me regarda en souriant avant d'ajouter :

— Allen te plaira, Pidge.

— Parce que je vais le voir ?

— Oui ! Je l'ai invité à déjeuner le dimanche de Pâques. Il est impatient de faire ta connaissance.

Jessica se mit à rire.

— Tu ne devineras jamais comment il appelait maman !

— Il la connaissait ?

— Ils se sont croisés à l'époque où je l'ai rencontré. Il l'appelait Grace Monroe.

Il me fallut une seconde pour comprendre.

— Parce que maman était un croisement de Grace Kelly et de Marilyn Monroe ?

— C'est bien vu, n'est-ce pas ? Papa lui-même disait que maman était une lady avec le sex-appeal en plus.

— Allen Lambert me plaît, Jess !

Cependant, j'insistai. Leur relation platonique était surprenante.

— Je ne comprends pas où vous en êtes vraiment, tous les deux ?

— En fait, je ne suis pas certaine de ses sentiments. Ou plutôt, les choses sont en train d'évoluer. Il me semble qu'il est en train de s'attacher de plus en plus à moi, et d'une autre façon.

— Et toi ?

La tête inclinée sur l'épaule, elle prit le temps de réfléchir sans se départir d'un sourire amusé.

— Pidge, je crois que je pourrais être en train de tomber amoureuse de lui.

— Ah ! Heureusement que je suis là ! Compte sur moi pour vous pousser dans les bras l'un de l'autre jusqu'à ce que vous passiez par-dessus bord !

— Le bord de quoi ?

— Du bateau de l'amour, voyons ! Et hop ! Vous nagerez dans le bonheur, je te le garantis.

23

Tandis que Jessica retournait dans la cuisine pour mettre la dernière main à son dîner, je montai voir Zac. Installé sur le canapé de ma chambre, il fixait l'écran de la télévision, livide, le regard empli d'épouvante. En m'entendant entrer, il se tourna vers moi, s'empara de la télécommande et éteignit.

— Quelque chose t'a mis hors de toi, Zac, n'est-ce pas ? dis-je d'une voix calme. Tu as regardé les infos sur la Libye et le Proche-Orient ?

— Je suis atterré. Tous ces peuples qui se soulèvent, ces combats de rue, ces civils furieux qui se battent contre des soldats de métier ; cela ne peut que mal finir pour les civils… Quelle boucherie !

Il se tut, désespéré. Je m'assis à côté de lui et il me prit la main.

— Serena, je ne supporte plus tout ça. Le monde est devenu fou. Ce n'est plus qu'un immense champ de bataille. De la violence et des bains de sang.

Il s'interrompit et se renversa contre le dossier du canapé, complètement vidé. Le peu de temps qu'il avait passé à regarder les nouvelles l'avait démoli. En fait, ce qui le détruisait n'était pas, comme je l'avais cru un moment, d'être loin du terrain, mais de voir les horreurs de la guerre.

Je me tournai vers lui pour lui exprimer la part que je prenais à sa peine ; il avait les yeux pleins de larmes. Il voulut parler, mais sa voix s'étrangla et il se mit à pleurer.

— Zac, comment puis-je t'aider ? murmurai-je.

Je le pris par les épaules et le serrai contre moi. Sanglotant, il s'accrocha à moi comme s'il se noyait. En un sens, c'était cela qui lui arrivait : il se noyait dans un chagrin sans fond.

A cet instant, quelque chose bascula en moi. Je sus, sans l'ombre d'un doute, que je l'aimais totalement. Zac était l'amour de ma vie. Je voulais être avec lui pour toujours, passer toute ma vie avec lui. Quoi qu'il arrive, quoi qu'il décide de faire, nous devions être ensemble, nous aimer et nous chérir jusqu'à la fin de nos jours.

Pendant les douze derniers mois, j'avais vécu dans le déni. Jessica avait raison de dire que j'étais en colère contre lui à cause de sa conduite de l'année passée, quand nous avions rompu. Or, ma colère venait de se dissiper, comme par enchantement. Je n'éprouvais plus pour lui qu'un amour sans condition. Je le comprenais, et je comprenais sa souffrance – la perte de ses illusions, de ce à quoi il croyait. Je voulais l'aider à se reconstruire, à redevenir lui-même et à bâtir un avenir.

Il se calma enfin, ses sanglots s'arrêtèrent et il s'essuya le visage du bout des doigts.

— Excuse-moi, Serena, je suis désolé, chuchota-t-il.

— Tout va bien, Zac, je comprends, je comprends parfaitement.

— J'ai besoin de toi, Serena. Avec toi seule, je me sens en sécurité. Tu es fiable, loyale, sincère, tu es la personne la plus digne d'estime, la plus intègre que je connaisse. Je t'aime pour tout ce que tu es.

Que répondre à une pareille déclaration ? Ces mots m'émurent profondément.

— Un jour, dis-je enfin, papa m'a expliqué que la guerre pulvérise le psychisme. Et toi, ce que tu as vu en Afghanistan t'a pulvérisé. Tu as eu de la chance de savoir que tu devais t'en aller avant qu'il soit trop tard. Tu as souffert de quitter le terrain, mais tu as fait ce qu'il fallait.

Il me dévisagea longuement.

— Tommy avait raison, dit-il, et toi aussi. Oui, c'était urgent... Tu sais, à propos de mon flash-back à Venise...

— Oui, dis-moi. Parler te soulagera.

— Un jour, alors que j'étais dans la province du Helmand depuis quelques semaines avec une section de marines, nous nous sommes trouvés coincés à la sortie d'un village perdu, dans un vieux bâtiment. Nous étions entourés de je ne sais combien d'insurgés lourdement armés, avec des snipers qui nous prenaient pour cibles sans nous laisser une minute de répit. Je connaissais bien deux des marines, un qui venait de Brooklyn et un autre du Connecticut – Mitch Johnson et Joe Marshall…

Sa voix s'étrangla, sa bouche tremblait, mais il réussit à se reprendre.

— Mitch et Joe sont partis en reconnaissance. Le lieutenant avait besoin de renseignements sur notre situation.

Zac souffla bruyamment et se passa nerveusement les mains sur le visage.

— Tu n'es pas obligé de continuer si cela te fait trop mal.

— Si, ça va… J'étais avec Jack Bentley, le lieutenant. Nous ne quittions pas Mitch et Joe des yeux. La progression sur la route qui menait au village était très dangereuse. Ils avançaient lentement et avec une extrême prudence. Un caporal et un groupe de marines se tenaient à côté de nous, prêts à tirer pour les couvrir. Soudain, il y a eu une explosion, suivie d'une autre. C'étaient des mines artisanales. Il y en avait partout sur cette route et elles ne pardonnaient pas. Mitch et Joe ont été projetés au sol, sur le dos.

Zac déglutit péniblement.

— Le lieutenant a réagi dans la seconde et demandé par radio qu'on envoie un hélicoptère sanitaire. On a eu beaucoup de chance : un des Black Hawks était tout près de notre position et il est arrivé très vite.

— Il a pu se poser ?

Je n'imaginais que trop bien la difficulté de l'opération, sans même parler du danger couru par les médecins et le pilote.

— Il a eu du mal. Comme tu le sais, ces hélicos ne sont pas armés, mais ils sont toujours accompagnés d'un autre, qui l'est. Par miracle, le pilote a réussi à se poser sans casse.

Le lieutenant et quelques-uns de ses hommes ont couru pour aider à porter Mitch et Joe dans l'hélico et il a tout de suite décollé pour les amener à l'unité médicale la plus proche.

Zac cligna des yeux, et je vis réapparaître ses larmes.

— Le lieutenant ignorait s'ils allaient s'en sortir... Joe avait eu une jambe arrachée et la colonne vertébrale touchée. Quant à Mitch, il avait un grand trou dans la poitrine...

Zac se leva d'un bond, courut jusqu'à la salle de bains et claqua la porte derrière lui.

Il s'était isolé pour pleurer. Je comprenais. J'avais traversé les mêmes bouleversements émotionnels. Les mêmes images épouvantables me hantaient. J'imaginais les moindres détails de la scène qu'il venait de me décrire. D'expérience, je savais que les insurgés, faisant fi des conventions internationales, se moquaient de savoir si un hélicoptère portait l'emblème de la Croix-Rouge ou pas. Même quand celui-ci transportait des blessés de leur camp, des civils – adultes ou enfants – blessés par une mine ou par balles.

J'avais tant de peine pour Zac.

La porte de la salle de bains s'ouvrit. Zac semblait un peu mieux. Avec un sourire encore faible, il reprit place sur le canapé.

— Désolé, Serena, je ne peux pas m'empêcher de pleurer, même si j'ai honte. Un homme ne devrait pas pleurer comme ça.

— Et pourquoi pas ? Au contraire, c'est très bien que tu en sois capable ! Et j'espère que tu pleureras encore si tu en as besoin. Malgré leurs différences, les hommes et les femmes ressentent les mêmes émotions, ils éprouvent les mêmes chagrins, mais aussi les mêmes joies.

Je lui laissai le temps d'y réfléchir puis je repris :

— N'aie pas honte de pleurer, Zac, c'est tellement humain !

Il hocha la tête avec une expression approbatrice, puis se rapprocha de moi et me regarda droit dans les yeux.

— J'ai autre chose à te dire, Serena. Je t'aime. Je voulais déjà te le dire à Venise, mais il m'a semblé que tu ne voulais pas l'entendre. Ça m'a ôté mon courage.

Avant que j'aie pu répondre quoi que ce soit, il reprit :
— Pourrions-nous... Pouvons-nous tout recommencer, tous les deux ?

Je fixai ses yeux verts, consciente du sérieux et de la sincérité de sa question.

— Te souviens-tu de ce que je te disais ? poursuivit-il. Viens vivre avec moi, sois mon amour et tous les plaisirs seront à nous ? C'est ce que je veux, Serena, que tu sois mon amour, et je veux te rendre heureuse.

— Zac, arrête, chuchotai-je, tu vas me faire pleurer.

— Non, pas de larmes, Pidge, seulement des baisers.

Il se pencha sur moi et ses lèvres effleurèrent ma joue.

— Je t'aime plus que jamais, Serena.

Comme je gardais le silence, il insista :

— Tu ne me crois pas ?

— Si, Geoff me l'a dit.

Il se mit à rire, incrédule.

— C'est pour cette raison que tu me crois ? Parce que Geoff te l'a dit ?

Toujours riant, il me prit dans ses bras.

— Nous pouvons reprendre à zéro et réussir, cette fois...

— Oui, nous réussirons !

Je me laissai submerger par mon amour pour lui.

— Ne nous quittons plus jamais, Zac. Promets-le-moi !

Me libérant de son étreinte, il prit un peu de recul pour me regarder avec une expression d'intense soulagement.

— Si tu savais comme j'ai espéré t'entendre dire ça ! Oui, je te le promets de toutes mes forces.

Il eut soudain l'air penaud et hésitant.

— Serena, reprit-il d'une voix embarrassée, je t'ai dit des horreurs, l'année dernière. Je te demande pardon... pardon pour tout le chagrin que je t'ai causé. Je passerai le reste de ma vie à me le faire pardonner, je passerai le reste de ma vie à t'aimer comme tu le mérites.

Nous nous parlâmes à cœur ouvert. Il me dit des choses que je n'aurais jamais cru entendre de sa part, et je fis de même. Nous nous étions enfin expliqués et nous nous embarquions pour un nouveau voyage.

Je ressentis soudain le besoin de sortir, de descendre dans le jardin. L'après-midi touchait à sa fin et je voulais profiter de cette lumière si magnifique de la Côte d'Azur, à cet instant de la journée.

Je me levai et tendis la main à Zac pour l'encourager à me suivre.

— Debout, paresseux ! Allons boire une limonade sur la terrasse. Histoire de fêter notre réconciliation, ajoutai-je avec un sourire taquin.

— Va pour une limonade !

Le calme régnait dans la maison. Personne en vue. Cara travaillait encore dans les serres et Jessica devait se reposer dans sa chambre. En entrant dans la cuisine, Zac eut la même réaction que moi un peu plus tôt.

— Oh ! Ça sent bon. Qu'est-ce que c'est ?

— Un bœuf bourguignon.

Je pris la carafe de limonade dans le réfrigérateur, en servis deux verres et nous sortîmes sur la terrasse.

— Regarde les couleurs du ciel ! s'exclama Zac. On dirait de l'or en fusion !

— Oui, c'est comme ça, l'heure magique, comme on dit dans le cinéma. C'était le moment préféré de maman.

— C'est vrai, je m'en souviens. Elle aimait s'asseoir ici pour admirer le spectacle.

— Maman t'aimait beaucoup, Zac. Tu lui rappelais papa.

— Vraiment ? dit-il avec étonnement. Quel compliment ! J'espère lui ressembler. Il y a au moins une certitude. Comme lui, je suis l'homme d'une seule femme. Il n'a jamais eu d'yeux pour une autre que ta mère.

— Je sais…

Pour une raison inconnue, je frissonnai soudain. Un pressentiment… J'avais la chair de poule. Grand-mère aurait dit que quelqu'un avait marché sur ma tombe. Je repoussai aussitôt cette idée sinistre.

Un peu plus tard, nous fîmes un tour dans l'atelier.

— Rien n'a changé, dit Zac en entrant. On a l'impression que Tommy vient de quitter la pièce…

Il s'interrompit, conscient du chagrin que ses paroles pouvaient me causer.

— J'ai eu la même pensée, ce matin, dis-je. C'est probablement parce qu'on sent très fort sa présence. Il a passé tellement d'années dans ce studio qu'il y a laissé une profonde empreinte.

Zac prit mon visage entre ses mains et plongea son regard dans le mien.

— Je regrette tellement de t'avoir fait rater cet avion, Pidge, dit-il avec tendresse. Je te demande pardon.

— Ne t'en fais pas, on ne peut rien y changer de toute façon. Peut-être que cela devait se passer ainsi.

Zac m'embrassa sur la joue puis me serra très fort contre lui. Je lui rendis son étreinte.

— Pidge, dit-il dans un souffle. Je t'aime tant !

— Moi aussi, je t'aime.

Le visage niché dans mon cou, il eut un soupir heureux.

— C'est dans ce studio que nous avons fait l'amour pour la première fois, dit-il. Tu t'en souviens ?

— Comment pourrais-je l'oublier ?

Je levai les yeux. Soudain, toute mon envie de lui resurgissait et il était évident qu'il éprouvait la même chose. Ses yeux verts, sa bouche, ses mains, tout son corps exprimait le désir.

Me lâchant, Zac courut fermer la porte à clé. Une seconde plus tard, il me reprenait dans ses bras.

— Je veux faire l'amour avec toi, Serena, maintenant, ici ! Le veux-tu, toi aussi ?

— Oui, je le veux.

Accrochés l'un à l'autre, nous nous dirigeâmes vers le vieux et vaste canapé. Zac me couvrait de baisers… le front, les paupières, le visage tout entier, le cou. Ses lèvres caressèrent les miennes, d'abord doucement puis avec fougue. Des vagues de chaleur me parcoururent, je désirais Zac aussi fort qu'il me désirait.

Sans que je sache très bien comment, nos vêtements tombèrent. Nous nous retrouvâmes nus, étendus sur les coussins, enlacés, voulant être toujours plus près l'un de l'autre... aussi près que possible.

Zac me caressa doucement. C'était un amant expérimenté et il me connaissait parfaitement : il savait comment me rendre folle par des caresses légères et tendres qui devenaient plus insistantes par moments. C'était comme si nous n'avions jamais été séparés.

Zac était merveilleusement sensuel, et, à son contact, ma propre sensualité s'en trouvait décuplée. Mon corps n'avait aucun secret pour lui, pas plus que le sien pour moi. Il savait comment me satisfaire. J'étais si heureuse de notre réunion, ici, à l'endroit où tout avait commencé, sept ans plus tôt. Ce souvenir m'amusa. A l'époque, j'étais très innocente et inexpérimentée. Zac avait été un professeur enthousiaste, un vrai maître !

Sa bouche dévorait la mienne et je lui répondis avec la même fougue. Je lui caressai les épaules, enfonçai mes mains dans sa chevelure puis redescendis vers sa nuque. Il m'embrassait la poitrine, ses mains couraient sur mon corps, réapprenant chaque pouce de ma peau. Puis, alors que je ne m'y attendais pas encore, il fut en moi, m'arrachant un petit cri d'étonnement.

— Tu m'as tellement manqué, Serena, chuchota-t-il d'une voix rauque à mon oreille. J'ai tant rêvé de retrouver cette intimité... J'avais tellement besoin de toi...

— Moi aussi... J'avais envie de toi...

Il leva la tête et me regarda longuement, comme étonné que nous soyons là, ensemble, en train de faire l'amour. Je touchai son visage du bout des doigts, mes yeux dans ses yeux ; nous nous regardâmes comme si nous plongions dans l'âme l'un de l'autre.

M'embrassant avec passion, me serrant dans ses bras, Zac prit doucement son rythme. Le plaisir nous fit tout oublier et l'extase nous mena jusqu'à cet endroit plein de lumière où nous étions déjà allés.

24

On était le vendredi 22 avril. C'était le premier anniversaire de la mort de mon père en même temps que, hasard du calendrier, le Vendredi saint, une fête religieuse dans le monde entier.

Harry était arrivé la veille avec Geoff Barnes. Après le dîner, nous étions convenus, Harry et moi, de se voir dans la matinée. Tôt. Nous devions parler de sujets impossibles à aborder devant les autres.

Je me levai donc avant Zac, le laissant dormir dans mon lit à poings fermés, et descendis pour préparer du café. Lorsqu'il fut prêt, je mis la cafetière sur un plateau avec du lait, des édulcorants, des mugs, et je portai le tout jusqu'à l'atelier.

A sept heures du matin, le soleil brillait déjà, mais l'herbe était mouillée de rosée. La traversée de la pelouse laissa mes pieds nus et le bas de mon pyjama trempés. Cela m'était indifférent. J'étais heureuse d'être là, dans cette charmante vieille maison où j'avais grandi, entourée par ceux que j'aimais et qui m'aimaient : Harry, mon parrain, mon meilleur ami, l'homme qui me reliait encore à mon père ; mes sœurs bien-aimées ; et Zac, mon amant, l'amour de ma vie.

Le mercredi après-midi, il y avait eu moment bizarre, dans le studio. Je m'étais soudain demandé ce que je faisais en cet endroit, me livrant avec passion aux caresses de Zac alors que, pendant un an, je l'avais détesté. J'avais juré de ne plus le revoir, lui reprochant de m'avoir fait rater mon avion. Pourtant, je m'étais bel et bien retrouvée couchée à son côté, nue, oubliant tout sauf lui, ne me souciant que de ce qui se passait entre nous. Rien d'autre n'avait d'importance. Seulement lui. Lui et moi. Un homme et une femme unis dans le plaisir sexuel.

Le fait qu'il me rende folle de désir et que ses baisers me fassent fondre d'excitation n'était pas une assez bonne raison pour que je cède. Ou bien... Si ! C'était une excellente raison ; aucun autre homme ne m'avait jamais mise dans un état pareil. Toutefois, la vraie raison pour laquelle j'étais là avec lui était que je l'aimais. Comme il m'aimait. Nous nous désirions, nous avions besoin l'un de l'autre et nous savions tous deux que nous étions faits l'un pour l'autre. C'est notre destin, avait-il dit. J'avais compris que je n'avais jamais cessé de l'aimer. C'était ma colère qui avait occulté mes sentiments pour lui. Ma colère nous avait séparés, comme s'il y avait eu un mur entre nous. Mais, ce mur, je l'avais abattu !

Arrivée dans l'atelier, je posai le plateau sur la table basse et jetai un regard vers le canapé en souriant, pensant à nos ébats. Le soir, alors que nous étions confortablement couchés dans mon lit, nous avions de nouveau fait l'amour, avec plus de passion que jamais. Puis nous avions parlé jusqu'à une heure avancée de la nuit.

Zac m'avait avoué qu'il aurait aimé faire l'amour avec moi à Venise, l'endroit pour lui le plus romantique au monde, et rempli de souvenirs des années où nous étions ensemble. Je lui avais dit que, alors, ce n'était pas le bon moment pour moi, mais que cela l'était à présent. Mon explication l'avait rendu heureux, lui faisant oublier sa déception.

Harry surgit soudain sur le seuil de l'atelier, un grand sourire sur son visage maigre. Il m'embrassa avec affection. Qui nous aurait vus en cet instant aurait compris le lien profond qui nous unissait. Nous étions très proches depuis des années, même du vivant de papa. Harry s'était marié deux fois, mais n'avait pas eu d'enfants. J'étais comme la fille qu'il n'avait pas eue. Nous avions travaillé ensemble, couru mille dangers ensemble. Comme papa, Harry m'avait protégée, assurant toujours mes arrières.

— Serena, dit-il, nous ne devons pas être tristes aujourd'hui. Tommy ne l'aurait pas souhaité. Nous nous sommes réunis pour célébrer son passage sur terre ; il était le premier à dire qu'il avait eu une belle vie, qu'il l'avait vécue à fond et avait eu beaucoup de chance.

— Tu as tout à fait raison, Harry.

Prenant place sur le canapé, je servis le café en y ajoutant du lait et un édulcorant.

— Tommy était trop jeune pour mourir, reprit-il. A notre époque, la vie n'est pas finie à soixante-dix ans. Mais réjouissons-nous qu'il soit mort loin des bombes, des armes et de la violence des guerres ; que cela soit arrivé ici, dans cette maison où il avait passé tant d'années merveilleuses avec toi, tes sœurs et ta mère, qui avait su créer un endroit aussi beau et paisible.

— J'ai pensé la même chose, l'autre jour...

Je pris le temps de boire mon café, revoyant les jours heureux.

— Harry, dis-je, je voudrais te poser une question. Jessica a envie d'inviter un ami, ce soir, Allen Lambert. Elle se demandait si c'était opportun.

Je tentai d'expliquer les relations qui existaient entre Allen et ma sœur.

— Il connaissait papa, ajoutai-je, pas très bien mais il l'avait rencontré, ainsi que maman. J'ai dit à Jessica qu'elle devrait l'inviter, d'autant qu'elle semble s'attacher de plus en plus à lui. Mais, comme elle hésite encore, je lui ai dit que je te demanderais ton avis. Qu'en penses-tu ?

— Qu'elle l'invite, voyons ! Je suis certain que Cara ne s'y opposera pas. Et moi, pourquoi refuserais-je ? Serena, que signifie ce regard bizarre ? Tu crois que Cara ne veut pas de lui ?

— Non, je ne crois pas ça...

Au moment même où je prononçais ces paroles, je me demandai malgré tout si cela ne l'ennuierait pas. Passant outre, je repris :

— Qu'il soit là ou pas lui sera indifférent.

— Quand revient-elle de Saint-Tropez ?

— Vers dix-sept heures. Elle a un grand mariage samedi. Deux de ses assistants resteront sur place pour s'assurer que tout se passe bien. La villa de la fiancée va être pleine d'orchidées. Comme d'habitude, Cara a travaillé en perfectionniste.

— Sa spécialité !

Son café à la main, Harry s'adossa aux coussins et se détendit. Je l'observai et l'admirai : svelte, sain et en pleine forme.

— Harry, Geoff était très silencieux, hier soir. Pour autant, il ne m'a pas semblé particulièrement malheureux. Comment va-t-il, en réalité ?

Harry pinça les lèvres, pensif.

— En toute franchise, mon petit cœur, je dirais qu'il passe d'un état à un autre. Tu le vois en pleine déprime et, une minute plus tard, il accepte la situation. Et ensuite, il se fustige, en prenant toute la faute à son compte ; il culpabilise parce qu'il estime avoir négligé son ex-femme et Chloe. Mais ne t'inquiète pas, il s'en remettra. Surtout, la bonne nouvelle pour nous, c'est qu'il a décidé de continuer à travailler avec Global. Il accepte la direction du bureau de Londres, ce qui me ravit et devrait te réjouir aussi. Il va faire du bon boulot.

Oui, la décision de Geoff me soulageait autant que Harry. Le bureau de Londres était un élément important du réseau de Global Images et avait donc besoin d'un directeur à la hauteur. Geoff serait cet homme. Il serait également photographe en chef, chargé des reportages les plus importants au Royaume-Uni et en Europe.

— Ira-t-il à Los Angeles voir son ex-femme et sa fille avant de prendre ses fonctions ?

— Non, il veut d'abord s'installer à Londres. Il ira les voir un peu plus tard.

Harry reprit du café et sombra dans un silence songeur. J'avais la sensation qu'il voulait me parler de Zac. Lovée dans les coussins, j'attendis. Il tourna enfin vers moi son regard si bleu.

— J'ai trouvé Zac très calme et détendu, Serena. Je t'avais dit que ta présence lui ferait du bien. Mais il ne va pas seulement bien, il a l'air très heureux. Il était euphorique, hier soir. Vous êtes de nouveau ensemble, c'est ça ?

— Cela se voit ?

— Oui, beaucoup ! répondit Harry en riant. Je suis heureux pour toi, Serena, si tu l'es.

— Oui, j'ai mis mes doutes de côté parce que j'ai brusquement compris à quel point je l'aime. Nous sommes liés à vie, pour le pire et le meilleur !

Harry me dévisagea en plissant les yeux.

— Vas-tu l'épouser ?

— Il ne me l'a pas demandé.

— Pas encore, mais il le fera.

Je restai un instant pensive.

— Tu peux me croire, insista Harry. Tu peux aussi me croire pour une autre chose : il ne retournera pas au front. C'est fini pour lui. Il n'en a plus l'estomac, et il n'est pas stupide.

— Tu sais, même les gens très intelligents prennent parfois de mauvaises décisions.

— Mais non, tu verras. Il m'a dit qu'il t'avait parlé de son flash-back.

— Je crois que se décharger de son fardeau avec moi l'a aidé.

— J'en suis certain. Les deux jeunes marines ne s'en sont pas sortis. Ils sont morts de leurs blessures.

Cette annonce me consterna.

— Je n'avais pas osé lui poser la question.

— Il va bien, répondit Harry avec un soupir. La seule chose qui le tracasse encore est que tu ne lui as pas pardonné qu'il t'ait fait rater ton avion à Kaboul.

— Je pensais avoir été claire, pourtant ! Je ne lui reproche rien, plus maintenant.

— Tu devrais le lui répéter, dit Harry avec un sourire affectueux. Et moi, je te l'ai déjà dit, ton père savait que tu avais trouvé ta voie, mais il a eu sa seconde crise cardiaque et...

Harry s'interrompit, incapable de poursuivre.

— Je sais qu'il te manque, Harry.

— Tous les jours, et il me manquera jusqu'à la fin de ma vie. Nous avons travaillé ensemble pendant plus de cinquante ans. Nous nous connaissions depuis l'enfance. Tommy était mon meilleur ami...

Je fus émue de voir ses yeux pleins de larmes. Je lui pris la main et nous restâmes ainsi pendant un long moment, silencieux.

Mon père et Harry s'étaient toujours soutenus. C'était mon père qui avait aidé Harry à surmonter ses deux divorces, sans même parler de ses nombreuses ruptures liées à des liaisons plus ou moins tumultueuses.

25

Nous avions décidé, mes sœurs et moi, de nous faire belles pour le dîner à la mémoire de notre père. Notre mère était le glamour personnifié et papa avait toujours apprécié qu'une jolie femme sache se mettre en valeur. C'était donc notre façon de lui faire honneur.

Jessica et Cara portaient souvent des tenues très élégantes pour raisons professionnelles. Moi, je me contentais en général d'un pantalon et d'un tee-shirt ou, jusqu'à il y a peu, d'un treillis. J'avais rangé ma tenue de camouflage depuis un an, décidée à ne plus jamais l'enfiler, pas plus que mes rangers.

Assise à ma coiffeuse, je mis la dernière touche à mon maquillage. Il ne me manquait plus, avant de passer ma robe, que quelques gouttes d'un de mes parfums préférés, Ma Griffe. Maman l'utilisait de temps en temps.

J'optai pour mes escarpins à hauts talons en satin rouge de chez Manolo. J'adorais ces chaussures, qui, en outre, étaient assorties à ma robe, rouge elle aussi. Celle-ci avait un décolleté en V, une jupe ample et des manches longues qui s'évasaient légèrement du coude au poignet.

Je portais peu de bijoux, mais je tenais à la montre-bracelet offerte par mes parents pour mes vingt et un ans comme à un trésor. C'était une montre du soir sur un bracelet de satin noir et sertie de petits diamants. Je mis aussi mes boucles d'oreilles héritées de maman, représentant une fleur de diamants avec une perle en pendant. J'étais toujours très fière de les porter parce qu'elles lui avaient appartenu.

Jetant un dernier coup d'œil à mon reflet dans le miroir, je me dis que je n'étais pas si terne, après tout ! J'avais passé beaucoup de temps au grand air ces dernières semaines et mes cheveux bruns s'étaient éclaircis au soleil, prenant un reflet blond, brillant et très doux au visage. Pour une fois, j'étais satisfaite de mon apparence.

Je passai de ma chambre à celle de Zac pour l'avertir que je descendais.

Zac était assis dans un fauteuil, des journaux et des magazines jonchant le sol autour de lui. Il les avait achetés en allant déjeuner à Nice avec Harry et Geoff. Je me réjouis de voir qu'il n'avait pas allumé la télévision.

Il ne put cacher un léger étonnement. Poussant une exclamation admirative, il se leva sans me quitter des yeux.

— Eh bien ! Serena, tu es superbe. Absolument éblouissante !

Je le remerciai d'un sourire.

— Je te trouve très sexy en rouge...

— C'était une robe de maman. Un de ces modèles qui ne se démodent pas, sans doute parce qu'il est sobre. Je fais la même taille qu'elle et je lui empruntais souvent ses affaires.

Il me sourit d'un air malicieux.

— Une chose est sûre : tes sœurs ne pourraient pas y entrer. Elles sont trop grandes et trop charpentées. Cela devrait te réjouir, Pidge ! Je sais à quel point leur ressemblance avec votre père t'énerve.

— C'est vrai, répondis-je en riant, elles lui ressemblent et pas moi. D'ailleurs, je ne ressemble pas non plus à maman.

— Je ne suis pas d'accord. Par moments, ton allure rappelle la sienne, ou bien tu prends la même expression un peu farfelue.

Je l'écoutais sans le lâcher du regard.

— Tu penses vraiment que j'ai quelque chose de maman ?

— Oui, franchement !

Il vint vers moi, me prit par la main et me fit tournoyer.

— Tu seras la vedette, ce soir.

— Arrête tes bêtises...

Je ne voulais pas le montrer, mais sa réaction me faisait plaisir.

— Ce ne sont pas des bêtises, rétorqua-t-il avec un clin d'œil polisson.

— Tu n'es pas impartial.

— Tu sais, Pidge, je suis heureux que nous ne sortions pas.

Je me figeai.

— Pourquoi dis-tu cela de cette façon bizarre, Zac ? Qu'y a-t-il ?

— Ton allure, tes boucles d'oreilles ! Tu serais en danger dehors. Il te faudrait plusieurs gardes du corps, et pas seulement à cause de tes diamants.

Cela me fit rire malgré moi. Zac avait besoin d'explications !

— Jess, Cara et moi, nous avons décidé de nous habiller. Papa aimait nous voir belles. Nous avons donc sorti du coffre quelques-uns des bijoux de maman.

— Je croyais qu'ils avaient tous été vendus aux enchères, par Jessica, il y a des années de cela.

— Oui, l'essentiel, mais nous avons encore de jolies pièces, que nous gardons ici dans un coffre.

— Je comprends, dit-il en me prenant dans ses bras. Tu sens délicieusement bon ! J'ai envie de te jeter sur le lit...

— Désolée, Zac, ce sera pour plus tard... peut-être. Je dois descendre aider mes sœurs.

Je lui donnai un rapide baiser sur la joue, puis sortis en fermant la porte derrière moi.

Jessica était seule dans le salon. Elle se tourna vers moi en souriant et se leva, venant à ma rencontre.

— Pidge, tu es ravissante. Le rouge te va très bien.

— D'après Zac, je suis même très sexy !

— Il a raison. Au fait, on dirait que tout se passe pour le mieux entre vous. Je suis heureuse que tu aies décidé de reprendre la vie avec lui.

— Cela risque de ressembler à un champ de mines par moments, parce qu'il est très volontaire et indépendant, mais nous savons quand une trêve s'impose. Parlons d'autre chose ! Toi aussi, tu es superbe, Jess. Les boucles d'oreilles en aigue-marine s'accordent parfaitement avec le bleu roi de ta robe.

— Merci, Serena. Maman disait que je pouvais les porter avec n'importe quelle nuance de bleu, mais surtout pas avec du noir.

Tout en parlant, nous nous dirigeâmes vers une des portes-fenêtres qui donnaient sur la terrasse.

— Il vaudra mieux prendre l'apéritif à l'intérieur, ce soir, dis-je. Regarde ces gros nuages noirs ; on risque d'avoir de la pluie.

— Oui, la météo a annoncé du mauvais temps.

Je me décidai à poser la question qui me brûlait les lèvres.

— Jess, as-tu appelé Allen Lambert ?

— En fait, il ne peut pas venir à Nice avant demain soir. Une histoire de travail, je ne sais quoi exactement.

— Mais il vient déjeuner dimanche, n'est-ce pas ?

— Oui. Il a hâte de faire ta connaissance. Viens, maintenant. Je voudrais allumer les photophores pour que Cara n'ait plus qu'à disposer ses orchidées où elle veut. Je me demande aussi si nous ne pourrions pas faire un feu...

— Excellente idée ! L'air est frais, ce soir. De toute façon, j'aime avoir du feu dans la cheminée, c'est tellement gai.

Tandis que Jessica s'occupait avec les allumettes, je fis le tour du salon, regardant une chose après l'autre.

La décoration était typique du style de notre mère. Elle avait composé une palette pêche, crème et bleu pâle avec des touches vives de rouge et de bleu pour les coussins. De grands canapés bien rembourrés et des bergères d'époque créaient une ambiance accueillante et confortable. Des lampes en porcelaine et de ravissants tableaux ajoutaient au charme de l'ensemble.

Je m'arrêtai devant la table provençale en bois foncé placée contre un mur. Plus tôt dans la journée, nous y avions disposé nos photos préférées de maman et de papa. Soudain, l'émotion m'étreignit et je dus ravaler mes larmes. Je m'éloignai rapidement de la table et m'aperçus que ma sœur m'observait.

— Pourquoi me regardes-tu de cette façon ? lui demandai-je.

— Tu es comme maman, en train de vérifier que tout est en ordre. Elle faisait toujours ça avant l'arrivée des invités.

— Je suppose que c'est l'instinct d'imitation.

Un bruit de talons me fit tourner la tête. C'était Cara, portant une robe de cocktail en soie émeraude et les pendants d'oreilles en émeraude et diamant de maman. Je la félicitai. Son chignon mettait en valeur sa chevelure noire.

— Tu es fantastique, Cara ! renchérit Jessica. Papa aurait été fier de toi et de Serena.

— De toi aussi ! répondit Cara en riant. Heureusement que je n'ai pas mis ma robe blanche ; à nous trois, nous aurions eu l'air d'un drapeau !

Puis elle poursuivit d'un ton sérieux :

— Nos boucles d'oreilles nous rapporteraient beaucoup si nous les mettions aux enchères. Pourquoi ne t'en chargerais-tu pas, Jess ? Tu pourrais organiser une vente avec tout ce qui reste dans le coffre. Nous aurions certainement l'usage de cet argent.

Sidérée, je me tournai vers Jessica qui, apparemment, ne s'attendait pas non plus à une déclaration de ce genre. Elle dévisageait sa jumelle, l'air fâchée. J'aurais bien voulu savoir pourquoi nous avions besoin d'argent, mais il me parut plus avisé de me taire, au moins provisoirement.

Jessica prit alors la parole :

— En fait, Cara, j'avais prévu de vous parler la semaine prochaine, à Serena et toi. J'ai pensé à organiser une vente, mais je ne voulais pas aborder la question avant le dîner de ce soir. Cependant, puisque tu as soulevé la question, je dois dire que cela me semble une bonne idée. Nous ne portons jamais, ou très rarement, ce qui reste des bijoux de maman à cause de leur valeur et de leurs dimensions. C'est devenu trop dangereux de se montrer avec des pièces de cette importance, sauf dans des soirées privées.

— Nous sommes d'accord, répondit Cara. Ils dorment dans un coffre sans que personne n'en profite, alors que nous avons besoin d'argent.

Cette fois, c'en était trop ! J'intervins.

— Pourquoi avons-nous besoin d'argent ? Et pourquoi ne m'en avez-vous pas parlé ?

Jessica me répondit d'un ton apaisant.

— Nous n'en avons pas besoin pour vivre, Pidge. Ma salle des ventes me verse un bon salaire et les affaires vont bien. Nous sommes largement bénéficiaires. C'est la même chose pour Cara et ses orchidées. S'il nous faut de l'argent, c'est pour la maison. Des travaux sont indispensables. La toiture fuit à plusieurs endroits, la plomberie menace de lâcher, et beaucoup de choses ont besoin d'être remplacées.

— Je comprends... Dans ce cas, il n'y a pas à hésiter, Jess. Tu dois organiser une vente.

Cara poussa une exclamation satisfaite.

— Je suis contente d'avoir abordé le sujet, et encore plus que nous soyons toutes les trois d'accord. Nous en reparlerons demain. Dans l'immédiat, je dois m'occuper des orchidées.

Jessica passa son bras sous le mien.

— Nous, nous allons dans la cuisine, dit-elle. Adeline garde un œil sur tout, mais je tiens à surveiller moi-même le carré d'agneau.

En sortant du salon avec Jessica, je m'interrogeai : mes sœurs me cachaient-elles quelque chose ? Leurs affaires étaient-elles aussi florissantes qu'elles l'affirmaient ? Elles avaient toujours joué un rôle protecteur à mon égard sous prétexte que j'étais la plus jeune. Cela les avait quelques fois amenées à déguiser la vérité pour moi.

26

— J'ai lu tes premiers chapitres, dit Harry. Cette biographie de Tommy démarre très bien ! Continue comme ça, ma chérie ! Bravo, ajouta-t-il en heurtant sa flûte de champagne contre la mienne.

— Je suis très heureuse que cela te plaise, dis-je tout en dégustant une gorgée de Veuve Clicquot rosé. Tu es la personne dont l'avis importe le plus, pour moi.

— J'ai pris quelques notes qui pourraient te rendre service. Tu sais que tu peux compter sur mon aide. J'espère que tu reprendras l'écriture rapidement.

— La semaine prochaine, je pense. Zac va commencer à travailler sur le livre de photos de papa. Il me semble que cela lui fera du bien. Cela lui donnera une activité sur laquelle se concentrer.

— Oui, il en a besoin, même s'il donne l'impression d'être bien dans ses bottes.

Harry déposa un baiser affectueux sur ma main.

— Tu es la meilleure, Serena, comme ton père. Loyale, fiable et constante. J'ai eu une conversation sérieuse avec Zac, aujourd'hui, après le déjeuner. Il a enfin reconnu qu'il a besoin d'une aide médicale, il accepte de consulter le Dr Biron. C'est lui qui nous avait aidés, ton père et moi. C'est un excellent psychiatre ; il comprend ce qu'est le stress post-traumatique mieux que tous les autres médecins de ma connaissance.

La sonnerie de son portable, posé sur la table basse, l'interrompit. C'était Annie Stewart du bureau de Londres. Elle lui faisait son rapport de fin de journée.

J'observai Harry pendant qu'il téléphonait ; je le trouvais très séduisant. Il portait un pantalon gris foncé, une chemise bleue au col ouvert et un cardigan à torsades d'un bleu plus soutenu que je lui avais offert à Noël.

Quand il raccrocha, je lui rapportai la discussion que j'avais eue avec les jumelles au sujet des bijoux de maman. Il parut d'abord très étonné.

— Pourquoi pas ? finit-il par dire. Le monde a changé. Seules les célébrités portent encore ce genre de bijoux. Ou les Chinoises ! ajouta-t-il avec un sourire amusé. Elles aiment le luxe et en particulier la grande joaillerie. Jessica devrait obtenir de bonnes enchères si elle sollicite la clientèle d'Asie.

— C'est exactement ce qu'elle m'a dit dans la cuisine !

— Par ailleurs, si Jessica a besoin d'argent pour faire les travaux dès maintenant, je peux lui en donner.

— Non, Harry, ce n'est pas nécessaire. De toute façon, je peux le lui avancer moi-même.

Une question m'intriguait néanmoins.

— Harry, papa t'a-t-il jamais dit que la toiture avait besoin de réparations ?

— Non, mais je me rappelle avoir parlé avec ta mère au sujet de ses bijoux. A un moment, elle avait pensé les vendre aux enchères, puis elle avait changé d'avis. Elle préférait vous laisser quelques réserves en cas de jour de pluie, selon son expression. Je suppose que ce jour est venu.

L'expression, en l'occurrence, nous parut très pertinente.

— Des fuites dans le toit ou une plomberie en mauvais état auraient été le dernier des soucis de Tommy, reprit Harry.

— Ce n'est que trop vrai ! C'était maman qui gérait ces problèmes.

J'entendis le cliquetis des talons de Cara qui nous rejoignait dans le salon de son élégante démarche. Elle décocha un sourire éclatant à Harry.

— Oncle Harry ! Tu es très beau, dit-elle en l'embrassant avec enthousiasme. Cette chemise va super bien avec tes yeux.

— Oublie l'« oncle », s'il te plaît ! Tu ne m'as pas appelé comme ça depuis l'âge de quatre ans. Laisse-moi plutôt te féliciter pour tes orchidées ! Elles sont spectaculaires, je n'en ai jamais vu de semblables. Celles-ci, par exemple, avec les fleurs très colorées, d'où viennent-elles ?

— Elles viennent d'Afrique ; d'autres d'Amérique du Sud et plusieurs d'Asie. Elles sont très rares.

Cara s'interrompit et se retourna. Geoff venait d'entrer.

Si Harry ne m'avait pas dit plus tard l'avoir remarqué lui aussi, j'aurais cru l'avoir imaginé : ce regard que Cara et Geoff se lancèrent... Les rencontres les plus fortes peuvent se produire en un instant. Deux personnes se croisent, et ça y est ! Elles sont immédiatement sur la même longueur d'onde. Et elles le savent.

Or Cara et Geoff se regardèrent ainsi, plongeant dans les yeux l'un de l'autre, sans un mot.

Je me précipitai pour faire les présentations tout en pensant combien c'était incroyable. Geoff entre tous !

— Te voici, Geoff ! m'exclamai-je. Cara, je te présente Geoff Barnes. Geoff, voici Cara, ma sœur.

— Je crois que nous nous sommes déjà rencontrés, dit-elle en lui tendant la main.

Geoff parut étonné et vaguement confus.

— Je me serais souvenu de vous, dit-il. Vraiment, vous êtes... inoubliable !

Je n'en croyais pas mes oreilles. Ni mes yeux : Cara avait rougi et lui souriait en minaudant. Je me tournai vers Harry, sidérée. Il me fit un clin d'œil, alla chercher deux flûtes de champagne pour eux et revint vers nous.

— Profite du spectacle, dit-il à Geoff.

Comme ce dernier ne quittait pas Cara du regard, Harry retint un éclat de rire et précisa :

— Je te parle des orchidées ! Elles viennent des serres de Cara. Superbes, n'est-ce pas ?

— Oui, tout à fait, répondit Geoff. A votre santé, murmura-t-il à l'intention de Cara.

Les orchidées l'intéressaient peu !

Je m'apprêtais à adresser quelques mots à Geoff, mais Jessica entra à cet instant. Elle avait le bras gauche bandé et je m'en alarmai aussitôt.

— Que t'est-il arrivé ? Tu t'es fait mal ?

— Ce n'est rien, Pidge, je me suis seulement cognée contre la porte du réfrigérateur. Je t'en prie, ajouta-t-elle à voix basse, n'en fais pas une histoire.

La laissant aller saluer Harry et Geoff, je m'approchai des portes-fenêtres. Il avait commencé à pleuvoir et j'entendais gronder le tonnerre au loin. Des éclairs déchirèrent le ciel. Le mistral se lèverait-il ?

Je sursautai quand Harry surgit à mes côtés.

— Harry, dis-moi que j'ai rêvé ? Ou bien ces deux-là se regardent comme s'ils étaient seuls au monde ?

— C'est ce qu'il me semble à moi aussi.

— Je n'y crois pas ! Hier encore, Geoff était au trente-sixième dessous parce que son ex-femme a trouvé un autre homme et, ce soir, il dévore Cara des yeux comme un affamé.

Harry étouffa un rire.

— A mon avis, il est affamé ! Et il faut bien reconnaître que ta sœur est absolument ravissante.

— Oui, mais je ne m'attendais quand même pas à ça. Hier soir, j'ai bien eu peur que Geoff ne se mette à pleurer et le voilà soudain tout frétillant... C'est fou.

— On ne sait jamais de quoi les gens sont capables, Serena. Le comportement humain n'a de cesse de me surprendre. C'est pour cela que je préfère ne plus me choquer pour quoi que ce soit ou presque.

— Et Cara ? poursuivis-je à voix basse. Elle n'a pas regardé un seul homme depuis deux ans, depuis la mort de Julien. Je n'aurais pas imaginé qu'elle s'intéresserait à un géant californien avec des mèches blondes décolorées par le soleil et un accent nasillard ! Cela dit, pour reprendre une des expressions de grand-mère, des goûts et des couleurs, on ne discute pas.

— Le monde est bizarre. On ne sait pas ce qui peut arriver. Nos vies obéissent-elles à un grand plan ? Ou bien tout n'est-il que hasard et coïncidences ? Qui peut le dire ?

Il se détourna du spectacle de l'orage, pensif.

— Il y a des années de cela, j'ai décidé de laisser faire les choses et je me débrouille avec ce qui arrive. A propos, où est Zac ?

— Je ne sais pas.

Intriguée par son absence, je posai ma flûte et montai à l'étage.

Au moment où j'entrais dans ma chambre et passais dans celle de Zac, je sus qu'il y avait un problème. Je le sentis, c'était presque palpable. Zac était assis sur une chaise, en peignoir de bain, une brosse à cheveux dans la main. Quand il leva vers moi ses yeux rouges et gonflés, je vis qu'il avait pleuré.

— Zac, qu'y a-t-il ? Un souvenir pénible ? Un flash-back ?

Je m'assis sur une chaise à côté de lui et lui pris la main.

— Non, mais après ma douche, je me suis mis à pleurer, comme ça, je ne sais pas pourquoi. Cela m'est déjà arrivé, je t'en ai parlé. Je n'arrivais plus à m'arrêter.

— Mon pauvre chéri ! C'est le genre de choses qui peuvent se produire quand on s'y attend le moins. Veux-tu rester ici ? Je dirai que tu ne te sens pas bien. Cela ne posera aucun problème.

— Pour moi, si, Pidge. C'est le dîner en souvenir de Tommy. Je ne peux pas le rater, je ne veux pas ! Donne-moi quelques secondes...

Il se leva et se força à sourire.

— Je vais m'habiller. Tu peux redescendre, je vous rejoins dans un instant.

Je le serrai fort contre moi.

— Je t'aime, Zac, tu peux compter sur moi.

Dans le salon pêche, je retrouvai Jessica et Harry en grande conversation, vraisemblablement au sujet de la vente des bijoux. Cara et Geoff s'étaient installés sur le canapé le plus proche de la table basse. Je les rejoignis. Ma sœur parlait avec conviction de ses orchidées. Parmi les fleurs qu'elle avait choisies pour ce soir, figuraient des sabots-de-Vénus aussi beaux que rares, les uns vert et blanc, les autres dans différentes nuances de rose. Regroupés dans des pots en porcelaine blanche au milieu de la table basse en bronze, ils formaient une image d'une beauté extraordinaire. Geoff se mit soudain à renifler et prit une expression perplexe.

— C'est curieux, il y a une odeur de chocolat !

Cara sourit.

— J'espérais bien que vous le remarqueriez, dit-elle. C'est celle-ci que vous sentez.

Elle désignait une orchidée tachetée d'un profond brun-rouge qu'elle avait disposée sur un guéridon non loin du canapé.

— Elle s'appelle Sharry Baby. C'est un oncidium et, en effet, elle dégage un parfum qui rappelle le chocolat. Je l'adore !

— Ça alors...

Très impressionné par ma sœur, Geoff ne trouva rien d'autre à dire. A cet instant, apercevant Zac au bas de l'escalier, je me relevai pour le rejoindre dans l'entrée.

— Tu vas mieux ? demandai-je à mi-voix.

— Oui, je vais bien, Serena.

Il était vêtu d'une chemise blanche à col ouvert avec un pull rouge posé sur les épaules. Il avait une allure d'étudiant. A peine avions-nous passé le seuil du salon que Harry vint vers nous, apportant une flûte de champagne pour Zac.

— J'aimerais vous proposer un toast en souvenir de papa, déclara alors Jessica en élevant la voix. Cara, Serena, vous voulez bien venir à côté de moi ?

Nous levâmes nos verres avec elle, aussitôt imitées par nos trois compagnons.

— A Tommy, dit Jessica de sa voix légère et claire. Un homme merveilleux, que nous avons beaucoup aimé, chacun à sa façon. Aujourd'hui, cela fait un an qu'il est mort, mais il continuera à vivre dans notre cœur et notre mémoire pour toujours.

Nous reprîmes en chœur :

— A Tommy !

En silence, nous bûmes une gorgée de ce champagne rosé qu'il appréciait tant. Nous étions tous plongés dans nos souvenirs.

Harry fut le premier à prendre la parole pour évoquer mon père, puis Zac prit le relais. Tous deux prononcèrent des paroles qui me réconfortèrent. Geoff ajouta enfin quelques mots.

Pour mes sœurs et moi, ce n'était pas encore le moment de parler. Notre heure viendrait plus tard dans la soirée, au cours du dîner ou après. Nous l'évoquerions au travers de nos souvenirs les plus chers, pour célébrer sa vie et la part qu'il avait eue dans la nôtre.

27

J'avais craint que la soirée ne soit triste et nous fasse pleurer. Ce fut l'inverse qui se produisit. Harry, Zac et Geoff racontèrent maintes anecdotes amusantes au sujet de papa, qui déclenchèrent plus d'une fois notre hilarité. Je pensai qu'ils le faisaient intentionnellement, pour éviter que l'ambiance ne s'assombrisse.

Jessica était assise entre Harry et Zac. Apparemment, son bras ne la gênait pas. Elle m'avait rapidement expliqué qu'Adeline l'avait bandé uniquement pour empêcher la crème à l'arnica de tacher sa robe en soie. Je la surveillais toutefois du coin de l'œil. Cara et moi, nous lui avions interdit de bouger. Nous nous chargeâmes toutes les deux du bon déroulement du service et tout se passa très bien. Nous savions de toute façon que nous pouvions compter sur Adeline. Petite, très brune et vive, elle virevoltait dans la cuisine comme une femme qui aurait eu la moitié de son âge.

Le menu préparé par Jessica n'était pas compliqué à servir. Pour l'entrée, les assiettes étaient déjà dressées : cœurs d'artichaut, crevettes bouquet et quartiers de mandarine avec une vinaigrette. Ensuite, nous avions un carré d'agneau avec des pommes de terre rôties et des haricots verts. Et, en dessert, une tarte Tatin avec de la crème fraîche, le dessert préféré de papa. Harry complimenta Jessica, déclarant que ce dîner était une parfaite réussite, et nous lui portâmes un toast. Ma sœur en rougit de plaisir.

Puis ce fut à notre tour d'évoquer nos souvenirs. Jessica nous fit rire, en se lançant dans la saga de papa devant apprendre à naviguer parce qu'elle aimait la mer et voulait devenir navigatrice. Au début, il avait grogné et protesté, soutenant qu'il avait le mal de mer et qu'elle devait trouver un autre dada. Bien sûr, il avait fini par changer d'avis. Il avait suivi des cours, était devenu un excellent marin et lui avait enseigné tout ce qu'il avait appris. A la fin, il aimait la mer et la voile tout autant que Jessica.

Cara commença sur un ton différent. Pour elle, nous confia-t-elle, le plus grand cadeau que notre père nous ait fait était de nous avoir fait croire à chacune que nous étions uniques pour lui. Chaque année, au mois de mai, il faisait l'impossible pour l'accompagner au Chelsea Flower Show de Londres, une des plus importantes expositions florales au monde. Quand il ne pouvait réellement pas se libérer, il payait quand même le voyage dont elle rêvait toute l'année. Ce show était le moment fort de l'année pour Cara ; il avait été déterminant pour son choix professionnel. Sur ce, elle me passa la parole.

Je choisis d'évoquer les heures innombrables, les jours, les mois pendant lesquels il m'avait appris à assurer ma sécurité dans les zones de combat : comment éviter les tirs, comment se cacher intelligemment en cas de besoin, comment savoir à quel moment il devenait vital d'évacuer le terrain à toute vitesse.

Ce n'était pas le genre d'histoires qui prêtait à rire, mais ils m'écoutèrent tous avec attention. Quand je me tus, il y eut un moment de silence. Je compris que Harry, Zac et Geoff repensaient à leur propre expérience de la guerre. Eux aussi auraient eu beaucoup à raconter.

Jessica leva alors son verre.

— A présent, je voudrais porter un toast à maman, l'autre moitié de papa.

— Et son roc, ajouta Harry.

— Le nôtre aussi, ajouta Cara. Maman était la mère par excellence, toujours là pour nous, sans jamais laisser sa carrière ou sa célébrité interférer. Elle était d'abord notre mère, et ensuite seulement une star. Elle avait édicté une règle absolue, qui n'a jamais été enfreinte : ne laisser personne nous mettre sous le feu des projecteurs, nous photographier dans un but de publication. Nous sommes restées anonymes. C'était sa façon de nous protéger.

Jessica se tourna vers moi.

— Serena était la petite dernière et, à ce titre, on lui pardonnait tout ! Et comme elle était effrontée et intrépide, elle posait à maman des questions que Cara et moi n'aurions jamais osé lui poser. Allez, Serena, parle-nous de la fois où tu as interrogé maman sur ses nombreux maris !

— Oh, oui ! s'exclama Cara. J'adore cette histoire. Serena, s'il te plaît…

Je leur adressai une grimace discrète, mais je m'exécutai.

— Je savais que maman avait eu trois maris avant papa. Comme elle avait à peine trente ans au moment de son mariage avec papa, je lui ai demandé à quel âge elle avait épousé son premier mari.

Je fis une petite pause pour ménager mes effets, prenant le temps de savourer une gorgée de vin. Et je repris :

— Elle m'a répondu qu'elle avait épousé Andrew Miller à vingt-trois ans, dans le but principalement de quitter la maison de ses parents et d'avoir son indépendance. Elle avait toutefois vite découvert qu'elle ne le supportait pas, et ils avaient divorcé dans l'année. A vingt-cinq ans, elle s'était mariée avec David Carstairs, un homme qu'elle admirait, un réalisateur célèbre et un intellectuel. Le mariage a tenu quatre ans avant d'exploser. Enfin, le troisième s'appelait Malcolm Thompson. Il lui avait fait croire qu'il voulait fonder une famille, et elle avait dit oui. Mais il n'y a pas eu de famille…

Je m'arrêtai, estimant en avoir dit assez.

— Continue, Pidge, dit Jessica. Tu es la seule à tout savoir sur ces mariages. Elle n'en a jamais parlé avec nous.

— Eh bien, leur relation a viré à l'orage et le divorce a été affreux. Maman a presque fui en France, où elle devait tourner un film.

Cara termina pour moi, sur un ton de triomphe très théâtral :

— Et un jour, elle a rencontré papa, et ils se sont aimés au premier regard !

— C'est la vérité, intervint Harry. J'étais avec Tommy ce jour-là : ils ont eu un parfait coup de foudre. C'était la plus belle histoire d'amour que j'aie jamais vue, une histoire qui a duré jusqu'à la mort d'Elizabeth.

— Et même après, murmura Cara. Papa n'a jamais cessé d'aimer maman.

Un peu plus tard, Jessica et les hommes regagnèrent le salon. Cara et moi aidâmes Adeline à débarrasser.

J'attendis d'être seule avec ma sœur pour l'interroger.

— Que s'est-il passé avec Geoff, tout à l'heure ?

Elle haussa légèrement les épaules.

— Je ne sais pas. Il me regardait et je le regardais. Nous avons sympathisé de façon étonnante, comme si ça collait tout de suite entre nous. Comment peux-tu expliquer ce genre de choses ?

Elle paraissait sincèrement sidérée de ce qui lui était arrivé.

— Tu ne l'aimes pas, Serena ? ajouta-t-elle avec un sourire méfiant.

— Mais si ! Nous sommes amis depuis des années. Tu oublies qu'il est courageusement allé récupérer Zac au milieu des pires dangers, au mépris de sa propre vie.

— C'est vrai... Je suppose qu'on a trouvé sympa de bavarder ensemble, c'est tout.

— C'est tout ? Hmm, mon petit doigt me dit qu'il n'y a pas que ça...

Elle eut un petit rire gêné et nous rejoignîmes les autres dans le salon, qui avaient pris place devant la cheminée, appréciant la chaleur et l'intimité de l'instant. Café et cognac étaient à disposition sur la table basse.

Harry évoqua encore mes parents et leur histoire d'amour. Nous l'écoutions attentivement. Il avait été leur ami intime, l'ami d'enfance de papa ; il avait toujours fait partie de notre famille.

A un moment, il changea de place pour venir s'asseoir à côté de moi sur le canapé.

— C'est une soirée formidable, Serena, exactement ce que Tommy et Elizabeth auraient souhaité pour célébrer leur passage sur terre.

Je pus seulement incliner la tête, la gorge soudain serrée.

— Ton père, reprit-il doucement, disait qu'il ne faut pas regarder derrière soi, mais toujours devant soi, avancer peu à peu et accepter chaque jour comme il vient. C'est ce que tu dois faire à présent, ce que nous devons tous faire.

Je me réveillai en sursaut. Zac avait rejoint peu auparavant sa chambre, car il s'agitait beaucoup et criait dans son sommeil. Apparemment, il dormait maintenant tranquillement. Je me levai quand même pour vérifier.

Oui, il dormait à poings fermés. Cela me rassura. Pendant la soirée, il avait freiné sa consommation d'alcool et, après le dîner, il avait bu plus de café que de cognac. Il était clair qu'il se surveillait. Cela me parut de très bon augure.

De retour dans ma chambre, je m'assis au bord du lit. J'étais complètement réveillée. Quelque chose m'avait dérangée, sans que je pusse dire quoi. Un coup d'œil à mon réveil m'apprit qu'il était six heures. Sous l'effet d'une impulsion irrationnelle, j'enfilai mes pantoufles et ma robe de chambre et je descendis.

Dans la cuisine, toutes les lampes étaient allumées. Et Cara était agenouillée à côté de Jessica, effondrée au sol.

— Que s'est-il passé ? m'écriai-je en me précipitant vers elles, complètement affolée.

— Je faisais le café, expliqua Jessica, mais j'ai trébuché et je suis tombée. Je crois que je me suis fait une entorse.

— Et moi, je m'étais levée pour aller courir, dit Cara, mais, en mettant mon jogging, j'ai senti que Jessica avait des ennuis. Tu sais comment cela se passe entre nous ! Je suis descendue et je l'ai trouvée.

— J'étais tombée quelques minutes avant, reprit Jessica.

— On va t'aider à te relever, lui dit Cara d'un ton rassurant.

Selon son habitude, elle prit la direction des opérations.

— Jess, je vais me mettre derrière toi et passer mes mains sous tes bras. Serena, mets-toi à sa droite en te plaçant de biais. Ensuite tu tends ton bras droit devant elle pour qu'elle puisse s'y agripper avec les deux mains. Et tu la prends par la taille avec ton autre bras pour lui éviter de perdre l'équilibre.

J'obéis à ses instructions à la lettre.

— A présent, Jessica, poursuivit Cara, fais porter ton poids sur ta jambe gauche pendant que nous essayons de te soulever.

— Compris ! répondit Jessica.

Elle semblait tendue et inquiète, et je lui adressai un sourire d'encouragement. Nos efforts conjugués parvinrent à la remettre debout. Appuyée sur nous, elle sauta à cloche-pied jusqu'à l'alcôve. Avant de s'asseoir, elle essaya de poser le pied droit et de marcher, mais la douleur lui arracha un gémissement et elle se laissa tomber lourdement sur une chaise.

— J'ai l'impression que je me suis cassé quelque chose...

Réagissant comme toujours au quart de tour, Cara exprima ses inquiétudes qui, en réalité, faisaient écho aux miennes.

— Jess, je crains vraiment que tu n'aies hérité de l'ostéoporose de maman. Tu devrais passer des examens complémentaires.

Jessica marqua son accord d'un signe de tête.

— Dès que nous aurons petit-déjeuné, poursuivit Cara, nous t'emmènerons aux urgences, à l'hôpital de Nice. Serena, je monte me changer et chercher un comprimé contre la douleur. Pendant ce temps, occupe-toi du café. Je serai de retour avant que tu aies dit ouf !

En dépit de la situation, l'entendre utiliser une des vieilles expressions de notre grand-mère nous fit rire.

Cara s'éclipsa et je préparai le café, priant pour que Jessica n'ait pas la terrible maladie qui avait tant fait souffrir notre mère. Mais l'angoisse était la plus forte et je m'attendais au pire.

QUATRIÈME PARTIE

Il suffit d'une photo

Nice, New York, mai-juin

« La vérité est tellement juste qu'elle ne blesse jamais le Voyant. »

Robert Browning, « Fifine à la foire »

« La Vérité se tient d'un côté et la Facilité de l'autre ; cela a souvent été ainsi. »

Theodore Parker

« Plongé dans le flot de la mémoire, je pleure comme un enfant sur le passé. »

D. H. Lawrence, *Piano*

28

Pour la première fois depuis plusieurs années, je me trouvais seule à la Villa des Fleurs. Harry était rentré à New York et Geoff à Londres pour prendre la direction du bureau de Global Images. Les autres étaient sortis tôt, ce matin.

Zac avait pris la voiture pour se rendre à Nice, où il avait rendez-vous avec le Dr Biron, le médecin qui avait aidé papa à une époque. Cara était partie travailler dans ses deux immenses serres, construites sur le domaine des collines qui jouxtait le jardin de la villa.

Quant à Jessica, qui avait un rendez-vous à sa salle des ventes, elle avait demandé à Adeline de l'y conduire. Celle-ci se rendait au marché pour faire les courses du week-end et le détour ne lui posait pas de problème. A part moi, il ne restait que Raffi, le jardinier, qui vaquait à ses occupations.

Je travaillais sur la table de la salle à manger, où nous avions pris nos quartiers, Zac et moi. Il fallait trier des masses de clichés pour le livre de papa sur la guerre. La grande table ronde nous permettait d'étaler les photos et d'avoir une vue d'ensemble. La maison était tellement tranquille, tellement silencieuse que j'avais presque l'impression d'être ailleurs. J'aimais cette paix qui m'incitait au travail.

Il était rare qu'il n'y eût pas de bruit dans la maison. En général, Adeline et sa sœur Magali s'activaient dans la cuisine. Jessica mettait de la musique – souvent un opéra ou la bande originale d'un film. Et Zac allumait au moins l'un des postes de télévision du rez-de-chaussée. En fait, c'était Cara et moi les deux personnes les plus silencieuses de la Villa des Fleurs.

Cela faisait plus de dix jours que nous nous consacrions, Zac et moi, à choisir les photos pour le livre. Dès l'instant où nous les avions étudiées sérieusement, nous avions pris conscience de leur qualité. Elles étaient extraordinaires, dramatiques, sauvages, déchirantes, bouleversantes au-delà de toute expression. Beaucoup m'émouvaient aux larmes, chacune était un miracle d'intelligence et de sensibilité.

Tommy avait su rendre le caractère implacable et diabolique de la guerre. Et, pour compenser cette face si noire du monde, il montrait par ailleurs le pouvoir de la paix, le courage des soldats, hommes et femmes, leur compassion et leur profonde humanité. Il y avait aussi beaucoup de photos de civils, ces gens ordinaires qui refusent de se soumettre et n'abandonnent jamais, bien qu'ils ne disposent pas de la force des armes. Ces dernières étaient exaltantes et devaient à tout prix figurer dans le livre.

Papa avait déjà passé beaucoup de temps sur la maquette. Il avait sélectionné ses meilleurs clichés et les avait organisés dans l'ordre où il voulait les voir apparaître sur les pages. Nous n'avions plus que quelques dossiers à trier, Zac et moi. Cela ne représentait pas une tâche exténuante.

Mon père était très efficace dans le travail. Il avait légendé chaque photo et laissé de nombreuses pages de notes. Nous étions très excités de voir la vitesse à laquelle nous avancions. En outre, grâce à Harry et à son réseau de relations, nous avions peut-être trouvé un éditeur à New York.

J'étais en train de trier un dossier intitulé GUERRE DU GOLFE quand je trouvai une photo particulièrement intéressante. En l'étudiant de plus près, je m'aperçus qu'une autre était collée en dessous. Comme je n'arrivais pas à les séparer, j'allai chercher un couteau bien aiguisé dans la cuisine et le glissai soigneusement entre les deux photos. Elles se décollèrent sans dommage. J'eus un moment de stupeur en découvrant celle du dessous : c'était un portrait de maman. Il n'y avait cependant aucune raison de s'étonner : papa avait dû regarder ce cliché pendant qu'il préparait son livre.

Lumineuse... Incandescente... Ce portrait de ma mère la montrait au sommet de sa beauté. Au dos, figurait le logo de la Twentieth Century Fox : une photo de promotion. Je reconnus la robe blanche de maman. Les années s'effacèrent soudain, et je me souvins du jour où ce cliché avait été pris.

Papa allait chercher maman à la Twentieth Century Fox et m'avait emmenée. Maman ne travaillait que le matin et papa voulait déjeuner avec nous avant de s'envoler pour New York. Il avait réservé au Bel Air Hotel. Ce n'était pas la première fois que j'allais sur les plateaux extérieurs. J'aimais voir les caméras, les énormes projecteurs, les rails de travelling, le brouhaha et l'agitation, toute cette merveilleuse excitation qui entoure le tournage d'un film.

Heather Stanton, l'agent de maman, nous guida dans les méandres des studios. Maman ne tournait ce jour-là qu'une seule scène et faisait ensuite une séance de photos. Une journée calme, pour elle. En arrivant devant le plateau, la lumière rouge clignotait. Je savais que nous ne pouvions pas entrer. On tournait ! Puis la lumière s'éteignit et papa poussa la lourde porte insonorisée.

En nous voyant, maman prit congé du groupe de gens avec qui elle discutait et vint vers nous. Elle m'embrassa en me serrant sur son cœur comme à son habitude.

Les directeurs des studios aimaient Elizabeth Vasson Stone. Elle était connue de tous comme une grande professionnelle. Grand-mère m'avait expliqué qu'elle arrivait toujours à l'heure, apprenait parfaitement son texte et ne faisait aucun de ces petits ou grands caprices de stars. Des années plus tard, Heather avait confirmé ces propos : ma mère assumait son immense célébrité avec humilité ; c'était la raison pour laquelle elle était tant aimée. Pour cela, mais aussi pour son humanité et sa gentillesse.

Personnellement, j'avais fini par penser que la simplicité de ma mère était aussi due au fait qu'elle avait travaillé toute sa vie dans le cinéma. Elle avait été une enfant star avant de devenir l'immense étoile qui remplissait les salles. Sa célébrité faisait partie de son quotidien, c'est tout, et elle ne s'était jamais prise au sérieux pour autant.

Ce jour où nous étions allés la chercher, elle avait fêté son quarante-septième anniversaire depuis peu, au mois de mai. Elle ne paraissait pas son âge. Son visage et sa silhouette n'avaient pas vieilli. Moi, j'avais cinq ans et je fréquentais le jardin d'enfants de Beverly Hills. Nous vivions dans l'ancienne maison de maman, qui datait de son premier mariage. Elle l'avait gardée.

A cette époque, elle enchaînait les tournages. Elle était en bonne santé et elle semblait vouloir en profiter au maximum, gagner de l'argent tant qu'elle le pouvait. Jessica et Cara étaient en pension en Angleterre. J'avais donc mes parents pour moi seule. Ils me gâtaient de façon scandaleuse ! Quand papa se rendait à New York ou couvrait un conflit avec Harry, maman et moi restions toutes les deux à Bel Air. J'adorais cela…

Mes premières années à Hollywood sont des souvenirs très heureux. J'ai toujours aimé la Californie, son climat merveilleux, ses palmiers, ses jardins exubérants, ses maisons magnifiques, et son mode de vie décontracté. Nous traversions souvent l'Atlantique, de Los Angeles à Nice. Parfois, nous nous arrêtions à New York. Nous séjournions quelque temps dans l'appartement de la 57e Rue, puis nous reprenions l'avion pour passer l'été à la Villa des Fleurs.

Grand-mère disait volontiers que nous vivions comme des romanichels. Cela ne nous empêchait pas d'être des enfants très aimées et nous le savions. Nos parents exprimaient facilement leurs sentiments à notre égard, et nous les nôtres.

Il y avait eu Marilyn et Grace, mais les deux stars étaient mortes, Marilyn au mois d'août 1962, Grace en septembre 1982. Maman était restée seule à ce niveau, la lumineuse beauté blonde, la superstar au sommet de son art.

Je m'arrachai à mes souvenirs. Le besoin de me dégourdir les jambes me donna envie de faire un tour dans le jardin. Il faisait un temps magnifique, un vrai temps de Californie, avec un ciel parfaitement bleu. Je marchai sur la pelouse où, trente ans plus tôt, ma mère avait planté des palmiers, des plates-bandes et des arbustes à fleurs. Une fois de plus, la ressemblance avec notre jardin de Bel Air me fit sourire.

Quel après-midi extraordinaire ! L'air lui-même donnait l'impression de scintiller dans la lumière intense. La Méditerranée, d'un bleu profond, aussi calme qu'une mare, semblait se fondre dans le ciel comme s'il n'y avait pas d'horizon. Comme si le monde s'étirait à l'infini.

Le bruit d'un moteur dans l'allée me fit tourner la tête. Raffi, surgi de nulle part, apparut dans mon champ de vision, agitant la main. « Un visiteur ! » me criait-il.

Je levai la main pour lui indiquer que j'avais compris et me dirigeai vers la voiture, que je ne connaissais pas. Pas plus que je ne connaissais le conducteur.

29

Je compris presque aussitôt qui était le visiteur. Jessica avait mentionné la passion d'Allen Lambert pour les voitures anciennes. Or, j'avais devant moi une Jaguar bleu clair, vieille, mais parfaitement entretenue. Ce ne pouvait être que lui.

La portière s'ouvrit et un homme en sortit, qui me salua de la main. Je lui rendis son salut tout en allant à sa rencontre. Avant que je l'aie rejoint, il prit un bouquet dans sa voiture.

— Bonjour, dit-il en me tendant la main. Je suis Allen et je suppose que vous êtes Serena.

— Oui, je suis enchantée de faire votre connaissance. Je suis désolée de vous avoir manqué la semaine dernière, mais j'avais dû me rendre à Nice.

Ses yeux bleus souriaient.

— Comment va Jessica ? Je suis arrivé de Londres à l'heure du déjeuner et j'ai eu envie de passer lui rendre une visite rapide.

— Ma sœur va bien, mais elle n'est pas là. Elle devait aller à la salle des ventes.

— Zut ! Je suis stupide de ne pas avoir pensé à lui téléphoner là-bas. En toute franchise, je n'avais pas imaginé qu'elle travaillerait aujourd'hui.

La lueur de déception dans son regard ne m'échappa pas.

— Venez vous asseoir sur la terrasse, dis-je. Nous l'attendrons ensemble. Elle ne devrait pas tarder.

— Eh bien… Oui, volontiers, si vous pensez que cela ne l'ennuiera pas…

Il paraissait soudain hésitant à l'idée de rester.

— Bien sûr que non ! protestai-je. De toute façon, elle est certainement déjà sur le chemin de retour. Donnez-moi le temps de l'appeler sur son portable pour en savoir plus.

— Excellente idée !

D'un seul coup, il avait retrouvé son sourire. Comme nous étions arrivés en haut des marches conduisant à la terrasse, je lui désignai un fauteuil sous le parasol.

— Asseyez-vous, Allen, et faites comme chez vous ! Je vais chercher mon téléphone.

Il me remercia d'un signe de tête appuyé. Il me semblait qu'Allen Lambert devait beaucoup aimer ma sœur, que leurs relations allaient au-delà de ce que j'avais imaginé, et cela me réjouissait. Je trouvai mon portable dans la salle à manger, sous une pile de photos, et appelai le numéro de Jessica, qui décrocha au bout de quelques sonneries.

— Où es-tu, Jess ?

— Je suis presque à la maison. Pourquoi ?

— Allen Lambert vient d'arriver. Il débarque tout juste de Londres et a eu envie de faire un saut jusqu'ici pour te voir. Du moins, c'est ce qu'il a dit.

— Oh là là ! murmura-t-elle.

Un long soupir suivit.

— Un problème, Jess ? Tu ne veux pas le voir ?

— Oui et non.

— Ah ! Cette fois, c'est toi l'indécise, comme je l'étais avec Zac…

— Je sais.

— Il me plaît, Jess. En cinq minutes seulement j'ai eu le temps de le trouver charmant, vraiment sympathique, avec un visage ouvert et franc. Très… séduisant, en fait !

Et voilà pour Cara et son opinion sur Allen, pensai-je en finissant ma phrase.

— Tu as raison mais, en ce moment, je me sens mal à l'aise avec lui.

— Dans quel sens ? Je ne te suis pas.

Sa réponse m'avait laissée interloquée, car, normalement, Jessica était à l'aise avec tout le monde !

— Je ne lui ai pas parlé de l'ostéoporose que maman m'a transmise. Il ne sait pas que je dois suivre un traitement. Je suppose que je ferais mieux d'être honnête avec lui, n'est-ce pas ?

— Bien sûr. Tu dois le lui dire si tu veux continuer à le voir.

— J'aimerais beaucoup, mais... Peut-être qu'il n'en aura plus envie, lui.

Elle était triste ; je savais à quoi elle pensait. Il était temps de me montrer convaincante.

— Jessica, tu dois tout lui expliquer, tu dois en prendre le risque. S'il se sent incapable d'affronter la situation, il s'éloignera et disparaîtra de ta vie. Et alors, dans ce cas, bon débarras ! Tu n'as rien à faire avec un dégonflé.

Jessica éclata de rire.

— Pidge, tu es unique. Mais tu as raison, aucune femme n'a besoin d'un dégonflé, comme tu dis.

— Ecoute-moi : je ne crois pas que ta maladie le découragera. Il ne m'a pas donné l'impression d'être ce genre d'homme. Par ailleurs, tu oublies que l'ostéoporose se soigne, aujourd'hui. Il y a de nouveaux médicaments. Je ne cherche pas à minimiser ton état, je sais qu'il est préoccupant. Cependant, tu dois te rappeler que, dans le cas de maman, la maladie s'était déclarée quand elle vous attendait, Cara et toi. Cela date de quarante ans ! La connaissance et le traitement de l'ostéoporose ont évolué.

— Oui, et, tu as raison, je vais tout lui expliquer. Je serai bientôt à la maison.

Je retrouvai Allen accoudé à la balustrade de la terrasse, admirant la Méditerranée. Il se détourna en m'entendant.

— La vue est magnifique, dit-il. Absolument magnifique ! Aujourd'hui en particulier, avec tous ces voiliers. Je regrette que Jessica soit gênée en ce moment par son plâtre. J'aurais bien fait de la voile avec elle pendant le week-end.

— Vous aimez naviguer, vous aussi ?

Allen me plaisait de plus en plus.

— Oui, j'ai fait de la voile dès l'enfance avec mon père. Il avait un bateau ici et j'ai hérité de son amour de la mer. Vous savez, Serena, poursuivit-il en riant, je suis un drogué de travail, alors il était primordial que j'aie un autre centre d'intérêt pour me sortir du bureau.

— Je vois très bien ce que vous voulez dire. A propos de Jessica, je l'ai eue au téléphone. Elle sera là dans quelques minutes.

Son sourire s'épanouit.

— Comment votre livre de photos avance-t-il ?

Il semblait réellement intéressé.

— Très bien. Nous sommes enthousiastes, Zac et moi. Mon père avait travaillé sur la maquette avant son décès et cela nous facilite le travail. Zac est à Nice, mais il ne va pas tarder, lui non plus. Nous devrions pouvoir prendre le thé tous ensemble.

J'allai m'installer dans un des fauteuils disposés à l'ombre sous le parasol et posai mon portable sur la table. Allen me rejoignit.

— J'ai été désolé, dit-il, d'apprendre l'accident de Jessica et l'annulation du déjeuner de Pâques. J'étais impatient de vous rencontrer, vous et Zac. Jessica m'a beaucoup parlé de vous deux.

— J'espère qu'elle a passé le pire sous silence !

— En tout cas, je n'ai rien entendu d'abominable, répondit-il avec un sourire malicieux.

Son regard se perdit dans le lointain, puis il se retourna vers moi.

— Comment va Cara ?

— Bien. Elle aussi, c'est une accro du boulot ; je suppose qu'elle s'occupe de ses serres, en ce moment. A moins qu'elle ne soit avec des clients. Elle reviendra pour le thé, je pense. C'est notre rituel du vendredi, pour bien commencer le week-end.

Allen se pencha vers moi et plongea ses yeux bleus dans les miens.

— J'ai constaté que Cara ne m'aime pas.

— Pourquoi cela ? Non, vous vous trompez certainement, lui répondis-je vivement.

Je ne voulais pas le laisser avec cette impression. Au contraire, je voulais que cet homme charmant et très attiré par Jessica se sente bien accueilli chez nous. Je me lançai donc dans une explication que j'espérais crédible.

— Cara est plus réservée que Jessica. Bien que jumelles, elles ont des personnalités différentes. De plus, elle ne s'est jamais libérée d'une certaine tristesse depuis que Julien s'est tué. Oh !

Je m'interrompis. Je m'étais peut-être montrée indiscrète.

— Saviez-vous que son fiancé est mort dans un accident de ski ?

— Oui, Jessica me l'a dit. C'est tragique et j'en suis navré pour votre sœur.

— Je suppose que vous vous êtes cru concerné par la tristesse de Cara et cette curieuse réserve qu'elle manifeste. Elle est nettement moins sociable que Jessica.

J'éprouvais le besoin de lui donner le plus d'explications possible.

— Je suis heureux d'avoir abordé le sujet, Serena. Grâce à vous, je me sens mieux.

A cet instant, il se retourna vers les portes-fenêtres qui menaient au salon, un air heureux flottant sur son visage.

— Il me semble que Jessica est arrivée. Je devrais peut-être aller à sa rencontre et l'aider à marcher jusqu'ici ? Elle est tellement indépendante que j'hésite à l'aider.

— Allez-y, voyons ! Je vous promets qu'elle ne s'en offusquera pas.

Allen ne pouvait cacher son désir de revoir ma sœur. Il me donnait la sensation d'un homme qui ne se laisserait pas facilement décourager, et surtout pas par une maladie que l'on savait soigner. Il dégageait quelque chose de sincère et d'authentique.

Je les vis enfin apparaître, côte à côte. Ils formaient un beau couple. Allen était aussi grand que Jessica et bien bâti. Ils partageaient les mêmes centres d'intérêt, d'après les confidences de Jessica. Ils aimaient tous deux le cinéma, le théâtre, la musique et l'opéra. Quant à lui, il venait de me raconter à quel point il aimait naviguer, comme elle !

Je croisai les doigts en pensée. En m'approchant de Jessica, je découvris que ses yeux noirs brillaient de bonheur. J'eus le pressentiment que tout irait bien entre eux. Ma sœur méritait un homme comme Allen.

— Je suis contente que tu aies fait la connaissance de Serena, lui dit-elle.

Son visage prit une expression étonnée quand il lui offrit son bouquet.

— C'est pour toi, ma chérie...

— Tu me gâtes, dit-elle sans cesser de sourire. Merci beaucoup !

Je n'avais pas besoin de rester beaucoup plus longtemps pour apprendre tout ce que je voulais savoir : ma sœur était profondément attachée à cet homme, même si elle ne le savait pas encore. Et si elle ne voulait pas l'admettre, je me chargerais de l'éclairer sur ses propres sentiments ! Dans l'immédiat, il fallait les laisser seuls.

— Je vais aider Adeline à préparer le thé, leur dis-je. Ce ne sera pas long.

— S'il te plaît, Serena, est-ce que tu peux apporter les cachets que j'ai achetés à la pharmacie ? Je dois en prendre un avec mon thé.

— Oui, bien sûr !

L'astuce de ma sœur ne m'échappa pas : elle signalait ainsi à Allen qu'elle avait un ennui de santé. En effet, tandis que je m'éloignais, j'entendis ses premiers mots.

— Allen, je dois te dire quelque chose. Je n'ai pas eu la possibilité de t'en parler avant, mais j'ai passé une densitométrie osseuse et divers examens à cause de mes deux chutes récentes et de ma cheville cassée. Ma mère souffrait d'une forme rare d'ostéoporose et il semblerait que j'en aie hérité.

Si cette annonce étonna ou perturba Allen, il n'en laissa rien paraître.

— Je suis désolé pour toi, Jessica. Heureusement, je crois qu'aujourd'hui il y a des nouveaux traitements.

— Oui, c'est pour cela que je ne m'inquiète pas trop. On peut me soigner. J'ai des médecins formidables qui s'occupent très bien de moi et tout s'arrangera.

Allen posa sa main sur celle de Jessica et lui sourit avec tendresse.

— Tu vas guérir, et j'y veillerai, je te le promets.

Depuis le seuil de la maison, je les observais. Ils ne bougeaient plus, se regardaient les yeux dans les yeux sans rien dire. Je ne m'étais pas trompée au sujet d'Allen. C'était un homme bien.

Ma mère, qui aimait particulièrement le thé de l'après-midi, avait rassemblé de nombreux objets relatifs au thé : théières, pots à lait, présentoirs à gâteaux, plats en verre à roulés, pots à miel, confituriers, sucriers en argent, serviettes brodées, petites fourchettes délicates, couteaux à gâteau. Quoi que l'on pût désirer, nous l'avions ! Tout était rangé dans l'arrière-cuisine avec une collection de tables roulantes anciennes.

J'en choisis une qui devait être d'époque édouardienne : elle avait des éléments en fer forgé aux entrelacs savants et trois plateaux en verre sur lesquels on pouvait mettre beaucoup de choses. Adeline ouvrit de grands yeux en me voyant entrer dans la cuisine en poussant la table.

— Mais pourquoi celle-ci, Serena ?

— Parce qu'on peut y mettre tout ce qu'il faut pour cinq personnes, Adeline ! M. Lambert est là.

— Ah, très bien ! dit-elle avec un sourire de conspiratrice.

Adeline était une vraie romantique.

— Avant que j'oublie, Jessica voudrait ses comprimés, s'il vous plaît.

— Je vous les donne tout de suite.

Elle farfouilla dans son sac posé sur le plan de travail et me tendit une petite boîte.

— Heureusement que j'ai préparé plusieurs pâtisseries pour le week-end, dit-elle.

— Vous êtes fantastique, Adeline ! dis-je avec un sourire un peu moqueur.

Elle n'eut pas le temps d'y prêter attention, courut prendre une théière de taille imposante, mit l'eau à bouillir et, toujours courant, passa dans l'arrière-cuisine. Je l'accompagnai, l'aidant à rapporter un gâteau à la noix de coco, un roulé à la confiture, un autre au chocolat, des éclairs, une tarte aux pommes et une assiette de sablés. Oui, c'est vrai, elle n'avait pas chômé… Tout était appétissant et sentait délicieusement bon. Adeline avait hérité des talents culinaires de sa mère !

Nous préparâmes le tout en moins de dix minutes. Alors que je poussais la table roulante jusqu'à la terrasse, Zac apparut, grimpant quatre à quatre les marches qui conduisaient du jardin à la terrasse. Il nous salua affectueusement, puis Jessica lui présenta Allen. Les deux hommes échangèrent quelques amabilités, et la conversation s'anima bientôt quand ils abordèrent la politique et la tourmente qui se déchaînait au Proche-Orient.

Je me concentrais sur mon rôle d'hôtesse, remplaçant Jessica de mon mieux, qui, avec un pied dans le plâtre, aurait eu du mal à virevolter d'un fauteuil à l'autre.

Nous grignotions, Jessica et moi, selon notre habitude. Nous ne raffolions pas des pâtisseries. En revanche, nos deux compagnons semblaient apprécier les gâteaux d'Adeline : ils goûtaient à tout et buvaient une tasse de thé après l'autre.

Vingt minutes plus tard, Cara nous rejoignit de sa démarche légère, saluant tout le monde avant de s'installer dans un fauteuil. Je l'observai du coin de l'œil. Elle avait l'air contente d'elle-même. Avait-elle quelque chose en tête ?

Elle lâcha sa bombe sans perdre de temps. Le regard fixé sur moi, elle prit un ton sinistre :

— J'ai appris de bonne source que, toi et moi, nous avons probablement hérité de l'ostéoporose de maman, comme Jess. Nous devons faire des examens.

Jessica était atterrée et je lui adressai un sourire rassurant. Quant à moi, j'étais si furieuse contre Cara que je ne pus dire un mot. Elle avait révélé la maladie de Jessica devant Allen sans savoir s'il était au courant. Je fermai les yeux et inspirai à fond, humiliée par l'indiscrétion et le manque de tact de ma sœur. Je savais qu'elle n'avait aucune mauvaise intention. Elle disait seulement ce qu'elle pensait sans réfléchir aux conséquences. Elle n'était pas méchante. Seulement incapable d'envisager les dégâts qu'elle risquait de causer.

Je rouvris les yeux en entendant Jessica lui répondre avec douceur :

— Cela pourrait être une bonne idée, Cara. Pourquoi ne prendrais-tu pas rendez-vous pour Serena et toi avec le Dr Colmar ? Sachant que vous êtes mes sœurs, je suis certaine qu'il vous recevra rapidement.

— Merci, Jessica, nous devrions voir ton médecin, en effet.

Je me tournai ensuite vers Cara.

— Je m'adapterai à ton emploi du temps, lui dis-je non sans froideur.

— Je ne serai pas disponible avant la fin de la semaine prochaine.

— Vraiment ? Pourquoi ? C'est pourtant urgent, d'après toi.

Voyant mes sourcils froncés, elle comprit que j'étais fâchée. Ce fut à son tour de respirer à fond.

— Je serai absente pendant le week-end et je ne rentrerai pas avant mardi soir.

Elle nous regarda tous, l'un après l'autre, comme si elle venait de faire une annonce exceptionnelle.

— On peut te demander où tu vas ? demandai-je sèchement. C'est un voyage d'affaires ?

Elle bafouilla un peu, hésita...

— Non... Enfin... Je vais à Londres.

Zac se redressa brusquement et éclata de rire.

— Ne me dis pas que tu vas voir notre ami Geoff ? demanda-t-il d'un ton taquin.

Cara lui sourit avec un mélange de fatuité et de complicité.

— Mais si. Je vais voir Geoff. Pour quelle autre raison irais-je à Londres ?

Je ne pus résister :

— Eh bien, pour le Chelsea Flower Show, ton exposition florale préférée...

Elle me toisa non sans dédain.

— Tu sais très bien que c'est plus tard dans le mois de mai, Serena ! Geoff m'a invitée et j'ai accepté. Tu sais également que je n'aime pas voyager, à moins que ce ne soit nécessaire. J'ai eu mon lot de déplacements quand nous étions petites. Mais je le fais quand même parce que je veux voir Geoff.

Je préférai ne pas répondre. J'avais pourtant une terrible envie de la gifler. Personne ne savait mieux que moi à quel point elle avait adoré parcourir le monde avec nos parents. Une ingrate, voilà ce qu'elle était ! Je tournai les yeux vers Jessica qui, voyant mon expression, éclata de rire, de son merveilleux rire en cascade que j'aimais tant. Il suffit d'un échange de regards complices entre nous pour que j'éclate de rire à mon tour. Elle réussit à s'arrêter la première.

— Cara, je suis ravie pour toi, dit-elle. Tu as raison d'aller voir Geoff. Vous allez passer un merveilleux week-end ensemble.

Zac me parut prêt à faire un commentaire lapidaire, mais je l'en dissuadai du regard. Mon téléphone sonna, détournant l'attention. Je me levai et m'éloignai.

— Harry ! Comme cela se passe-t-il à New York ?

— Tout va bien au bureau. Chérie, sais-tu où est Zac ?

— Avec moi, sur la terrasse. Pourquoi ? Tu as une voix bizarre. Y a-t-il un problème, Harry ?

— J'ai besoin de parler à Zac, Serena. Son portable est éteint. S'il te plaît, ma chérie, c'est urgent.

Je fis signe à Zac.

— Viens vite, c'est Harry. Il veut te parler mais ton téléphone est éteint.

— Ah oui, je ne voulais pas être dérangé pendant mon rendez-vous avec le Dr Biron.

Je lui tendis mon téléphone et m'écartai pour le laisser s'entretenir avec Harry. Il l'écouta en silence puis pâlit.

— D'accord, dit-il enfin. Merci, Harry.

Il raccrocha et se tourna vers moi avec une expression de profond étonnement. Je le pris par le bras et nous marchâmes jusqu'à l'extrémité de la terrasse.

— Zac, qu'y a-t-il ?

— C'est ma mère, dit-il d'une voix rauque. Elle a eu une attaque et on l'a hospitalisée. Mon père a joint Harry parce qu'il n'arrivait pas à m'avoir. Il me demande de venir le plus vite possible. C'est grave, Serena, je dois partir immédiatement.

J'étais bouleversée.

— Oh, mon Dieu ! Je suis désolée, Zac. Je vais t'aider à faire tes bagages et on va trouver un avion pour ce soir. Jessica travaille avec une agence de voyages très efficace. Ils se débrouilleront. Je m'en occupe et, si tu veux, je viendrai avec toi.

Pour toute réponse, il se serra contre moi.

30

Zac était parti depuis une semaine. Finalement, il était allé seul à New York. Nous avions estimé que c'était la meilleure solution. Il habiterait ainsi chez ses parents à Long Island et pourrait s'occuper d'eux plus facilement. De plus, comme Cara se rendait à Londres pour voir Geoff, Jessica serait restée seule, ce que j'avais préféré éviter.

On était un vendredi treize, mais je n'étais pas superstitieuse. D'ailleurs, je venais de recevoir de bonnes nouvelles. La mère de Zac allait mieux et pouvait à nouveau parler, presque normalement. Du coup, Zac avait retrouvé le moral. Ce qui me réjouissait encore plus.

Quand il était parti, je m'étais inquiétée. D'autant plus que le Dr Biron avait confirmé que Zac souffrait de stress post-traumatique. J'avais donc demandé à Harry de veiller au grain. Il me l'avait promis bien sûr, tout en m'expliquant que Zac était si occupé par les problèmes de santé de sa mère qu'une crise était peu probable. Jusque-là, il avait eu raison.

J'avais terminé le travail sur le livre de mon père, *Courage*. Il était prêt à être expédié à New York. Comme cela faisait un gros paquet, Jessica m'avait conseillé de recourir au service de la société de transport avec laquelle elle travaillait. Le colis serait mis en caisse la semaine suivante et livré à Harry, au bureau de Global Images.

J'avais entrepris de trier les photos du petit carton qui portait la mention « Venise ». Cara les avait trouvées d'une beauté incroyable. C'était vrai. Elles étaient si belles qu'on aurait dit des tableaux. Elles évoquaient pour moi les toiles de Turner, les magnifiques paysages et vues de Venise qu'il avait peints dans la première moitié du XIXe siècle. Papa semblait avoir suivi ses traces, saisissant avec son objectif les couleurs mêmes des tableaux de Turner : les multiples bleus de la mer, les jaune citron, les ors et les nuances de rouille des levers et couchers de soleil. Les clichés étaient vibrants de vie.

La porte du studio s'ouvrit soudain et j'eus la surprise de voir Cara sur le seuil.

— Salut ! lui dis-je. Je croyais que tu étais repartie à Londres.

Elle fit non de la tête.

— Je peux entrer ? Je ne te dérange pas ?

— Non, tu ne me déranges pas et, bien sûr, tu peux entrer ! Je regarde les photos de Venise. Tu avais raison, ce sont des merveilles.

— Oui, je prends conscience du talent de papa. Mais, toi, Serena, ajouta-t-elle avec un petit sourire, tu l'as toujours su, n'est-ce pas ?

Sans faire de commentaire, je me levai et me dirigeai vers le canapé.

— Y a-t-il un problème ? Tu me sembles soucieuse.

Elle alla s'asseoir dans un fauteuil en face de moi et se pencha, les coudes sur les genoux, les yeux rivés sur moi.

— Serena, je sais que tu es fâchée à cause de vendredi dernier et je voulais t'en parler, éclaircir la situation entre nous.

— Je ne suis plus fâchée, Cara.

— Mais qu'est-ce que j'ai fait ? Je ne comprends pas.

Je restai quelques instants sans voix. Ainsi, elle ne s'était rendu compte de rien ! Cela pouvait paraître stupide de sa part, mais je savais qu'elle disait la vérité.

— Eh bien, tu as parlé de la maladie de Jessica devant Allen Lambert comme si sa présence n'avait aucune importance, dis-je calmement. Quel manque de tact, Cara ! Imagine si elle ne lui en avait rien dit ? As-tu conscience du mal que tu aurais pu faire ?

— Quelle importance ? Il n'y a rien de sérieux entre eux. Comment Jess pourrait-elle s'intéresser à lui ?

— Tu te trompes gravement sur les deux points. D'une part, Jess tient beaucoup à lui. D'autre part, Allen est très sympathique et séduisant. Quoi qu'il en soit, ce n'est pas ton problème, ce n'est pas ton fiancé, que je sache ! Et puis, tu dois cesser de te montrer aussi indiscrète, Cara, cela embarrasse et peine tout le monde.

Cara se redressa et poussa un grand soupir.

— Oui, si je parlais moins, je suppose que je mettrais moins les pieds dans le plat.

— Encore une expression de grand-mère, mais très juste en ce qui te concerne, Cara ! Tu dois apprendre à te surveiller et à tenir compte des sentiments des autres.

— Je ne peux pas m'empêcher d'être franche et spontanée.

— Quand j'étais petite, ta franchise était à double tranchant pour moi, par exemple quand tu m'as expliqué la maladie de maman ou quand tu as voulu m'éclairer sur les choses du sexe. J'étais trop jeune pour vraiment comprendre. Je sais, poursuivis-je avec un début de rire, que tu voulais bien faire. Tu estimais sans doute qu'il valait mieux que je sois au courant des réalités de la vie. Mais, à la façon dont tu me les as présentées, elles me sont plutôt apparues comme répugnantes.

A présent, je riais sans retenue et Cara m'imita très vite.

— J'en suis navrée, Serena, mais je suis certaine que tu as surmonté ton dégoût quand tu as rencontré Zac ! A propos, comment va sa mère ?

— Elle va mieux. Elle a retrouvé la parole et son côté droit n'est plus paralysé. Zac était très soulagé de pouvoir me l'annoncer. Tu sais, tu m'as dit une fois à son sujet qu'il ne changerait jamais, parce que « qui a bu boira ». Je te signale qu'il a changé.

— Oui, tu as raison, ce n'est plus le même homme. D'après Geoff, Zac a perdu son mordant et il ne retournera pas au front…

Je préférai changer de sujet. Je voulais aussi en savoir plus sur ses relations inattendues avec Geoff. Ils formaient un couple bizarre.

— On pourrait dire que nous avons une liaison, dit-elle lentement. Depuis la mort de Julien, c'est le premier homme que je trouve supportable. Il y a quelque chose d'authentique chez Geoff… Il est d'une sincérité absolue et il fait attention aux autres. Il est peut-être un peu conventionnel, mais cela me plaît. Il ne triche pas.

— Je croyais qu'il devait aller voir sa fille à Los Angeles. Il t'a parlé de son divorce et de ses problèmes avec son ex ?

— Oui, et je lui ai dit qu'il perdait son temps, que vouloir reprendre la vie avec son ex-femme était une idée ridicule, qu'elle l'avait quitté depuis longtemps. Je lui ai proposé de faire venir sa fille à Londres. Cela lui évitera de se rendre en territoire ennemi.

Je fus consternée. Comment avait-elle pu dire tout cela à Geoff ? Il me fallut quelques instants pour retrouver ma voix.

— Ce pourrait être difficile pour une petite fille, tu ne crois pas ? Londres ne ressemble pas vraiment à la Californie. De plus, Geoff travaille…

Je me tus… Pourquoi m'étais-je embarquée dans cette discussion ?! Cela ne me regardait pas. Quoique… Un peu, quand même ! Geoff faisait partie des employés de Global Images et il était important pour l'agence.

— J'ai proposé autre chose à Geoff, reprit abruptement Cara. Il pourrait venir ici avec sa fille. Chloe aimera sûrement la Villa des Fleurs.

Incapable de dissimuler mon étonnement, je poussai une exclamation.

— Geoff a du travail ! Il dirige notre bureau de Londres. Il ne peut pas s'absenter comme ça. Il a des responsabilités professionnelles, conclus-je avec un regard dur pour Cara.

— Il peut bien prendre un week-end, non ? Et moi, je m'occuperai de Chloe pendant quelques jours quand il rentrera à Londres.

— Apparemment, tu as déjà tout organisé de ton côté.

Je me demandais ce que Jessica penserait de tout cela. Toutefois, j'étais fatiguée et souhaitais mettre un terme à cette conversation.

— Bon, je crois que nous avons éclairci nos relations, comme tu disais…

— Oui, merci. J'essayerai de ne pas être aussi directe à l'avenir et je présenterai mes excuses à Jess. Et pour notre densitométrie osseuse ? Je peux nous prendre un rendez-vous pour la semaine prochaine ?

Elle était passée du coq à l'âne, comprenant, pour une fois, que j'étais énervée.

Je me levai.

— Oui, au début de la semaine. Et maintenant, il faut que je retourne à mes photos.

Le projet de Cara de s'occuper d'une enfant, même pendant quelques jours, me sidérait. Elle travaillait la plupart du temps dix-huit heures par jour, week-ends inclus ; sa passion pour les orchidées la faisait vivre dans un autre monde.

Arrivée à la porte du studio, elle reprit :

— Il y a de quoi faire un beau livre avec ces photos, Serena, mais il t'en faudrait un peu plus, non ?

— En effet. D'ailleurs, tu m'as bien dit qu'il restait beaucoup de photos de Venise dans les archives de papa ?

— Des tonnes ! Là-bas, dans les classeurs sur la commode, répondit-elle en refermant doucement la porte.

En étudiant la maquette du livre sur Venise, je m'aperçus que papa l'avait laissée dans un état encore plus avancé que celle de *Courage*. Il fallait juste ajouter quelques photos à la fin. Même le titre était choisi : *La Serenissima*, le nom de la ville à l'époque de sa splendeur, quand c'était une république. Cela signifiait « la très sereine ».

J'allai ensuite examiner les classeurs de la commode. Dans le tiroir du haut, je trouvai plusieurs dossiers intitulés la Serenissima, chacun marqué par papa d'une étoile rouge pour signaler qu'ils contenaient ses clichés préférés. Ils étaient magnifiques en effet. Terminer le livre ne serait vraiment pas compliqué. J'étais impatiente d'en parler avec Zac.

En remontant vers la terrasse pour le thé, je découvris que Jessica était seule.

— Où est Cara ? lui demandai-je en prenant place à côté d'elle.

— Elle est allée voir un client. Elle a dit de ne pas l'attendre, qu'elle avalerait une tasse de thé à son retour.

Je pus donc en toute liberté rapporter à Jessica la conversation que j'avais eue un peu plus tôt avec Cara. A la fin, elle éclata de rire.

— Il est vrai que sa réflexion m'a gênée, mais cela n'a pas duré. Je me suis dit qu'elle pouvait être vraiment lourde. Elle est indifférente aux sentiments des autres, trop franche ; c'est son problème.

— Oui, elle dit ce qui lui passe par la tête sans réfléchir aux conséquences. Mais parlons d'autre chose. Je n'aurais jamais imaginé qu'elle s'entende si bien avec Geoff. Cela me sidère. Sa sortie sur ta maladie n'était rien à côté de cette histoire.

— Moi aussi, je suis stupéfaite. J'y ai réfléchi, ces derniers jours, et je me suis rendu compte que Geoff a des points communs avec Julien. Pas physiquement, certes. Geoff n'a pas le physique de jeune premier de Julien mais il est plus grand et, en ce sens, il est mieux assorti à Cara. Pour moi, ils partagent ces qualités rares, qui font qu'on ne peut que les aimer : une réelle gentillesse, une sincérité et une grande fiabilité. Il me semble que c'est cela qui attire Cara.

Je hochai la tête avec approbation.

— Tu as raison, Jess. Geoff est quelqu'un d'authentique. Alors, que penses-tu de recevoir Geoff et sa fille chez nous ?

— Aucun problème, Pidge. Je suis très heureuse pour Cara. Elle a passé des moments difficiles ces deux dernières années. Elle a beaucoup souffert du décès de Julien. De toute façon, la maison est assez grande et ce sera agréable d'avoir de la compagnie. De plus, tu nous quitteras bientôt, je crois ? Il est temps que tu reprennes ta biographie de papa, maintenant que tu en as terminé avec *Courage*. Je voulais te dire bravo à ce propos. Je suis sûre que ce sera un livre remarquable.

Jessica s'interrompit un instant.

— Mais tu vas me quitter, Pidge, et tu me manqueras.

Sa voix s'était teintée de tristesse.

— Je reviendrai cet été, tu sais. Et Zac m'accompagnera parce qu'il doit encore écrire le texte de *Courage*. Nous avons seulement fait le tri des photos et créé les différentes parties en suivant le plan de papa. Zac voudrait aussi essayer de rédiger ses mémoires. Nous serons de retour avant d'avoir pu dire ouf.

— Je devrais t'écraser ce gâteau sur le nez ! s'exclama-t-elle en riant. Je croyais que nous nous étions juré de ne plus utiliser les expressions et proverbes de grand-mère.

— Je n'ai pas résisté, dis-je d'un air faussement peiné.

— Pour cette fois, je te pardonne. Bien, quand dois-tu partir ?

— Dans huit ou dix jours. La bonne nouvelle, c'est que j'ai trouvé des photos géniales pour compléter le livre sur Venise. Il ne me reste qu'à organiser les dernières séquences et c'est plus facile à faire ici. Par ailleurs... je ne veux pas donner à Zac l'impression que je suis sur son dos. Et il faut qu'il puisse rester avec sa mère aussi longtemps qu'elle en aura besoin.

— Je comprends... Au fait, Cara m'a parlé de votre rendez-vous pour passer une densitométrie osseuse.

— Oui, je lui ai demandé d'en prendre un le plus tôt possible.

Ma sœur hésita, mais elle s'éclaircit la voix et reprit d'un ton décidé :

— Je voudrais t'expliquer quelque chose au sujet de ma maladie, Serena.

— Je t'écoute.

Une pointe d'angoisse m'avait saisie.

— On a découvert mon ostéoporose assez tôt pour que cela ne m'empêche pas de mener une vie relativement normale. Si toi et Cara l'avez aussi, la même conclusion serait valable pour vous, et pour toi encore plus, puisque tu as huit ans de moins. On m'a prescrit de la calcitonine, un produit qui ralentit la perte osseuse. Et des antalgiques et divers compléments de calcium.

— Cela te fait du bien ?

— Oui, on dirait qu'ils font déjà effet. Beaucoup de femmes qui souffrent d'ostéoporose sont soignées avec des bisphosphonates. C'est ce qu'il y a de mieux pour ralentir la perte osseuse. Le seul ennui, c'est qu'on ne les prescrit pas aux femmes en âge d'avoir des enfants comme Cara, toi et moi.

J'eus soudain froid dans le dos.

— Pourquoi ?

— Parce qu'on ne connaît pas encore les effets à long terme sur le squelette des bébés. On ignore s'il existe des risques pour les fœtus.

— Je vois. Mais toi, tu te sens bien ? Tu n'as pas mal ?

Jessica eut un geste de dénégation.

— Non, Serena, je me sens sincèrement bien. Je suis contente d'avoir tout expliqué à Allen. Il s'est montré très compréhensif et cela ne semble pas lui poser de problème.

— Jess, je crois qu'il tient à toi sérieusement.

Ma sœur sourit d'un air rêveur.

— Je le crois aussi, et tu sais quoi ? C'est la même chose pour moi. Je pense que nous pourrions faire des projets.

J'éclatai de rire.

— Je m'en doutais depuis longtemps !

— Alors, tu es plus perspicace que moi, Serena. Tu remarques toujours ces petits détails qui révèlent les histoires d'amour, même débutantes. Tu les vois longtemps avant les autres. Et toi et Zac ? Vous en êtes où ?

— C'est sérieux entre nous. Je vais même te faire une confidence : nous pensons nous marier l'année prochaine.

— C'est vrai ? C'est génial, Serena. Mais pourquoi attendre l'année prochaine, alors ?

— Zac veut que tout soit en ordre de son côté. Il veut être sûr de savoir gérer son stress post-traumatique.

Jessica eut un signe de tête approbateur.

— C'est compréhensible. Cela dit, n'attends pas trop longtemps, Serena. Mariez-vous, ensemble changez de carrière, soyez ensemble de toutes les façons possibles. Tu peux faire confiance à Zac ; il ne retournera jamais au front, et toi non plus.

— Oui, Jess. Je ne remettrai pas mon treillis.

Si j'avais su, en ce bel après-midi de mai, à quel point je me trompais ! Mais aucune de nous ne pouvait imaginer ce que l'avenir nous réservait, ni les chagrins qui nous attendaient. Ils étaient encore enfouis dans les méandres du destin.

31

Nous avions décidé de dîner à l'African Queen.

Le temps de mettre un jean, une chemise de soie et des boucles d'oreilles en strass, nous prîmes la route, toutes les trois d'excellente humeur. Cara conduisait. Nous allions à Beaulieu-sur-Mer, le charmant petit port où se trouve le célèbre restaurant.

L'African Queen était l'une des tables préférées de notre mère. Quel meilleur endroit aurions-nous pu choisir pour fêter son anniversaire de naissance ? On était le 15 mai et, si elle avait vécu, elle aurait eu soixante-douze ans. C'était difficile à imaginer. Pour moi, pour nous, elle resterait à jamais la star blonde de nos jeunes années.

Cara prit la Moyenne Corniche, où il y avait peu de circulation. En arrivant sur le port, nous eûmes la chance de trouver une place de stationnement. C'était idéal pour Jessica. Elle avait maintenant un plâtre de marche, mais elle avait toujours des difficultés pour se déplacer.

Notre table était prête. La bouteille de Veuve Clicquot commandée par Cara nous attendait dans un seau à glace. L'ambiance de la salle de restaurant était joyeuse et les odeurs en provenance de la cuisine en disaient long. Bien qu'il fût difficile d'obtenir une table à l'African Queen, le patron en trouvait toujours une pour nous : il y avait une longue histoire entre le restaurant et notre famille.

Un serveur vint ouvrir la bouteille et nous servir. Le moment était venu de lever nos verres pour le toast que nous répétions chaque année depuis quatre ans.

— Bon anniversaire, maman !

Nous évoquâmes une fois de plus sa joie de vivre et sa charmante fantaisie.

— Vous ne trouvez pas que les photos commencent à pâlir ? murmura cependant Cara.

Même si Cara, à son habitude, était passée du coq à l'âne, nous constatâmes qu'elle avait raison. Les murs étaient couverts de photos passées de Humphrey Bogart et Katherine Hepburn dans *African Queen*, le film qui avait donné son nom au restaurant.

— Je pourrais demander à Harry de leur en procurer d'autres, dis-je. Un de ses amis vend d'anciennes affiches de cinéma et des souvenirs de tournages ou d'acteurs. A moins que les gens ne préfèrent les photos jaunies ?

— C'est vraisemblable, répondit Jessica. Et puis, les propriétaires savent certainement où se procurer d'autres affiches et photos. Celles qu'ils ont datent de l'ouverture du restaurant, il y a au moins trente ans.

Cara s'empara du menu.

— Ils doivent en avoir une pièce pleine ! dit-elle d'un ton cynique. Je prendrai la même chose que d'habitude, ajouta-t-elle.

Cela ne l'empêcha pas d'examiner la carte. Nous décidâmes de faire comme elle, Jessica et moi, de prendre notre menu habituel, des asperges vinaigrette en entrée – c'était la saison – et des moules frites.

Mes sœurs étaient de bonne humeur et heureuses. Moi aussi ! J'avais choisi les dernières photos pour le livre sur Venise et je repartirais bientôt à New York. La mère de Zac récupérait très bien de son attaque et lui-même se sentait en forme. Il avait une bonne voix au téléphone. Le fait de prendre en charge ses parents l'avait probablement distrait de ses problèmes. Selon l'expression de Harry, Zac avait tellement à faire avec ses parents qu'il n'avait plus de temps pour le stress post-traumatique. Toutefois, je savais que Zac m'attendait avec impatience, que je lui manquais.

Quant à Cara et Jessica, elles étaient très occupées par leurs relations amoureuses avec Geoff et Allen. J'avais acquis la certitude que Jessica et Allen finiraient par s'installer ensemble. Pour Cara et Geoff, c'était moins sûr en dépit de la sincérité de Geoff. Il faudrait sans doute du temps.

Nous étions au milieu de notre dîner quand Jessica évoqua la vente des bijoux de maman.

— J'aimerais que nous choisissions ceux que nous vendrons.

— Je croyais que nous vendions tout ! protesta Cara.

— Oui, toutes les pièces importantes, répondit Jessica, mais il y en a d'autres plus petites, de moindre valeur. Je pensais que nous pourrions en garder certaines pour nous, pour avoir des souvenirs de maman.

Cara haussa les épaules.

— Comme tu voudras, dit-elle.

De mon côté, j'acquiesçai de la tête et demandai à Jessica si elle avait arrêté une date.

— Oui, l'année prochaine, au printemps. C'est...

— Pourquoi si tard ? l'interrompit Cara en fronçant les sourcils.

— A cause de la vente Elizabeth Taylor chez Christie's à New York, en décembre. Une grande partie de la collection est actuellement exposée un peu partout dans le monde. Je ne peux pas lutter contre un tel battage médiatique.

— Je comprends, dis-je.

— Il y a des centaines et des centaines de lots de joaillerie, de tableaux, de vêtements et d'accessoires. C'est énorme ! Mais, même sans cela, il faut d'abord photographier les bijoux de maman, les évaluer, les documenter et réaliser un catalogue. Organiser une vente demande plus de travail que vous ne l'imaginez.

— Je te fais totalement confiance, lui assurai-je, et Cara aussi, j'en suis certaine.

Je la fixai du regard.

— Tu as raison, Serena, dit-elle précipitamment. Jess, c'est toi la patronne !

Elle leva sa coupe de champagne en direction de Jessica.

Je n'avais pas quitté Cara des yeux. Je la trouvais particulièrement belle avec ses longs cheveux qui lui encadraient le visage, soulignant la délicatesse de ses traits. Elle avait une peau lumineuse et ses yeux noirs brillaient, pleins de vie. Elle semblait plus heureuse qu'elle ne l'avait été depuis longtemps. Il y avait quelque chose de tranquille en elle ; c'était nouveau.

— Vas-tu te marier avec Geoff ? lui demandai-je tout à trac.

Jessica me donna un petit coup de genou sous la table. Mais Cara éclata de rire, nous laissant stupéfaites. Cara riait rarement et encore plus rarement de cette façon, joyeuse, libre, désinhibée.

— Non, Geoff ne m'a pas demandé ma main, Serena ! Je veux d'abord faire la connaissance de sa fille. La façon dont nous nous entendrons ou pas compte beaucoup pour Geoff. Donc, j'attends mon heure. Quoi qu'il en soit, je ne veux pas me précipiter. Nous avons besoin de temps pour mieux nous connaître. Cela dit, pour être franche, j'y pense. Nous sommes extrêmement compatibles.

Elle s'interrompit et nous regarda l'une après l'autre avant d'ajouter :

— Au lit aussi bien qu'ailleurs.

Jessica partit d'un de ses grands rires contagieux et prit la main de sa jumelle.

— Je suis si heureuse pour toi, Cara. Accessoirement, nous sommes toutes les deux dans le même cas. Je veux dire : compatibles avec nos petits amis.

— Toutes les trois ! complétai-je.

Nous riions. J'aimais tellement mes sœurs. Elles faisaient partie de moi depuis toujours. Elles étaient loyales et prêtes à tout pour moi, comme je l'étais pour elles... C'était ainsi que notre mère nous avait élevées.

32

Le lundi matin, je me rendis à Nice avec Cara pour voir le médecin de Jessica et passer une densitométrie osseuse. Le lendemain fut consacré aux affaires de maman. Nous fîmes d'abord l'inventaire des bijoux les plus importants, puis de ses vêtements haute couture – trois penderies en étaient pleines. L'expert en mode de Jessica passerait le tout en revue pour sélectionner les plus belles pièces. Pour moi, elles étaient toutes extraordinaires.

Puis vint le mercredi, ce mercredi que je ne devais jamais oublier. J'étais dans le studio et j'y découvris des photos de Venise qui me bouleversèrent.

J'avais commencé à remettre les classeurs à leur place quand un dossier bleu attira mon attention. Il avait été placé au fond du tiroir du bas. Je l'apportai jusqu'au bureau et l'ouvris. Les premiers clichés représentaient une jeune femme, vêtue d'une robe en mousseline grise très courte, et qui dansait dans une pièce immense.

D'après l'architecture intérieure, le style des chandeliers et les antiquités disposées de-ci de-là, il s'agissait d'un *palazzo* vénitien. La jeune femme avait été photographiée en plein mouvement, bras étendus, à hauteur des épaules ou au-dessus de sa tête. Extrêmement gracieuse, elle possédait de longues jambes au galbe parfait. Les mouvements captés par l'appareil étaient si convaincants qu'on entendait presque la musique sur laquelle elle dansait.

Elle avait de longs cheveux bruns et raides, qui cachaient en partie son visage. Quand ce n'était pas ses cheveux, c'était un bras ou le flou du cliché qui le dissimulait.

Avançant dans l'examen du dossier, je tombai bientôt sur des photos... différentes. Plusieurs montraient la jeune femme étendue sur une chaise longue, les jambes écartées dans une pose suggestive ; plus loin, elle les avait posées très haut sur le dossier d'une chaise, sa robe légère glissant sur ses cuisses. L'érotisme de ces images m'étonna et, parce que c'était mon père qui les avait prises, le trouble me gagna. D'autant plus que l'intimité qui existait entre l'artiste et son modèle était palpable. Quelles avaient été les relations de mon père avec cette femme ?

Je retournai l'un des clichés. Au dos, mon père avait apposé son étiquette habituelle : un étroit ruban de papier blanc, maintenu par du Scotch à chaque extrémité, et portant une légende tapée à la machine : « Val en mouvement perpétuel ». Sur d'autres, il avait écrit : « Val impatiente », « Val en plein élan ».

De plus en plus déconcertée, je ne pouvais m'empêcher de fixer cette femme au visage flou que mon père avait photographiée avec autant d'enthousiasme. Il restait encore trois clichés au fond du dossier bleu, lesquels, lorsque je les regardai, me firent un véritable choc : le visage de l'inconnue, enfin visible, me sembla terriblement familier et... Je compris que c'était mon propre visage que je contemplais.

La femme appelée Val était assise sur une chaise, sa robe de mousseline drapée avec art autour d'elle. Notre ressemblance ne faisait aucun doute. Quant aux deux dernières photos, elles m'arrachèrent un cri. La première montrait Val nue, avec un ventre énorme. Etendue sur la chaise longue, ses mains cachant son entrejambe, elle était enceinte et visiblement proche du terme. Dans la seconde, toujours nue, elle se tenait debout et de profil, son ventre en évidence. Son visage était tourné vers l'objectif et elle souriait, d'un curieux sourire. Peut-être de l'autosatisfaction ?

Une seule photo peut tout dire, comme disait mon père.

Qui était cette femme ? Qui était cette mystérieuse Val ?

Je retournai les deux dernières photos. Celle à la chaise longue était intitulée : « Val enceinte de Serena ». La seconde : « Val et Serena ».

Serena ? Mon prénom !

Je fus prise d'un tremblement irrépressible. Les implications de ces légendes étaient évidentes. Cette femme était enceinte de moi et, puisqu'elle avait été photographiée par mon père, elle devait être sa maîtresse. C'était son enfant qu'elle attendait, il n'y avait pas d'autre explication possible.

Je fermai les yeux, incapable d'accepter que cette femme puisse être ma mère. J'étais la fille d'Elizabeth Vasson Stone. Sa fille chérie, le bébé qu'elle avait longtemps espéré. *Sa* fille !

Que représentait cette femme pour mon père ? Et qui était-elle, bon sang ?

Je remis les photos dans le dossier et m'enfonçai dans mon fauteuil. Mon tremblement diminua peu à peu, mais je me sentais nauséeuse. Mille pensées se pressaient dans mon esprit, toutes plus terribles les unes que les autres. Je tentais désespérément de trouver un sens à ces images. Puis, le dossier à la main, je quittai le studio et courus jusqu'à la maison. Je savais ce que je devais faire.

Jessica travaillait dans son bureau, à côté de la bibliothèque. Il fallait qu'elle voie ces photos qui me bouleversaient tant. Et Cara aussi.

Quand je fis irruption dans son bureau, Jessica sursauta et leva les yeux vers moi. Je me ruai vers elle.

— J'ai trouvé une chose horrible, Jess !

— Qu'y a-t-il, ma Pidge ? Qu'est-ce qui t'a mise dans cet état ?

— Ces photos ! criai-je en jetant le dossier sur son bureau.

Jessica l'ouvrit et examina son contenu. Je tournais autour d'elle sans pouvoir me calmer. Finalement, elle se tourna vers moi. Elle était livide et aussi profondément secouée que moi.

— Où as-tu trouvé ça ? dit-elle d'une voix tremblante.

Je le lui expliquai puis lui suggérai de lire les légendes au dos des clichés. Je crus qu'elle allait s'évanouir. Elle ne pouvait détacher les yeux des deux photos montrant Val enceinte. Tout son visage exprimait son incrédulité.

— Pourquoi papa aurait-il pris ce genre de photos ? lui demandai-je. Qui est cette femme ? Tu la connais ?

— Oui, c'est Val, la cousine de maman.

— Tu la connais ? répétai-je, interloquée.

— Bien sûr. Nous la connaissions toutes. C'est la fille de tante Dora, la nièce de grand-mère. Elle s'appelle Valentina Clifford. Elle venait nous voir de temps en temps quand nous étions petites.

— Moi aussi, je l'ai connue ?

— Pas très bien, tu n'étais qu'un bébé. Si ma mémoire est bonne, j'avais onze ans à sa dernière visite. Toi, tu devais donc avoir trois ans.

— Qu'est-elle devenue ? demandai-je d'une voix étranglée.

Je me laissai tomber sur la chaise à côté du bureau de Jessica. Ma sœur se mordillait la lèvre pensivement.

— Je ne sais pas vraiment pourquoi elle n'est plus venue... Il me semble me souvenir d'un accident. Elle a été blessée alors qu'elle couvrait je ne sais quelle guerre...

— Elle était photographe de guerre ?!

J'avais presque hurlé ma question. Je ne comprenais plus rien.

— Oui. Elle travaillait à Global Images avec papa.

J'avais la sensation d'avoir pris un grand coup sur la tête.

— Elle est morte ?

— Ce ne serait pas impossible, répondit Jessica, mais je suis certaine au moins d'une chose : ce n'est pas sa blessure qui l'a tuée. Ah ! Ça me revient. C'était un accident de la route. Je crois qu'elle se trouvait dans une jeep qui s'est renversée.

— Sais-tu à quelle époque papa et maman ont eu de ses nouvelles pour la dernière fois ?

— Non, Pidge. J'étais dans un pensionnat en Angleterre avec Cara et, sincèrement, je n'ai aucun souvenir de l'avoir revue. Mais toi, tu ne te souviens pas d'elle ?

— Non, pas du tout.

Incapable de rester en place, je me levai et allai me poster devant la grande baie vitrée qui donnait sur le jardin, la réplique du jardin de maman à Bel Air. Je me sentais rongée par une brutale angoisse.

— Pidge, reprit Jessica d'une voix tendre, ces photos ne veulent rien dire, crois-moi. Nous allons les déchirer et les oublier.

— Si, elles ont un sens, répondis-je en ravalant mes larmes. Il y a mon nom sur deux d'entre elles.

— Cela ne signifie rien ! protesta vivement Jessica. Elles ont été prises à Venise ; or Venise s'appelait autrefois la Serenissima, ce qui nous amène directement à Serena. Mais il ne s'agit pas obligatoirement de toi. Beaucoup de femmes portent ce prénom. Et il n'y a aucune date. Elles peuvent dater de n'importe quand.

Que répondre ? Jessica m'aimait et voulait me réconforter, elle voulait tout détruire comme pour effacer ce que j'avais découvert. Malheureusement, cela m'était impossible. J'éclatai en sanglots irrépressibles. Ma sœur se précipita vers moi, me serra dans ses bras, me berçant contre elle jusqu'à ce que je m'apaise un peu.

— Je ne veux pas être la fille de cette femme, balbutiai-je d'une voix rauque. Je veux être la fille de maman, Jess. J'ai toujours été si fière de nos liens, fière d'être sa fille. Je l'aimais tellement, et je l'aime toujours. Et puis… tu te rends compte de ce que ça signifie au sujet de papa ? Sa grande histoire d'amour avec maman ? Imagine que ces photos disent la vérité et qu'il couchait avec cette femme !

La réponse de Jessica fut immédiate.

— Nos parents ont vécu une extraordinaire histoire d'amour, Serena, une histoire qui a duré toute leur vie. Nous en avons été les témoins, toutes les trois.

Je ne pus qu'acquiescer de la tête en me cramponnant à sa main.

— Papa aurait eu une liaison avec Val ? reprit Jessica d'un ton apaisant. Et alors ? Cela a sans doute été l'aventure d'une nuit, quelque part dans une zone de combat où ils travaillaient.

Tu sais comment sont les hommes. Qu'un homme marié trompe une fois son épouse ne signifie pas qu'il ne l'aime pas.

Me redressant, je scrutai son visage.

— Je comprends ce que tu veux dire...

Il me fut impossible d'aller plus loin. Ma bouche tremblait et mes larmes recommencèrent à couler. Tout cela était inacceptable et, me ressaisissant, je le lui dis.

— Mais papa et maman n'étaient pas comme les autres. Ils vivaient une grande histoire d'amour, quelque chose d'exceptionnel. C'étaient des gens parfaitement honnêtes, uniques...

— Que se passe-t-il ?

La voix de Cara nous fit sursauter. Elle claqua la porte derrière elle et me regarda. Mes sanglots reprirent, incontrôlables. En même temps, je me répétais que c'était le choc. Oui, me disais-je, je suis sous le choc, mais je vais me reprendre. Fouillant dans ma poche, j'en sortis un mouchoir pour me sécher les yeux. Cara m'avait prise par les épaules et tentait de me consoler.

La voix me manqua et je ne pus que secouer la tête dans un geste d'impuissance. Jessica se chargea pour moi des explications.

— Cara, Serena a trouvé des photos tout à l'heure dans le studio. Elles sont affreusement troublantes.

Elle alla chercher le dossier bleu sur son bureau et l'apporta à Cara.

— Certaines sont légendées au dos, poursuivit Jessica, mais aucune n'est datée.

Cara fit défiler les clichés l'un après l'autre sans dire un mot.

— Je ne comprends pas ! finit-elle par lâcher.

Elle avait à présent l'air aussi bouleversée que Jessica et moi et nous interrogea du regard. Mais elle fut la première à se reprendre :

— Elles sont sacrément bizarres, non ? Mais à quoi papa pensait-il quand il les a prises ?

33

Cara poursuivit à sa manière habituelle, affreusement directe et brutale :

— Vous pensez, toutes les deux, que papa a eu une liaison avec Val et que toi, Serena, tu en es le résultat ?

— Oui, dis-je. La plupart des photos en danseuse sont très suggestives et les deux nus de Val la montrent enceinte de plusieurs mois. En plus, il y a mon nom. Que pourrais-je penser d'autre ?

Sans répondre, Cara alla ouvrir les portes-fenêtres de la terrasse.

— Jess, on étouffe dans ton bureau. Allons nous asseoir dehors !

Nous la suivîmes. En effet, il faisait beaucoup plus frais à l'extérieur. Raffi avait baissé le vélum dans la matinée, et la terrasse était à l'ombre et très agréable. Une légère brise soufflait de la mer. Je respirais mieux et me sentis moins oppressée.

— Ecoute, reprit Cara, je ne peux pas te reprocher de sauter aux conclusions. Ces photos sont surprenantes et, en un sens, choquantes. Un peu bizarres aussi, parce que ce n'était pas du tout le style de papa. Es-tu certaine que c'est lui qui les a prises ?

— Je n'ai aucun moyen de le savoir, mais je les ai trouvées dans son meuble de rangement. La première série, celle où Val danse, est assez belle et pourrait très bien être de papa, mais cela me semble moins évident pour les nus.

Cara approuva de la tête.

— En tout cas, si elles sont de lui, il était très en avance sur son époque. De quand datent les nus de Demi Moore enceinte dans *Vanity Fair* ?

— Je l'ignore, répondis-je.

— Et moi, j'ai oublié, intervint Jessica, mais il n'y a pas très longtemps. Tu as raison, Cara, papa était un précurseur à plus d'un titre.

Cara me regarda pensivement.

— Tu sais, la Serena dont il est question dans les légendes n'est pas forcément toi. Val attendait peut-être un enfant de son ami et ils avaient déjà choisi ce prénom. Autre chose : ces photos ont pu être prises avant ta naissance ou après.

— Je suppose que oui…

Je restai songeuse. J'entendais vaguement les oiseaux qui chantaient dans les arbres au bout de la pelouse, couvrant le moteur de la tondeuse à gazon. Fermant les yeux, je m'abandonnai au souvenir des merveilleuses journées d'été lors desquelles je faisais des dessins, ici, à côté de maman qui lisait des scénarios… C'était loin !

— Val ne peut pas être ta mère, Pidge, déclara Jessica.

Sa voix me fit sursauter. Je rouvris brusquement les yeux et la fixai.

— Que veux-tu dire ?

— Nous étions là à ta naissance ! Tu t'en souviens, Cara ? Tu es née ici, Serena, à la Villa des Fleurs. Nous, nous étions rentrées du pensionnat pour les vacances d'été ; nous sommes montées dans la chambre de maman le lendemain de ta naissance pour te voir.

Jessica me sourit.

— Tu n'avais que deux jours, Pidge, ajouta-t-elle, une vraie petite poupée rose.

— Jess a raison, Serena, dit Cara. En dehors de nous, de nos parents et de toi, la seule autre personne présente était Harry.

Au moment où elle prononçait ces paroles, elle changea d'expression.

— Mais bien sûr ! Serena, tu dois téléphoner à Harry et l'interroger au sujet des photos.

— Pourquoi ? Que pourrait-il me dire ? Il ne connaît peut-être même pas leur existence. De toute façon, il ne nous dirait rien. Harry aurait fait n'importe quoi pour papa et maman. S'il y avait eu un secret dans leur vie, il ne le révélerait pas. Il ne trahirait jamais Tommy...

— Oui, je crains que tu n'aies raison, soupira Cara. Mais tu me fais penser à autre chose. Jessica, est-ce que tu te souviens de cette année où papa était à New York pour son travail alors que maman tournait à Paris ? L'année où grand-mère s'est chargée de m'emmener au Chelsea Flower Show ? Tu dois t'en souvenir parce que tu n'as pas voulu venir avec nous ? On t'a traitée de casanière ! J'ai séjourné au Dorchester avec grand-mère. Et tante Dora nous a accompagnées à l'exposition.

— Oui, cela me revient, répondit Jessica. Et quand tu es rentrée, tu as dit que Val avait laissé entrer le loup dans la bergerie...

— Exactement ! Je voulais dire qu'elle venait de se fiancer avec... Comment s'appelait-il ? Attendez... Oui : Jacques ! Il était correspondant de guerre.

— Tu l'as rencontré ? demandai-je.

— Oui ! Il travaillait pour un journal français. Tante Dora ne l'aimait pas.

Jessica se tourna vers moi en souriant.

— A propos de tante Dora, il ne faut pas oublier que c'était la jumelle de grand-mère et qu'on les aurait prises l'une pour l'autre. Cela explique ta ressemblance avec Val.

— Je n'y avais pas pensé, marmonnai-je. Donc, Val s'est fiancée ? Elle a épousé le dénommé Jacques ?

— Je n'ai aucune certitude sur ce point, mais leur histoire a fait beaucoup de bruit, parce que tante Dora désapprouvait le choix de sa fille.

— Et moi, ajouta Jessica, je n'ai jamais revu Val après cela. Personne ne l'a revue, comme si elle avait disparu.

— Je devrais peut-être quand même interroger Harry, dis-je. Qu'en penses-tu, Jess ?

— Il vaut mieux le laisser tranquille, à mon avis. Pidge, il y a une chose importante... Où est ton acte de naissance ? Cela nous dirait tout.

La question de Jessica me laissa d'abord perplexe, puis la mémoire me revint.

— Oui, il est dans le petit coffre-fort de New York ! Il y a quelques années, alors que papa habitait l'appartement, il m'a signalé y avoir rangé mon acte de naissance et d'autres papiers de famille. Et de l'argent en espèces ; il m'a donné la combinaison du coffre.

— Que dit ton acte de naissance ? me demanda Cara.

— Je l'ignore, je n'ai jamais regardé. J'ai toujours eu un passeport, comme vous deux. Nous avons commencé à voyager à peine nées ! Mon acte de naissance était le dernier de mes soucis.

— Tu n'auras donc qu'à le vérifier quand tu seras à New York ! Il te dira que tu es née ici. Tu y trouveras aussi le nom de l'accoucheur.

— Oui, cela te rassurera, renchérit Cara en se levant. Je vais chercher une bouteille d'eau. Voulez-vous quelque chose ?

— J'aimerais bien une citronnade, s'il te plaît, dit Jessica.

— Et moi un Canada Dry, ajoutai-je.

Avec un peu de chance, cela ferait passer ma nausée.

Jessica attendit que Cara ait disparu dans la maison.

— Serena, me dit-elle à voix basse, tu devrais oublier cette histoire. Je le pense très sincèrement. Tu as beaucoup à faire en ce moment et Zac t'attend à New York. Tu dois vivre ta vie.

— Tu as raison, Jess. Ne t'inquiète pas pour moi ! Juste une question : d'après toi, pourquoi papa a-t-il gardé ces photos ? Et pourquoi les laisser traîner comme il l'a fait ?

— S'il les a gardées, c'est peut-être qu'elles étaient importantes pour lui ? Tu sais, il conservait toujours les clichés des séances de pose importantes.

— Oui, c'est vrai. En réalité, il gardait tout. Je veux dire, tous ses tirages. Mais ceux-là étaient au fond du dernier tiroir, même pas bien classés. C'est un peu négligent, tu ne penses pas ?

Jessica prit le temps de réfléchir.

— Non, Serena, ce n'est pas le terme que j'utiliserais. Je crois plutôt qu'il les avait oubliés. Pendant la dernière année de sa vie, il était devenu... oublieux.

— Tu veux dire que papa souffrait de démence sénile ou d'une maladie de ce genre ?

— Oui, il avait l'esprit troublé par un début de démence. Au cours des six derniers mois, il n'était plus tout à fait lui-même. Je suis désolée de te l'apprendre, ma chérie...

J'eus de nouveau envie de pleurer, même si ce n'était plus pour la même raison.

— Pourquoi ne me l'avais-tu pas dit ?

— Je l'aurais fait si tu avais pu venir, mais tu travaillais en Afghanistan. Cara et moi, nous ne voulions pas t'alarmer alors que tu te trouvais en plein milieu d'un champ de bataille et que tu courais mille dangers.

— Vous faites toujours attention à moi, mais vous auriez pu m'en parler.

— Nous avons estimé que ce n'était pas la bonne chose à faire.

— Harry savait-il ?

— A la fin, oui. Nous le lui avons dit, parce qu'il voulait venir voir papa et passer un moment ici. Il valait mieux le préparer.

Je n'avais pas quitté ma sœur des yeux.

— C'était donc grave ?

— Non, la plupart du temps, papa restait égal à lui-même, mais, par moments, il avait des absences. Il fallait bien que Harry le sache.

— Je comprends...

— Ne nous en veux pas, Serena !

— Je ne vous reproche rien.

Jessica sourit, puis changea de sujet, me demandant quand je partais.

Sa voix avait pris des accents tristes. Heureusement qu'elle avait Allen Lambert dans sa vie.

— Je reviendrai au mois de juillet avec Zac, mais nous aurons pas mal de travail.

— Je vous imagine en petites fourmis, tous les deux, en train de besogner toute la journée. Je te promets de bons dîners pour vous redonner des forces.

Jessica fit une pause pour m'examiner d'un air pensif.

— Tu m'as dit que vous alliez vous marier l'année prochaine, Zac et toi. J'espère que vous choisirez de le faire ici.

— Où voudrais-tu que je le fasse, sinon ici ? La mariée reçoit dans la maison de sa famille, n'est-ce pas ?

— C'est exact, répondit Jessica avec un grand sourire.

Cara apparut, chargée d'un plateau qu'elle posa au milieu de la table basse. Tandis qu'elle donnait sa citronnade à Jessica, j'attrapai mon Canada Dry. C'était le remède de papa pour les maux d'estomac.

Cara reprit la conversation sur ce ton lugubre que je détestais.

— Tu ne peux pas te fier à un acte de naissance, Serena. Ils sont faciles à truquer, surtout pour un médecin, et plus encore si on est une star mondialement célèbre et assez riche pour débourser une certaine somme.

— Que veux-tu insinuer ? hurla presque Jessica avant de respirer à fond pour se calmer. Que cherches-tu, Cara ?

— Rien du tout, répondit Cara d'un ton sec. Inutile de monter sur tes grands chevaux ! J'estime que Serena doit savoir avec quelle facilité on peut falsifier les documents. Il fallait l'avertir, c'est tout.

— Nous devrions plutôt brûler ces satanées photos et leurs légendes, reprit Jessica d'une voix tendue, et ensuite oublier que nous les avons vues.

Elle se détourna de Cara, comme si elle n'existait pas, et son expression s'adoucit tandis qu'elle me parlait.

— Serena, ma chérie, tu es notre sœur, tu entends ? Tu es la fille de notre mère. Oublie Val ! En ce qui te concerne, elle n'a jamais existé.

Elle s'était exprimée d'une voix ferme et assurée. Je pus seulement la remercier d'un signe de tête. Si je parlais, je risquais de me mettre à pleurer. La générosité, l'affection et la loyauté de ma sœur me bouleversaient. Elle s'adossa dans son fauteuil, parfaite image de l'aînée raisonnable. L'aînée, elle l'était seulement de dix minutes par rapport à Cara, mais de huit ans par rapport à moi.

Le silence s'installa entre nous trois pendant quelques minutes. Nous sirotions nos boissons, chacune perdue dans ses pensées. Et, soudain, Cara fit une déclaration ahurissante.

— Vous savez, c'est facile d'être enceinte à partir du moment où l'on dispose d'un homme en état de marche. Il suffit de s'allonger et de le laisser faire le boulot.

Je faillis éclater de rire, mais l'expression horrifiée de Jessica m'en dissuada. Elle détestait la vulgarité. Cara poursuivit tranquillement :

— Il n'y a vraiment pas de quoi en faire toute une histoire. Neuf mois après, on pond un bébé et voilà tout !

— Nous sommes au courant, grogna Jessica, qui ne décolérait pas.

Sans lui prêter la moindre attention, Cara se leva pour s'asseoir plus près de moi. Elle me prit la main et me dévisagea avec le plus grand sérieux.

— Serena, je vais te dire ce qui est vraiment difficile : élever un enfant, l'aimer sans conditions, prendre soin de lui, le chérir, lui inculquer les vraies valeurs, lui montrer qu'il est en sécurité, qu'on l'aime et le protège, qu'il est important. Cela s'appelle être une bonne mère. C'est ça la grande affaire ! Il n'y a rien de plus extraordinaire.

Elle me serra très fort dans ses bras.

— Je me fiche de savoir de quel ventre tu es sortie, Serena ! reprit-elle. Ce qui compte, c'est la femme qui t'aimait et qui t'a élevée. Cette femme, c'était maman, c'est elle ta mère. Ne l'oublie jamais !

J'éclatai en sanglots, bientôt imitée par mes sœurs. Nous étions là, toutes les trois, sur la terrasse de la Villa des Fleurs, en train de pleurer, de renifler, d'essuyer nos larmes, et de pleurer encore, quand curieusement Jessica commença soudain à glousser, de son rire contagieux. Nous avons ri à en perdre le souffle !

Toute ombre dispersée entre nous, nous nous sentions beaucoup mieux. Jessica se mit à fredonner le début de la chanson favorite de maman, *Everything's Coming Up Roses* – Tout ira bien pour Rose –, de Sondheim. Peu à peu, sa voix prit son envol, claire et mélodieuse.

Nous l'accompagnâmes, savourant chaque mot, chaque note, et l'amour qui nous liait.

Cara et Jessica avaient raison toutes les deux, chacune à sa façon. Je devais oublier ces photos et avancer. Quelques heures plus tard, alors que j'avais retrouvé mon calme, j'appelai Harry à New York. A peine avait-il décroché que je lui racontais ma découverte tout en passant sous silence les nus et leurs légendes. Poussant une exclamation étonnée, il ne me laissa pas finir.

— Mais oui, je me souviens très bien de ce jour-là ! dit-il en riant. Tommy et moi, nous avons fait des photos de Val dans un magnifique palais sur le Grand Canal. Elle portait une robe en mousseline d'une couleur assez spéciale, entre le gris et le vert, et elle dansait de tout son cœur. Elle voulait ces photos pour son fiancé, Jacques Pelletier. D'où te vient ce soudain intérêt pour ces vieux clichés ?

Derrière la curiosité affichée de Harry, j'avais senti une nuance d'embarras.

— Ce ne sont pas les photos qui nous intéressent, mais Val. Jessica et Cara se demandent ce qu'elle est devenue. Après tout, c'est notre cousine ou, plus précisément, c'était la cousine germaine de maman.

Il y eut un bref silence, puis Harry me répondit d'une voix quelque peu précipitée :

— Je ne sais pas ce qu'est devenue Val, chérie. Elle n'a pas épousé Jacques. Ils vivaient à Rome avant de s'installer à Paris. Je ne peux pas t'en dire plus.

— Ils sont toujours en vie ?

— Aucune idée ! Nous avons perdu le contact. D'ailleurs, quand j'y pense, je n'ai pas vu de reportage portant leurs noms depuis des années.

Une pointe d'impatience et même d'irritation dans sa voix m'incita à changer de sujet.

— Ce n'est pas important, Harry. Au fait, je serai à New York vendredi. J'ai terminé de mettre au point le livre sur Venise et je l'expédie à Global Images par la même société de fret que pour le premier livre.

Le ton de Harry changea du tout au tout.

— Quelle excellente nouvelle, Serena ! Que dirais-tu de dîner ensemble chez Rao, lundi ? Juste toi et moi ? Sauf si Zac a envie de t'accompagner, bien sûr !

— D'accord, Harry ! A lundi.

Quelque chose me réveilla au milieu de la nuit et, sursautant, je me retrouvai assise dans mon lit. Ma conversation avec Harry m'obsédait. Il ne m'avait pas tout dit. Comment le savais-je, je l'ignore, mais j'en étais convaincue.

Soit il mentait, soit il dissimulait la vérité. Et je ne le comprenais que trop bien. Il voulait nous protéger, mes parents et moi, évidemment ! Quel avait été le rôle de Valentina Clifford ? Que représentait-elle pour Harry ? Plus important : qu'avait-elle été pour maman ? Et... pour papa ? Mon père avait-il couché avec elle pour avoir le bébé que maman et lui désiraient depuis si longtemps ? Ou bien avait-elle servi de mère porteuse ? L'ostéoporose de maman rendait-elle une grossesse dangereuse ? Je n'avais aucune réponse... Mais je prenais peu à peu conscience de la nécessité d'oublier cette histoire. Tous les protagonistes, à l'exception de Harry, étaient morts. Pourquoi me torturer ?

En fait, non, je me trompais : j'avais quelques réponses. Jessica et Cara m'avaient vue ici, dans cette maison, alors que j'avais à peine deux jours. Et maman me tenait dans ses bras. Cela me suffisait ! Comme Cara l'avait dit, ce qui compte, c'est la femme qui élève un enfant avec amour et se soucie de son bien-être. Il n'y avait rien de plus important.

34

Le vendredi après-midi, en arrivant chez moi à New York, je fis trois choses. D'abord, je courus jusqu'au coffre-fort caché au fond du dressing de papa. Heureusement, j'avais mémorisé la combinaison. Je tapai les chiffres et le coffre s'ouvrit avec un « clic ». Mon acte de naissance était là, bien en évidence. Le sortant de l'enveloppe, je constatai en un clin d'œil qu'il était parfait. Je commençai à me détendre et je le relus plus lentement.

Ma mère était bien Elizabeth Vasson Stone, mon père, John Thomas Stone. Et mon lieu de naissance, Villa des Fleurs. Suivait l'adresse exacte. Le médecin qui avait procédé à l'accouchement était le Dr Félix Lagrange, accompagné de l'infirmière Mme Annette Bertrand. Mon nom et ma date de naissance figuraient noir sur blanc. J'étais bel et bien la personne que je pensais être depuis toujours ! Il m'aurait été impossible de décrire le soulagement qui m'envahit.

Déchargée de ce fardeau, je pus appeler Zac sur son portable et lui dire que je l'attendais. Il était chez ses parents et me promit de me rejoindre aussi vite que possible, au plus tard dans deux heures.

Ensuite, ce fut au tour de Harry, que je joignis à Global Images, dans nos bureaux de la Sixième Avenue. Je lui dis seulement que j'étais bien arrivée, que je serais heureuse de le voir lundi chez Rao et que Zac m'accompagnerait.

Quelques heures auparavant, alors que je survolais l'Atlantique, j'avais réfléchi à l'idée de le questionner sur les nus de Valentina enceinte. Je pensais maintenant qu'il valait mieux me taire. A quoi bon ? Mon acte de naissance m'avait en grande partie rassurée.

Mon troisième appel fut pour Jessica, qui accueillit avec soulagement les informations que je lui donnai sur mon acte de naissance. Quant à moi, je fus heureuse d'apprendre que Cara avait eu les résultats de nos examens et que ni elle ni moi n'avions hérité de la maladie de maman.

Ces questions importantes éclaircies, je m'occupai de défaire mes bagages et pris une douche. Je mis une tunique en coton bleu clair avec un pantalon étroit, puis je fis le tour de l'appartement, vérifiant que chaque chose était à sa place, comme j'en avais l'habitude. Et comme maman le faisait quand elle arrivait de Nice ou de Los Angeles. Mme Watledge était venue dans la matinée et tout brillait de propreté. Elle avait mis des fleurs dans le salon et rempli le réfrigérateur. Il ne manquait même pas le poulet du vendredi !

Soudain, je pris conscience de ma faim. Je n'avais rien avalé depuis mon départ de Nice, le matin même, à l'exception de deux pommes. Je ne mangeais jamais dans l'avion ; je détestais ce qu'on y servait. En fait, j'avais souvent entendu papa et Harry dire qu'un avion n'est pas un restaurant mais un moyen de transport !

Bien que Zac m'eût promis que nous dînerions tôt, je n'eus pas le courage d'attendre. Je me préparai donc une tasse de thé avec des biscuits et emportai le tout dans mon bureau sur un plateau.

L'après-midi était magnifique ; le soleil baignait la pièce aux douces teintes pastel, crème et rose clair. Dans le ciel d'un bleu resplendissant, des petits nuages blancs se promenaient. Toute la ville brillait dans la lumière de juin. Depuis la grande baie vitrée, j'admirai l'extraordinaire panorama offert par Manhattan, heureuse d'être de retour.

J'avais hâte de me remettre au travail, d'abord sur *Courage* avec Zac, puis sur ma biographie de papa. J'aimais travailler ; j'en tirais un profond plaisir.

Dès l'instant où j'ouvris la porte pour laisser entrer Zac, je vis qu'il avait changé. Harry m'avait dit qu'il allait mieux, mais je ne m'étais pas attendue à un miracle ! C'était l'homme que j'avais connu autrefois qui passait mon seuil, les bras chargés d'un gros bouquet de roses. Derrière lui, venait un des concierges de l'immeuble avec un chariot à bagages sur lequel étaient empilés une montagne de sacs de divers magasins, un carton rempli de bouteilles de vin, le sac à dos de Zac et sa sacoche d'appareils photo. Mes yeux écarquillés le firent rire puis il se pencha pour m'embrasser et me donner les fleurs.

— Merci, lui dis-je en me délectant de leur parfum.

— Pidge, ma chérie, je suis tellement content de te voir ! Où pouvons-nous poser mes affaires ?

— Ici, c'est bien, répondis-je en souriant au concierge, qui s'occupa de vider le chariot.

Zac lui donna un pourboire et, à peine étions-nous seuls, il m'enlaça.

— Si tu savais comme tu m'as manqué ! gémit-il. Je ne pensais pas que quelqu'un pouvait me manquer autant, même pas toi.

— Merci pour ce compliment à double tranchant ! dis-je avec un sourire moqueur.

— Trêve de plaisanterie, il vaudrait mieux mettre les plats du traiteur chinois dans la cuisine, répondit-il en me renvoyant mon sourire.

Tout en parlant, il avait commencé à prendre une partie des sacs ; je m'occupai des autres. Il avait acheté du potage won-ton, du riz blanc, des rouleaux de printemps, du homard à la cantonaise, du poulet aux légumes et du porc aigre-doux. En trop grandes quantités bien sûr, comme faisaient papa et Harry. Je me demandai si ce n'était pas un comportement typiquement masculin. Hormis le potage et les rouleaux de printemps, je mis le tout dans le four à température suffisante pour que cela reste chaud.

Zac de son côté avait rangé les trois bouteilles de vin blanc dans le réfrigérateur. Il en avait également sorti celle que Mme Watledge y avait placée plus tôt, l'avait ouverte et nous en avait servi un verre.

— Et si nous allions goûter ce vin dans le petit salon de ta mère avant de dîner ? proposa-t-il.

— Mon bureau, à présent ! répondis-je en le suivant.

Zac alla se poster devant les fenêtres qui donnaient sur l'East River.

— Quelle ville fabuleuse ! dit-il. Il n'y a rien de comparable à Manhattan dans le monde entier.

Je le rejoignis et fis tinter mon verre contre le sien.

— A ta santé ! Je suis d'accord avec toi, Manhattan est unique au monde.

— Unique, mais beaucoup moins bien sans toi.

Me prenant par la main, il m'entraîna jusqu'au canapé.

— Ces derniers jours, reprit-il, j'ai étalé les pages de *Courage* dans mon appartement ; je préférerais travailler chez moi, Serena, si cela ne t'ennuie pas.

Il me fallut un instant pour réagir. Sa demande m'avait un peu interloquée.

— D'accord, tu écriras sans doute plus facilement chez toi. Et je pourrai passer quand tu en auras terminé une partie. Je te fais confiance, Zac. Je sais que tu as trouvé le ton juste.

— Je n'ai rien changé à l'ordre des photos et je ne changerai rien. L'équilibre entre les chapitres me satisfait. Mais, pour rédiger les textes d'introduction des différentes parties et ceux des légendes, j'ai besoin de solitude.

— Cela ne me pose aucun problème, Zac. Et puis, ce n'est pas comme si ton appartement de Central Park West était loin du mien !

Rassuré, Zac savoura une gorgée de vin puis reprit :

— Comment vont tes sœurs ? La cheville de Jessica ?

— Cela s'améliore de jour en jour. Son plâtre de marche lui a facilité la vie. Tout à l'heure, quand je l'ai eue au téléphone, elle m'a appris que Cara avait obtenu les résultats de nos examens. Nous n'avons pas d'ostéoporose.

— C'est génial, ma chérie, quelle bonne nouvelle ! C'est donc uniquement Jess qui en a hérité ?

— Oui, mais son traitement permet de contrôler la maladie. Elle prend la situation de façon très positive et Allen Lambert est aux petits soins pour elle. Je pense qu'ils feront du chemin ensemble.

— Il a de la chance d'avoir trouvé une femme comme Jessica. Et Cara ? Je suppose que Geoff reste à l'ordre du jour ?

Il avait posé sa question avec une telle drôlerie que j'éclatai de rire.

— Oui ! Cara semble réellement tenir à lui. Je suis soulagée, parce que cela n'a pas été facile depuis la mort de Julien ; elle était dans un état de tristesse presque permanent. Elle mérite d'avoir un homme bien à ses côtés.

— Toi aussi, Pidge, et je suis là, à toi pour toujours si tu veux de moi... Et si tu estimes que je suis un homme bien !

— Oui, tu es un homme bien, Zac, murmurai-je avec tendresse. Et je veux la même chose que toi.

Je scrutai son visage. Le changement que je constatais ne concernait pas seulement sa santé physique et mentale. Quelque chose d'autre avait changé et je n'arrivais pas à mettre le doigt dessus.

— Qu'y a-t-il, Serena ? Pourquoi me regardes-tu de cette façon ?

— Je me disais que tu as l'air en pleine forme. Tu as même pris un peu de poids et ça te va bien. Tu as retrouvé ta confiance en toi-même. Tu sais quoi ?

Je me reculai pour m'adosser confortablement dans l'angle du canapé.

— Je pense qu'il t'est arrivé quelque chose depuis ton retour à New York.

— Tu étais la seule à pouvoir le remarquer, Serena. Tu me connais bien ! Et puis, tu m'as vu réduit à l'état de loque, à Venise.

— J'ai été heureuse de pouvoir t'aider, tu le sais. Donc, que s'est-il passé ?

— J'ai grandi.

— Comment cela ?

— D'un seul coup, j'ai compris toute la responsabilité qui m'incombait ; je devais prendre la situation en main, gérer les problèmes au fur et à mesure qu'ils se présentaient.

— Mais il y a ton père ? Et puis Dany et Stella ?

— En fait, j'ai bien vu que j'étais seul pour m'occuper de maman et du reste. Danny était sur la côte pour ses affaires et Stella était effondrée, incapable d'aligner deux idées cohérentes. Quant à mon père, il était perdu, lui que j'ai connu si solide ! Il s'est tout bonnement écroulé quand on a emmené maman à l'hôpital. Il aurait voulu l'aider mais il ne pouvait pas. Cela m'a fait comprendre à quel point il avait compté sur elle toute sa vie ; c'était ma mère la plus forte des deux.

— Je l'ai toujours su.

— Moi aussi, je pense, mais je l'avais oublié, à force d'être au loin. Bref, j'ai pris les choses en main. Ta mère donnait un nom à Tommy quand il voulait tout diriger et commander tout le monde. Tu t'en souviens ?

— Bismarck ! répondis-je immédiatement. Ou parfois : le Général ! Elle disait que partir en vacances avec lui, c'était comme partir pour les grandes manœuvres avec l'armée allemande !

Zac haussa les sourcils, l'air très étonné.

— Les grandes manœuvres en Allemagne ? Tiens, c'est étrange... Pour en revenir à moi, j'ai dû faire comme ton père et jouer les Bismarck. Cela m'a obligé à devenir adulte.

— J'avoue que je suis impressionnée.

Comme nous avions terminé notre verre, je me levai et Zac me suivit.

— Ma mère t'embrasse, Pidge, et elle espère que tu pourras lui rendre visite pendant le week-end. Tu voudras bien m'accompagner ?

— Evidemment ! En attendant, à table. Je meurs de faim.

— Moi aussi, mais j'ai également faim d'autre chose...

Le dîner fut délicieux. Pour la touche finale – du thé au jasmin –, nous réinvestîmes le petit salon de maman, ainsi que Zac s'obstinait à appeler cette pièce. Après avoir regardé les informations, Zac se tourna vers moi.

— Ma mère m'a demandé si nous allions enfin nous marier. Je lui ai dit oui.

Voyant que je le dévisageais sans un mot, il insista :

— Tu es toujours d'accord ?

— Bien sûr !

— Je t'ai laissée échapper une fois, Serena, mais cela n'arrivera pas une deuxième fois.

— Jessica m'a posé la même question, l'autre jour. Je lui ai répondu que c'était prévu pour l'année prochaine.

— Quand, précisément ? dit Zac sans me quitter des yeux.

— Que penserais-tu du printemps ? A Nice, à la Villa des Fleurs. Tu sais que, traditionnellement, le mariage a lieu chez la famille de la mariée.

— Je t'épouserai n'importe quand et n'importe où !

Il m'enlaça, me murmurant des mots tendres. Les baisers suivirent, et les caresses. Nous retrouvions notre désir intact. Il nous fallut peu de temps pour être nus, allongés l'un contre l'autre sur le canapé...

A un moment, Zac se redressa sur un coude et fit courir ses doigts sur mon visage.

— Serena, il n'y a jamais eu que toi pour moi. Je n'ai jamais aimé ou désiré une autre femme aussi fort que toi.

— Je sais, Zac ; c'est pareil pour moi.

Quelques heures plus tard, je me réveillai en grelottant. Dehors, il faisait noir. Je me levai pour aller chercher le plaid en laine posé au bout du canapé et retournai me blottir contre Zac.

Cependant, à présent que j'étais éveillée, je ne pouvais plus m'empêcher de penser à mille choses. L'année dernière, à la même époque, nous étions à couteaux tirés, Zac et moi. Aujourd'hui, nous étions amis. Nous étions amants. Nous étions en paix. L'avenir nous appartenait. Nous allions nous marier au printemps prochain et construire notre vie ensemble. Je me souvins de ma mère disant que nous étions faits l'un pour l'autre. Elle avait raison.

A côté de moi s'élevait la respiration égale et légère de Zac. Je n'avais pas dormi longtemps à cause du décalage horaire. Malgré cela, je me sentais satisfaite, comme enfin arrivée là où je devais être, avec Zac, lui et moi unis pour toujours.

Souriant en moi-même, je fermai les yeux et laissai mon imagination prendre son envol...

CINQUIÈME PARTIE

Images prises sur le vif

Libye, juillet-août

« Je serai sincère, car il y a ceux qui me font confiance ;
Je serai pur, car il y a ceux qui se soucient des autres ;
Je serai fort, car il y a beaucoup de souffrances à subir ;
Je serai courageux, car il y a beaucoup à oser. »
Howard Arnold Walter, « Mon credo »

« Je n'écouterai pas la voix de la raison… La raison, c'est toujours ce que quelqu'un d'autre dirait. »
Elizabeth Gaskell, *Cranford*

35

Libye… Libye… Libye…

Ce mot m'obsédait. On ne parlait que de cela. Une marée d'informations nous submergeait, à la une de toute la presse, à la radio, à la télévision. Zac restait collé au petit écran partout où il allait, zappant de chaîne en chaîne de peur de rater le moindre détail. Il ne pensait plus qu'aux événements qui se déroulaient en Libye, il en rêvait même.

Dans les bureaux de Global Images, c'était pareil. Harry gérait la situation au jour le jour, déplaçant nos photographes et nos photojournalistes sur tel ou tel site libyen, les faisant entrer ou sortir du pays, cherchant à obtenir les reportages les meilleurs et les plus forts.

La Libye s'invitait même à Nice, pensai-je en lisant le texto que Cara venait de m'envoyer : *Urgent. Appelle-moi. Catastrophe libyenne.*

Je savais pourtant que Geoff n'irait nulle part. Nous en avions pris la décision il y a quelque temps, Harry et moi. En dehors des qualités qu'il avait démontrées dans la direction de notre agence londonienne, Geoff avait un enfant et nous en tenions compte. Je répondis donc à Cara : *Geoff reste à Londres. Oublie la Libye.* En me relisant, je soupirai, car je craignais, quant à moi, de ne pas pouvoir oublier. C'était impossible quand Zac passait son temps à m'en parler. Et s'il n'en parlait pas avec moi, c'était avec Harry. Il était comme envoûté.

Zac avait une très bonne connaissance des problèmes du Proche-Orient, et les événements en cours ne l'avaient pas étonné. Il décryptait les enjeux politiques, repérait les différentes factions sur le terrain, analysait leurs motivations et leurs objectifs. Il avait suivi le déroulement des événements au jour le jour depuis qu'un jeune Tunisien s'était immolé par le feu en réponse à de terribles injustices.

L'extension du mouvement à l'Egypte, à la Libye et ailleurs était selon lui prévisible. La plupart de ces pays souffraient d'un climat de grande violence. Les dictateurs qui les dirigeaient avaient su jusque-là étouffer d'une main de fer les tentatives de révolte. Désormais, ils n'y arrivaient plus, mais n'abandonnaient pas le pouvoir pour autant ; les bains de sang devenaient difficiles à éviter.

Comme tout le monde, j'ignorais quelle serait l'issue du conflit libyen. Je m'inquiétais surtout à l'idée que Zac s'engage plus avant, tant il avait besoin de faire savoir la vérité au monde entier. Cependant, tandis que j'avais peur de le voir partir sur un coup de tête, dopé par la montée d'adrénaline, il se contentait pour le moment de rester à l'écart.

Depuis qu'il avait quitté Nice, Zac semblait avoir retrouvé son équilibre. Quand il m'en avait parlé, il avait fini par rire en ajoutant : « J'ai été trop occupé par ma mère pour penser à mes problèmes ! J'ai dû les mettre à la poubelle. »

Et, en effet, depuis un mois que j'étais revenue, il n'avait eu aucun problème de comportement, aucune explosion de colère, aucun accès de violence, de mauvaise humeur ou de dépression. Au contraire, il avait travaillé sans relâche sur le livre de mon père, rédigeant présentations et légendes avec un talent que je ne lui soupçonnais pas.

Courage était à présent chez l'éditeur. Le livre devait sortir au printemps suivant, en 2012. Un autre éditeur avait signé très rapidement le contrat pour *La Serenissima*, et le travail de préparation était en cours. Dire que j'étais excitée par ces bonnes nouvelles était un euphémisme. Zac se sentait aussi heureux que moi et me disait que mon père aurait été fier de nous.

Zac vivait à la fois chez moi et chez lui, faisant des allers et retours entre les deux appartements. Cet arrangement nous convenait. Cela nous donnait de l'espace, ce dont nous semblions avoir besoin autant l'un que l'autre.

A ma grande surprise – une surprise agréable –, Zac avait commencé à écrire ses souvenirs. Il n'avait pas encore trouvé de titre et cela le perturbait. J'avais essayé de l'aider, mais sans succès. Il s'astreignait néanmoins à écrire un peu tous les jours, au moins quelques heures.

De mon côté, je m'étais remise à la biographie de mon père et j'avançais bien. L'enthousiasme de Zac pour son propre projet soutenait le mien. Son extraordinaire énergie était contagieuse.

Le soir, nous allions souvent à Broadway assister à un spectacle. Nous allions aussi au cinéma ou au restaurant – en particulier chez Rao avec Harry. D'une façon générale, nous menions ce que j'appelle une vie normale, travaillant le jour, prenant du bon temps le soir. Le sexe aussi nous occupait pas mal ! Le désir de Zac à mon égard ne faiblissait pas et j'éprouvais les mêmes élans insatiables que lui. Nous étions jeunes et amoureux ; nous dévorions la vie à pleines dents. Après toutes ces années passées à couvrir une guerre après l'autre, nous envisagions l'avenir avec sérénité.

La sonnerie du téléphone interrompit mes réflexions.

— C'est moi, Pidge !

La voix de Jessica me parvenait comme si elle se trouvait dans la pièce voisine, d'où ma question :

— Où es-tu ?

— A la maison, pourquoi ?

— Tu m'as donné l'impression d'être tellement près que j'ai cru... non, j'ai espéré que tu te trouvais à Manhattan.

— J'aimerais beaucoup, mais je crains d'avoir des problèmes ici, dans l'immédiat.

— Que se passe-t-il ? demandai-je, aussitôt inquiète.

— Le toit nous est tombé dessus, au sens propre du terme !

— Hein ? Mais comment est-ce arrivé ?

— Tu te souviens de cet orage, en avril ? Le soir du dîner en souvenir de papa ?

— Oui, il a plu toute la nuit. C'est ça qui a endommagé la toiture ?

— C'est ce que dit le couvreur. Pidge, je ne te parle pas de quelques tuiles, mais de toute une partie du toit, notamment au-dessus du salon octogonal de maman.

— Ah ! C'est affreux, Jess ! m'écriai-je d'une voix étranglée.

— Une grande partie du plafond a souffert, ainsi que le haut d'un mur, mais la cheminée et l'espace autour ne sont pas touchés.

— Ouf ! Je craignais que le portrait de maman ne soit détruit.

— Non, il n'a rien. Le mobilier est intact. Les dégâts se sont produits de l'autre côté de la pièce, autour de la porte. Le couvreur commence les travaux demain. Il y a d'autres réparations à faire au-dessus de la cuisine et au plafond de deux des chambres d'amis. C'est un gros chantier, Pidge.

— Veux-tu que je t'envoie de l'argent ?

— Non, bien sûr que non ! Nous avons réussi à régler l'acompte, Cara et moi...

— Je veux payer ma part, la coupai-je avec autorité.

Jessica n'insista pas et changea de sujet.

— Serena, je ne t'ai pas appelée seulement pour te donner de mauvaises nouvelles. J'en ai aussi de bonnes. On pourrait même dire un coup de chance.

— Comment cela ?

— Eh bien, une certaine Rita Converse, grande admiratrice de maman, a vu sur le site de Stone's la superbe photo de maman que j'ai choisie pour annoncer la vente de ses bijoux l'année prochaine. Sur cette photo, maman porte sa parure de perles et diamants de chez Harry Winston, le collier, les boucles d'oreilles, la bague et le bracelet. Le grand jeu ! Or, Rita a commencé à baver dessus et elle a expliqué à son mari que ce serait un parfait cadeau pour leur anniversaire de mariage. Pour faire bref, comme dirait Harry, Tom Converse veut voir les bijoux, faire une offre tout de suite et conclure une vente de gré à gré ! Il ne veut pas attendre l'année prochaine.

— C'est formidable, Jess ! Comme tu dis, un vrai coup de chance ! Quand vient-il ?

— La semaine prochaine. Le seul hic, Pidge, c'est que les boucles d'oreilles sont celles que maman t'a léguées : les fleurs en diamant avec les perles. Elles t'appartiennent.

— Non, Jess, elles nous appartiennent à toutes les trois. Et puis, tu ne pourras pas vendre le collier sans les boucles. Donc, n'hésite pas, vends le tout ! Débrouille-toi pour obtenir autant d'argent que tu pourras. Maman nous a laissé une partie de ses bijoux pour les jours de pluie, comme elle disait. Cela ne peut pas mieux tomber !

Je préparais le dîner quand j'entendis claquer la porte d'entrée. Un instant plus tard, Zac entrait dans la cuisine à grandes enjambées, souriant de toutes ses dents. Il était vraiment très beau, avec son épaisse chevelure noire, ses yeux verts rieurs. Le week-end précédent, celui du 4 Juillet, nous étions allés à Long Island et il avait bronzé. Zac n'était peut-être pas aussi spectaculaire que son père, qui avait un vrai physique de star, mais il ne passait pas inaperçu et, surtout, il possédait un charisme bien à lui.

— Bonjour, chérie !

Je n'eus même pas le temps de poser ma cuillère en bois qu'il m'enlaçait et m'embrassait à pleine bouche. Brandissant ma cuillère, je m'arrachai à son étreinte en riant.

— Tu veux avoir des taches de sauce sur ta chemise blanche ? lui demandai-je. Je te trouve de très bonne humeur, que se passe-t-il ?

— Oui, Pidge, je suis de très bonne humeur et très heureux ! J'ai trouvé un titre formidable pour mon livre. Du moins, c'est ce que je pense. Je ne sais pas si tu l'aimeras.

— Je t'écoute.

Sans répondre, il m'examina des pieds à la tête.

— Tu es très sexy dans cette petite robe ! Je te trouve très appétissante…

Je crus qu'il me taquinait mais, quand il voulut me reprendre dans ses bras, je compris qu'il avait d'autres intentions.

— Non, reste où tu es, Zac ! Tu sais que je ne pourrai pas résister et, dans ce cas, nous n'aurions rien à manger, ce soir.

— Aucun problème, dit-il en me faisant un clin d'œil. Je te croquerai, à la place.

— Mais je finis de préparer un hachis Parmentier comme tu l'aimes ! Allons, dis-moi à quel titre tu as pensé ?

— *Semper Fi.*

Je le dévisageai pendant quelques instants avant de comprendre.

— Oh ! Tu fais allusion aux marines, c'est bien ça ?

— Oui, c'est l'abréviation de *Semper Fidelis*, « Toujours fidèle ». La devise des marines. Car ils se vouent une loyauté sans faille les uns envers les autres. Ils ne laissent jamais un camarade derrière eux ; ils ramènent dans leurs lignes leurs morts aussi bien que leurs blessés. Dans les zones de combat où j'ai travaillé, j'ai presque toujours eu un marine à côté de moi et je les admire profondément. Pour moi, c'est un titre qui a du sens.

— Il me plaît beaucoup, Zac. C'est un titre excellent, dis-je en posant ma cuillère pour enlever mon tablier. Il faut fêter ça !

Il y avait une bouteille de Veuve Clicquot rosé au frais. Je la pris et la lui tendis.

— Est-ce que tu peux l'ouvrir pendant que j'égoutte les pommes de terre ?

Je ne voulais pas les laisser se défaire. Mon hachis ne ressemblerait plus à rien ! Zac s'exécuta sans cesser de sourire et sortit du buffet deux flûtes en cristal.

— Je me fie à ton jugement, Serena. Je poserai la question à Harry, mais ton avis me suffit. Ce sera donc *Semper Fi.*

Les flûtes s'entrechoquèrent avec un son délicat et nous bûmes au succès du livre.

— Allons nous asseoir quelques instants dans le petit salon de ta mère, reprit Zac en s'emparant de la bouteille. J'ai autre chose à te dire.

A peine installé à côté de moi sur le canapé, il nous resservit du champagne. Son expression avait changé.

— Serena, commença-t-il d'une voix contenue, tu ne vas pas aimer ça, mais je dois aller en Libye, je...

Je l'interrompis d'un cri, consternée.

— Zac, non ! Tu m'avais promis ! Je ne te laisserai pas partir, tu n'as pas le droit...

Figée, le dos raide, je le dévisageais.

— Mais, Serena, il ne s'agit pas d'une guerre ! C'est un soulèvement ; cela se passe dans les rues de Tripoli. Je veux aller voir ce qui se passe, juste une semaine ou deux. J'ai pensé...

— Et ton livre ?

— Il peut bien attendre quinze jours. Mais ce n'est pas la question. Serena, je voudrais que tu viennes avec moi. S'il te plaît, en souvenir du bon vieux temps ! Une dernière mission de photojournalistes, ensemble, pour dire adieu au métier.

— Un adieu qui pourrait bien être définitif, Zac... On risque de se faire tuer. Tu as perdu ton mordant, et moi aussi. De toute façon, Harry ne nous laissera pas partir. Il a peur pour nous. Il veut que nous soyons heureux ensemble, pas que nous mettions nos vies en danger.

Je dus m'arrêter pour refouler mes larmes. Zac posa sa flûte et me prit fermement par les épaules.

— Serena, il ne nous arrivera rien. Nous y allons, nous voyons ce qui se passe et nous repartons. Deux semaines ! Peut-être moins ! S'il te plaît, dis-moi oui. Viens avec moi, comme le vieux copain que tu as toujours été. Je surveillerai tes arrières et toi les miens. On fera un boulot formidable, à nous deux. Et ensuite, on rentre et on n'y retourne plus. Jamais !

Je ne dis rien.

— Je te le promets, insista-t-il.

M'écartant de lui, je le toisai froidement.

— Tu m'avais *déjà* promis que c'était fini.

— Je sais, mais là, c'est différent. Ce n'est qu'un soulèvement populaire. Le peuple contre un gouvernement despotique ! Contre le régime de Kadhafi !

— Mais il n'y a pas que la Libye ! D'autres pays se révoltent.

— Je veux dire la vérité. Le monde doit savoir ce qui se passe là-bas.

— D'autres que nous sont sur le terrain, Zac, et ils font leur travail ! On n'a pas besoin de nous.

J'avais martelé ces derniers mots.

— Si ! me répondit-il sur le même ton. On a besoin de nous. Nous sommes les meilleurs. Harry nous laissera partir. Serena, dis oui ! Nous avons toujours formé une équipe, toi et moi, comme Harry et Tommy.

Non, pensai-je sans le dire, pas tout à fait comme eux. Depuis combien de temps Zac avait-il préparé son petit discours ? Non, il avait plutôt obéi à l'impulsion du moment. Son charme naturel le rendait très persuasif, mais il n'était pas calculateur.

— Pourquoi restes-tu silencieuse, Serena ?

Il n'y avait que de l'amour dans ses yeux.

— Je ne peux pas prendre de décision pour l'instant, soupirai-je. Je dois y réfléchir.

36

— Je pense qu'il y a une distinction très discutable, dans cette histoire, dis-je.

Un éclair d'incompréhension apparut dans les yeux de Harry.

— De quelle distinction parles-tu ?

— De celle que fait Zac. A moins que ce ne soit moi, ajoutai-je avec un sourire ironique.

Harry ne voyait toujours pas de quoi il était question.

— D'après Zac, aller en Libye est moins dangereux que d'aller sur une zone de guerre, parce qu'il s'agit seulement d'un soulèvement de civils contre des soldats et que cela se passe dans les rues. Moi, j'estime qu'il s'agit d'un vrai champ de bataille : les civils sont armés ! comme les soldats ! C'est un endroit où nous mettrions nos vies en danger. Mais Zac ne veut rien entendre.

— Eh bien, il a tort, Serena, et tu as raison. Zac coupe les cheveux en quatre ! Il n'en reste pas moins que Tripoli, Benghazi, Syrte et les autres villes libyennes sont devenues des zones très dangereuses. Je ne vous autoriserais certainement pas à y aller ! Ni toi ni Zac ! Pour lui, c'est bien trop tôt pour se retrouver au feu. Il n'a plus le même mordant.

— Nous sommes donc sur la même longueur d'onde, Harry. Malheureusement, tu ne le feras pas changer d'avis. Tu connais son entêtement et il a retrouvé toute sa confiance en lui. Il est convaincu d'être plus fort que tout le monde.

— Dire qu'il m'avait annoncé ne plus vouloir faire ce métier parce qu'il voulait une vie normale. Avec toi.

Harry paraissait perplexe et inquiet pour moi.

— Le pire, c'est qu'il ne comprend même pas pourquoi je suis fâchée. Tu imagines ça ? En réalité, je ne suis pas fâchée, mais très déçue.

— Je vois… En fait, Zac pense qu'il n'a pas rompu sa promesse, parce qu'il ne va pas vraiment dans une zone de guerre. Tu ne crois pas, ma chérie ?

— Si, c'est ça, tu as raison. Pour être tout à fait franche avec toi, Harry, je ne suis pas seulement déçue. Je me demande si je peux encore lui faire confiance.

Harry me sourit affectueusement.

— C'est compréhensible, Serena, mais ne le juge pas trop vite. Il ne t'a pas encore quittée. Comment cela s'est passé entre vous hier soir ?

— Plutôt bien, puisque nous ne nous sommes pas disputés. Quand je lui ai dit que je voulais réfléchir et que je lui ferais part de ma décision plus tard, il n'a pas insisté.

— Pas de grande bagarre, alors ?

— Non ! En réalité, son annonce m'a fait un tel choc que je ne savais pas quoi dire. Et ce matin, quand je suis partie, il venait de se réveiller. Il m'a embrassée en me disant « à plus tard » ; c'est tout.

Le téléphone de Harry se mit à sonner. Je me renfonçai dans mon fauteuil pour le laisser répondre et je regardai autour de moi. Je connaissais si bien les photos exposées sur les murs avec les récompenses reçues par Harry pour son travail. Mon bureau – la pièce d'à côté – ressemblait beaucoup au sien. Avant que je m'y installe, c'était mon père qui l'occupait. J'avais gardé tous les souvenirs qu'il y avait entreposés. Je m'y sentais chez moi. A présent, je possédais la société avec Harry, mais cela n'avait rien changé pour moi. Je le laissais diriger Global Images comme il l'entendait.

Il avait terminé sa conversation et raccrocha.

— Excuse-moi, Serena ! Donc, si je comprends bien, Zac n'a pas sorti le grand jeu. C'est bon signe. Peut-être ne ressent-il pas autant d'assurance que tu le crois. Par ailleurs, il ne peut pas partir comme ça, il doit d'abord m'en parler, obtenir un visa, nous laisser le temps de tout organiser...

— Quand il viendra t'en parler, que lui diras-tu ?

— Non. Voilà ce que je lui répondrai ! Non, il ne pourra pas y aller. D'abord, je lui rappellerai qu'il avait renoncé à ce métier. Ensuite, qu'il t'a fait une promesse. Sans doute que je lui expliquerai aussi que, selon moi, il n'est pas prêt à se retrouver au milieu des combats.

Il fit une petite pause pendant laquelle nous échangeâmes un regard inquiet.

— Pour être franc avec toi, Serena, si Zac partait là-bas, je me ferais beaucoup de souci pour sa sécurité. D'après ce que nos gars sur le terrain m'ont dit, c'est le chaos. Ma chérie, je te garantis que je ne lui cacherai rien ! Je n'ai pas l'intention de prendre de gants avec lui.

— Je sais que tu lui diras la vérité. Harry, je viens de penser à quelque chose. Crois-tu que ce pourrait être un geste de bravade, une envie de retourner sur le terrain tout en sachant qu'il ne peut pas ?

— C'est tout à fait possible, ma chérie, tu as raison. Et si nous allions déjeuner ? Ce n'est pas si souvent que j'ai ce plaisir !

Je n'oublierai jamais la date du 14 juillet 2011 : ce jour-là, j'acquis la certitude que Valentina Clifford était en vie. Non seulement en vie, mais en pleine forme, et toujours photographe de guerre !

Il était environ six heures du matin, et j'étais en train de prendre mon café en lisant le *New York Times*. En page 6A de la section « International Pages », la photo d'un groupe de femmes retint mon attention à cause de Marie Colvin, immédiatement reconnaissable avec son cache-œil noir. Puis je remarquai la femme qui se tenait à côté d'elle : Valentina Clifford, d'après la légende. Elles faisaient toutes deux partie d'un groupe de six correspondantes et photographes de guerre tout juste arrivées à Tripoli pour couvrir les combats entre civils en armes et soldats.

Abasourdie, je laissai tomber le *New York Times* au sol et tentai de reprendre mes esprits. Mon cœur battait à tout rompre, la nausée me gagnait. Au bout de quelques minutes, ayant retrouvé un peu de calme, je ramassai le journal et me penchai à nouveau sur la photo. En réalité, elle n'était pas très bonne et même assez floue. Si le visage de Marie Colvin ne m'avait pas été aussi familier, je ne me serais pas arrêtée sur ce cliché.

La célèbre correspondante de guerre du *Sunday Times* de Londres était connue et respectée dans le monde entier. Américaine de naissance, elle avait grandi à Long Island et Zac était probablement son plus fervent admirateur. Il l'appelait « la courageuse et intelligente Marie », et je crois que tout le monde pensait à elle dans les mêmes termes. En tout cas, c'était vrai pour moi.

J'emportai mon journal et mon mug au bureau et m'installai sur le canapé. Tout en sirotant mon café, je réfléchissais à toute vitesse.

Le jeu avait changé. Ou, plutôt, une nouvelle joueuse était entrée dans la partie.

37

Zac me rejoignit bientôt et nous prîmes notre petit déjeuner. Après avoir débarrassé, je m'assis en face de lui.

— Je dois te parler de la Libye.

Ses yeux se mirent à briller.

— Tu te décides à m'accompagner ! Je savais que tu finirais par accepter.

Je le fixai sans indulgence malgré son grand sourire.

— Je n'ai pas dit que je venais, mais seulement que je voulais te parler de la Libye.

Son sourire s'éteignit.

— Bien, je t'écoute, Serena.

— D'abord, je tiens à te rappeler la promesse que tu m'avais faite de ne jamais retourner au front. L'aurais-tu oubliée, Zac ?

— Non, bien sûr, mais Tripoli n'est pas une zone de guerre, c'est...

— Arrête ! dis-je d'un ton sec. Tu joues sur les mots. Et tu refuses d'admettre que tu as rompu ta promesse. Tu dis qu'il s'agit d'une révolte populaire et que les combats opposent civils et soldats. Tu as raison, mais cela n'en reste pas moins des combats. Nous pourrions nous faire tuer aussi facilement qu'en Afghanistan. Pourquoi le nies-tu ? On sait qu'il s'agit de luttes sanglantes et violentes. Les gens meurent !

Zac me répondit calmement :

— C'est vrai, ça va vraiment mal, là-bas, d'après ce qu'on voit à la télévision, mais, sincèrement, je ne pense pas pouvoir en parler comme d'une zone de combat.

— Il vaudrait mieux pourtant que tu le fasses si tu veux que je parte avec toi. Je refuse de partir si nous ne nous disons pas la vérité toute nue, aussi brutale soit-elle.

A mon ton, il avait enfin compris que j'étais en colère et que ma décision serait inébranlable. Il fut assez intelligent pour se contenter d'acquiescer de la tête avec énergie.

— J'irai avec toi, Zac, mais à mes conditions.

— Très bien, cela me convient tout à fait. Je t'écoute !

— C'est la dernière fois que nous risquons notre vie. Si jamais tu t'avisais de vouloir repartir, ce serait définitivement terminé entre nous. Je ne te demande même pas de me le promettre. C'est à prendre ou à laisser. Est-ce que tu comprends, Zac ?

— Oui, je comprends. C'est d'accord, Serena, marché conclu ! C'est la dernière fois.

Je savais qu'il était sincère, ne serait-ce qu'à cause de l'appréhension que je lisais dans ses yeux.

— Je t'aime, Serena, reprit-il. Je ne veux pas te perdre.

— Cela n'arrivera pas tant que tu respecteras notre accord. Je t'aime aussi, ajoutai-je en souriant.

— Ouf ! lâcha-t-il en me rendant mon sourire. Mais tu as parlé de conditions au pluriel. Quelles sont les autres ?

Je lui tendis le journal plié à la page de la photo qui m'intéressait.

— Tu devras m'aider à trouver cette femme quand nous serons à Tripoli.

Il me lança un regard étonné.

— Marie ? Mais je croyais que tu la connaissais ?

— Oui, je l'ai rencontrée, il y a longtemps de cela, avec papa et toi. Il ne s'agit pas d'elle, mais de la femme d'à côté, Valentina Clifford.

— Je ne la connais pas, Serena ! Qui est-ce ?

— C'est la cousine germaine de maman. Nous avons perdu le contact avec elle. Nous ne savions même pas si elle était toujours en vie, et Harry non plus. Bref, je l'ai vue ce matin en ouvrant le journal.

— D'accord, mais pourquoi veux-tu reprendre contact ? Excuse-moi, ce doit être une question stupide. C'est parce qu'elle fait partie de ta famille ?

— Oui, c'est une des raisons.

Il écarquilla les yeux.

— Il y en a d'autres ?

— Oui, un point que je veux éclaircir avec elle.

— C'est en rapport avec ta famille ?

— Oui, et avec moi.

J'hésitai quelques instants avant d'aller chercher le classeur bleu de mon père, que j'avais rangé dans l'un des tiroirs de la cuisine. Puis je commençai à lui raconter l'histoire de Val, tout en lui montrant les clichés. Quand il découvrit la jeune femme nue et enceinte, il poussa une exclamation.

— Pourquoi y a-t-il ton nom dans les légendes ? C'est de toi qu'il s'agit ? Zut ! je dis n'importe quoi ; j'ai connu ta mère et ce n'était pas cette femme.

Il allait ajouter quelque chose, mais, après m'avoir jeté un long regard, il changea visiblement d'avis et se tut.

— Oui, dis-je, maman était bien ma mère. Mon acte de naissance le prouve et mes sœurs m'ont confirmé tous les détails. Il n'en reste pas moins que ces photos me dérangent, Zac. C'est pour cela que je veux parler à Val.

— Je ne peux pas t'en blâmer. Tu m'as dit que Harry avait assisté à cette prise de vue. Que t'a-t-il dit au sujet des photos où elle est enceinte ?

— Je ne lui en ai pas parlé. S'il sait quelque chose, il ne le dira jamais. Tu sais qu'on peut lui confier un secret !

— Tu as raison, Pidge. Ces légendes sont bizarres, c'est vrai. En tout cas, si on fait abstraction de l'éventuel secret que recèlent ces photos, il faut reconnaître que ton père était incroyablement en avance sur son temps ! Il les a prises des années avant qu'on voie celles de Demi Moore enceinte dans *Vanity Fair*.

J'approuvai de la tête. J'étais tout à fait de son avis.

— Donc, tu m'aideras à retrouver Valentina ? repris-je.

— Bien sûr ! Ce ne devrait pas être très difficile. Les journalistes se regroupent tous dans les mêmes endroits.

Zac s'interrompit et me regarda pensivement.

— Serena, que veux-tu lui demander ?

— Qui était ou est la Serena des légendes.

— Je comprends ! Mais il est impossible que ce soit toi, Serena, n'est-ce pas ?

— Je sais, mais je veux quand même lui poser la question. Ce mystère me trouble.

Un peu plus tard dans la journée, je me rendis à Global Images. Le temps de poser mes affaires dans mon bureau, je pris le dossier bleu dans mon sac et frappai à la porte de Harry avant de la pousser.

— Bonjour, Harry, je peux entrer ?

Il se leva aussitôt pour m'accueillir.

— Bien sûr ! Viens, on sera mieux sur le canapé pour parler. Je suppose que tu as vu la photo de Val Clifford ce matin ? Elle est donc toujours en vie.

— Et elle travaille pour une agence française, d'après le *Times*.

Je n'avais pas envie de perdre plus de temps et je lui tendis le classeur bleu.

— Harry, tu veux bien regarder ces photos ? Pas celles où elle danse, tu les connais, mais les deux dernières...

Si ma demande l'avait un peu étonné, il resta bouche bée devant Valentina enceinte. Il les étudia longuement et finit par les retourner. Je vis immédiatement qu'il ignorait tout de ces clichés. Il était sous le choc.

— Serena, dit-il enfin, je n'étais pas là quand Tommy les a prises. Il est évident qu'elles datent de quelques mois après la première séance, celle où nous avions fait les portraits de Val en train de danser pour Jacques Pelletier, son fiancé. A ce moment-là, elle n'était pas enceinte. Plus précisément, elle pouvait l'être, mais cela ne se voyait pas.

— Je comprends, Harry, mais d'où vient ce nom de Serena ?

— Je n'en ai pas la moindre idée. En tout cas, il ne s'agit pas de toi, ma chérie.

— Comment peux-tu en être certain ?

— Ne sois pas ridicule, voyons ! Elizabeth était ta mère et tu le sais aussi bien que moi. Tu n'as qu'à vérifier ton acte de naissance ! J'étais là, et tes sœurs également. Elles te le confirmeront.

— Nous en avons parlé et elles sont un peu étonnées, elles aussi.

— Il ne s'agit pas de toi ! insista-t-il.

Je lui trouvais pourtant l'air troublé. Je décidai de changer de sujet.

— Harry, j'ai autre chose à te dire. J'ai décidé d'aller à Tripoli avec Zac.

— Quoi ?!

Il était livide.

— C'est beaucoup trop dangereux, Serena ! Les combats s'intensifient, les gens meurent en masse et la presse n'est pas épargnée. D'après Yusuf Aronson, les journalistes sont même parfois pris pour cibles. Je refuse que tu partes. Je ne te laisserai pas jouer avec ta vie.

Je m'étais attendue à cette réaction.

— Harry, écoute-moi, s'il te plaît. Je dois y aller à cause de Zac. Il ne parle que de partir là-bas et, si je ne l'accompagne pas, ce sera la fin de notre relation. Il verrait mon refus comme une trahison, un abandon. Ne me dis pas que Tommy et toi n'avez pas ressenti la même montée d'adrénaline, le besoin irrésistible de se jeter au milieu de l'action, où que ce soit, le besoin de témoigner, de dire la vérité au monde entier, de prendre ces photos qui ne mentent pas !

— Oui...

Incapable de poursuivre, il secoua la tête dans un geste d'impuissance. Ses yeux brillaient de larmes.

— Si tu n'y vas pas avec lui, reprit-il, il rompra vraiment ?

— Oui, sans le moindre doute ! Mais il n'y a pas que ça : je veux pouvoir veiller sur ses arrières.

Harry grogna, soupira... Il semblait presque désespéré.

— Et il doit en faire autant pour toi, Serena. Je verrai Zac aujourd'hui ou demain. Il y a de la paperasse à préparer, des mesures à prendre. Je veux également m'assurer qu'il ne te lâchera pas des yeux un seul instant.

— Il le sait, Harry. Donc, tu nous donnes le feu vert ?

— Ai-je le choix ?

— Tu pourrais refuser.

Il soupira de nouveau.

— Une autre question, Serena, dit-il lentement. Ton désir d'aller à Tripoli a-t-il un rapport avec Val Clifford ?

— Mais non, Harry ! Cela ne concerne que Zac. Je l'aime. Et je te promets que c'est notre dernier reportage en zone de combat. Je l'ai dit à Zac et il est d'accord.

— Ce serait la sagesse la plus élémentaire.

Harry se leva pour prendre place derrière son bureau.

— Je pose quand même certaines conditions, Serena, et tu dois les accepter. Sans cela, tu ne pars pas. Je ne signerai pas ton ordre de mission.

Je lui fis signe que j'acceptais.

— Je mets Yusuf Aronson à votre disposition. Il ne te lâchera pas d'une semelle. Compris ? Pas un seul instant et sous aucun prétexte ! Yusuf sera comme ton ombre. Tu as compris ?

Il avait presque crié ces derniers mots.

— Oui, Harry ! m'empressai-je de répondre. Yusuf restera avec moi vingt-quatre heures sur vingt-quatre, que cela plaise à Zac ou non.

— Bien ! Ensuite, tu devras me faire un rapport quotidien, deux fois par jour si c'est nécessaire. Et tu obéiras à Yusuf, surtout s'il estime qu'il y a du danger. Vu ?

— Oui, Harry ! Tu sais que j'admire Yusuf et que je lui fais confiance. Cela ne me pose aucun problème et il n'y en aura pas plus pour Zac.

— Cela vaudrait mieux ! Il doit comprendre que Yusuf sera là pour te protéger. D'accord ?

— Oui, et merci, Harry. Merci de nous laisser partir.

— C'est bien malgré moi.

La profonde inquiétude de Harry ne m'avait pas échappé. J'en avais déduit qu'il possédait plus d'informations sur la situation en Libye que nous. Les reportages télévisés ne disent pas tout. Et puis, voir des horreurs sur le petit écran n'est pas la même chose que de se retrouver sur le terrain, au milieu du chaos et des destructions. Je comprenais donc très bien pourquoi Harry voulait que Yusuf soit mon garde du corps personnel. Pas celui de Zac ni de personne d'autre. Il se moquait bien de savoir si Zac prendrait bien ou mal cette intrusion dans notre vie. En effet, avec Yusuf dans les parages, nous n'aurions plus d'intimité. Mais je n'avais pas l'intention de discuter avec Harry. Il avait édicté des règles et je m'y conformerais.

Un autre problème cependant avait surgi. J'étais pratiquement certaine d'être enceinte. Divers signes m'avaient alertée. En rentrant chez moi, je m'arrêtai dans une pharmacie pour acheter ce dont j'aurais besoin en Libye ainsi qu'un test de grossesse. J'en pris même un second pour contrôler le résultat du premier.

Une demi-heure plus tard, je connaissais la réponse : test positif ! Le premier comme le deuxième. J'étais enceinte et je partais en reportage de guerre…

Que faire ? Devais-je le dire à Zac ? Devais-je renoncer à mon projet ?

38

Yusuf Aronson faisait trois mètres de haut. Enfin, pas vraiment ! Juste un mètre quatre-vingt-dix ! Cependant, il se perchait volontiers sur un petit escabeau pliant quand il voulait être vu, par exemple quand il devait retrouver quelqu'un au milieu de la foule des arrivées à l'aéroport de Tripoli. Je le repérai donc sans problème et lui fis de grands signes.

— Pidge ! l'entendis-je hurler quand il me vit.

Il agitait un mouchoir blanc, quoique ce fût une précaution inutile. Zac et moi récupérâmes nos bagages, peu de choses en réalité, et tentâmes de nous frayer un chemin au milieu d'une foule très compacte. Des gens qui attendaient des parents ou des amis, sans doute. Nous étions comme pris au piège. Yusuf se trouvait au-delà de cette foule et me criait ses instructions.

— Pidge ! Vers la droite, va sur ta droite ! Aussi loin que tu pourras !

— D'accord ! hurlai-je à mon tour en agitant mon écharpe.

Cramponnée à mes bagages, j'agrippai le bras de Zac.

— Viens, faisons ce qu'il dit.

Passant devant moi, Zac commença à se glisser entre les gens, tandis que je me faufilais derrière lui. Cela me sembla durer une éternité. Puis un mur arrêta notre progression. J'aperçus une porte en métal et je tentai de l'ouvrir, mais elle était verrouillée de l'extérieur. Alors que nous nous demandions que faire, elle s'ouvrit enfin et Yusuf apparut, souriant de toutes ses dents. Derrière lui, se tenaient Ahmed et Jamal, ses compères, comme je les appelais. Lui parlait de ses associés et Zac des larbins de Yusuf ! Je vis que Jamal portait l'escabeau pliable qui avait servi un peu plus tôt et je souris en moi-même.

Yusuf m'ouvrit grands ses bras et je disparus dans son étreinte de géant. Puis il se tourna vers Zac.

— Salut, mon vieux, content de te revoir !

Il avait un délicieux accent anglais. Avec une mère libanaise, un père suédois et une éducation anglo-suédo-arabo-française, Yusuf était un polyglotte de premier ordre.

— Où diable sommes-nous ? demanda Zac en regardant autour de lui.

— Dans le parking ! J'ai dégoté une clé. Venez, c'est par là...

Il nous guida d'un pas vif jusqu'à un grand van noir. Tandis que ses « associés » s'occupaient des bagages, nous nous installâmes sur la banquette arrière. Ahmed prit place au volant et Jamal à côté de lui. En quelques minutes, nous fûmes sur la route de Tripoli.

— Nous avons des chambres au Rixos Hotel, dit Yusuf. C'est un des meilleurs. Ça vous plaira et, surtout, il n'est pas trop près des combats.

— J'en ai entendu parler, répondit Zac. Il paraît que c'est assez luxueux ?

— Oui, et je l'aime bien parce que beaucoup de journalistes y résident. Cela permet d'avoir une certaine vie sociale et de prendre un verre sans être seul. Sans compter que c'est un bon moyen de recueillir des renseignements et d'avoir une longueur d'avance, dit-il d'un air entendu.

— As-tu vu des gens que nous connaissons ? demandai-je.

J'espérais qu'il parlerait des six femmes de la photo.

— Oui, des correspondants de CNN, la BBC et ITV. Des gens de Londres, mais aussi des Français et des Italiens, et toutes les agences de presse, évidemment.

— Marie Colvin est là ? s'enquit Zac.

— Non, répondit Yusuf. J'ignore où elle est, mais il y a beaucoup de correspondantes dans le pays, en ce moment. A propos, j'ai les équipements habituels pour vous à l'hôtel, les treillis et les casques. Vous allez en avoir besoin. Il n'y a plus aucun répit dans les combats. A mon avis, ça ne fait que commencer ; les rebelles ne vont pas lâcher, et ils sont très bien armés.

— D'après toi, quels sont les développements probables de la situation ? lui demandai-je.

— Franchement, je l'ignore. Kadhafi est un dur à cuire et un sale type très rusé. En plus, il a l'armée à son service. De l'autre côté, les rebelles sont très dangereux et décidés à avoir sa peau. Ils veulent installer un nouveau gouvernement.

— Si les rebelles gagnent, quel sera le résultat final ? dit Zac pensivement. Quelle sera la différence ? Regarde comment ça tourne en Egypte.

— Oui, je sais à quoi tu fais allusion. Les Frères musulmans sont bien implantés dans le pays. On parle du Printemps arabe, mais je crains que ça ne se transforme en Hiver arabe. Ici, tout le monde pense que Kadhafi se battra jusqu'au bout et fera durer le conflit aussi longtemps qu'il le pourra.

— Tu ne crois pas à sa défaite ? demandai-je.

— Je ne sais pas ; personne ne le sait. Ce qui est certain, c'est que beaucoup de Libyens le haïssent, lui, sa famille, et surtout ses fils, Saïf par-dessus tout. Vous savez comment on l'appelle dans la rue ? ajouta Yusuf en riant. Le play-boy de Londres ! C'est là qu'on apprend le plus, dans la rue arabe.

Le Rixos Hotel avait tout d'un palais ! L'immense hall d'entrée et l'atrium n'étaient que marbre, miroirs et verre, avec une profusion de lustres en cristal étincelant. Un vaste escalier avec des tapis rouges et une rampe en cuivre menait aux étages. Des arbres en pots ornaient les balcons de l'atrium.

Yusuf attendit que nous soyons enregistrés à la réception, puis il nous accompagna jusqu'à nos chambres. Le groom nous suivit avec le chariot à bagages. Le salon de ma suite m'arracha une exclamation.

— Yusuf, tu as perdu la tête ! C'est immense.

Le mobilier, les tissus d'ameublement, les antiquités disposées un peu partout, tout était magnifique.

— Harry doit être fou, lui aussi, ajoutai-je.

— Non, dit Yusuf en riant, je n'avais tout simplement pas le choix. Les autres hôtels sont pleins et, comme j'ai ordre de ne pas te lâcher d'une semelle, j'avais absolument besoin de chambres contiguës.

Il se dirigea vers une porte à double battant à l'extrémité du salon et l'ouvrit.

— Ça, c'est votre chambre. Moi, je dormirai sur le divan dans le salon. En réalité, c'est un lit d'une personne.

— Je vois... murmurai-je.

Sans un mot, Zac alla ouvrir une deuxième porte. Il se retourna vers Yusuf.

— Il y a une autre chambre, ici, avec deux lits d'une personne !

— Oui, c'est pour mes associés.

— On va être un peu serrés, non ? remarqua Zac d'un ton sec.

Sans laisser paraître ce qu'il pouvait en penser, Yusuf répondit de sa voix cultivée d'ancien étudiant d'Oxford :

— En effet, mais ce sont les instructions de Harry et c'est lui le patron. N'oubliez pas qu'il peut nous ordonner de rentrer à n'importe quel moment ! Il est loin, mais c'est lui qui commande. Et ici, c'est moi...

— J'en suis très heureuse, Yusuf, dis-je précipitamment. Tu connais le pays infiniment mieux que nous, et nous t'écouterons. Je te le garantis ! Nous ne pourrions pas nous débrouiller sans toi.

— Bien sûr que si, Serena, mais je vous faciliterai la vie et je suis en relation avec beaucoup de gens, au gouvernement et dans l'armée. Tu n'as donc aucun souci à avoir. J'ai même des bons contacts chez les rebelles.

— Très bien, Yusuf. Je voulais te poser une question : pourquoi m'as-tu appelée Pidge, à l'aéroport ? Tu ne l'avais jamais fait.

Ses yeux bleus pétillèrent de malice.

— Je ne voulais pas crier « Serena ». Tout le monde sait que c'est un nom de fille. « Pidge », en revanche, personne ne connaît. D'ailleurs, moi-même, je n'ai aucune idée de ce que ça veut dire.

— Personne ne le sait, intervint Zac d'un ton plus aimable avant de disparaître dans notre chambre, en direction de ce qui devait être la salle de bains.

Je m'assis et désignai le divan.

— Yusuf, je crains que ce ne soit pas très confortable pour toi. Il est trop court !

— Je serai très bien et, de toute façon, je ne peux rien y changer. Harry m'a confié ta vie, Serena, et je ne prendrai aucun risque. Je ne laisserai rien au hasard. Cela dit, je pense que je t'autoriserai à fermer la porte de ta chambre pendant la nuit ! Même si Harry m'a ordonné de ne pas te quitter des yeux, ajouta-t-il avec un sourire affectueux.

— Il exagère ! répondis-je en éclatant de rire.

— Il t'aime comme un père aime sa fille.

— Je sais et il est comme un père pour moi. Mais...

Je regardai autour de moi, intriguée.

— Où sont Jamal et Ahmed ?

— Ils sont allés faire quelques courses. Que dirais-tu de manger un morceau ? Tu dois être affamée.

— Oui. Pourtant, nous avons pris un bon petit déjeuner à Venise avant de partir. C'est une bonne idée de s'y arrêter pour la nuit au lieu d'arriver directement de New York. Je sens moins les effets du décalage horaire.

— Je fais toujours ça, moi aussi, quand je viens de New York. Bon, je te propose de commander le déjeuner. Ensuite, nous ferons le point avec toi et Zac pour être prêts demain matin.

— On ne sort pas cet après-midi ? demanda Zac depuis le seuil de la chambre.

— Non, il faut d'abord vous nourrir et vous reposer ; c'est plus raisonnable.

— Cela me convient, répondis-je.

Une expression maussade sur le visage, Zac se dirigea vers l'endroit où étaient remisées sa sacoche et sa valise à roulettes.

Je savais qu'il n'aimait pas l'idée que Yusuf soit avec nous en permanence, mais il nous fallait suivre les conditions posées par Harry. Je m'étais débrouillée pour amener Zac là où il voulait être et il devrait obéir, content ou pas content !

Yusuf nous suggéra de prendre des club-sandwichs – d'après lui un des meilleurs plats que nous pouvions obtenir – avec du thé au citron. En attendant la commande, je m'éclipsai dans ma chambre, les laissant discuter de la situation dans le pays. Je transférai le contenu de ma valise dans les tiroirs de la commode. Je n'avais pris que des vêtements en coton à cause de la chaleur, des sous-vêtements en quantité, deux paires de baskets solides et confortables, des socquettes, cinq pantalons et dix tee-shirts, tous noirs. Selon les recommandations de mon père, que j'avais toujours suivies, je ne portais que du noir dans les zones de combat pour ne pas attirer l'attention. J'avais aussi pris quelques vêtements kaki, en cas de besoin.

Ensuite, je sortis de mon sac à bandoulière mon téléphone satellitaire, deux BlackBerry et deux téléphones portables. Je rangeai le tout dans ma table de nuit, puis je vérifiai ma sacoche photo. Tout était en ordre. Enfin, je m'allongeai. Je me sentais un peu nauséeuse, peut-être à cause de la chaleur écrasante.

En repensant aux instructions données par Harry à Yusuf, j'eus envie de rire. J'avais l'intention d'en parler à Yusuf. Il me semblait plus raisonnable de prendre une autre chambre pour Jamal et Ahmed. Ainsi, Yusuf s'installerait dans la leur et Zac serait plus à l'aise. En toute franchise, moi aussi.

Yusuf Aronson était un homme formidable et un remarquable photojournaliste. A quarante et un ans, il travaillait pour Global Images depuis dix-sept ans. Diplômé d'Oxford, il avait commencé comme assistant de Harry à vingt-quatre ans. Il parlait plusieurs langues – anglais, suédois, arabe, français, espagnol et italien –, ce qui en faisait un allié précieux.

On sentait un homme habitué à un milieu cosmopolite. Sa mère était née à Beyrouth mais avait passé sa jeunesse à Paris, où son père possédait plusieurs entreprises. Très belle,

elle avait été mannequin chez Dior avant d'épouser Sven Aronson, un diplomate suédois, en 1970. Yusuf était leur fils unique. Il avait hérité de son père son regard bleu si vif, sa silhouette mince et sa taille de géant, tandis que ses cheveux bouclés noirs et sa peau mate venaient de sa mère. Yusuf avait une sœur, Leyla, qui créait de très beaux vêtements faits à la main, presque des œuvres d'art, et très coûteux. Les Aronson formaient une famille unie, comme la mienne.

Yusuf et sa femme, Carlotta, habitaient à Paris. Yusuf cependant parcourait le monde en permanence. Harry l'avait surnommé l'ambassadeur itinérant de Global Images. En fait, c'était le meilleur d'entre nous pour résoudre les problèmes. Harry exploitait aussi ses qualités de gestionnaire et l'envoyait parfois remettre sur pied telle ou telle de nos agences.

Pour l'instant, toutefois, il était là pour me protéger et m'aider de toutes les façons possibles. Capable de régler les pires problèmes avec le sourire, Yusuf ne se départait jamais de son calme et de sa gentillesse, et ne se laissait jamais démonter par quoi que ce soit.

J'étais consciente de devoir respecter plusieurs impératifs au cours des jours à venir. D'abord, je ne devais pas laisser Zac et Yusuf deviner que j'étais enceinte. Ensuite, je devais prendre soin de ma santé. Enfin, je ne devais pas parler de Valentina Clifford à Yusuf. Il risquait d'en parler à Harry.

Un léger coup tapé à la porte me fit ouvrir les yeux. Zac passa la tête à l'intérieur de la chambre.

— Tu vas bien, Pidge ?

Il paraissait inquiet pour moi.

— Oui, dis-je en me redressant. Je me sentais fatiguée par le décalage horaire, mais ça va mieux.

— On vient de nous apporter nos sandwichs, me dit-il en souriant. Tu devrais manger. Et Yusuf veut nous faire faire le tour de l'hôtel. On pourra rencontrer d'autres journalistes et prendre un verre avec eux.

— Parfait ! Donne-moi une minute, je vous rejoins.

J'allai me rafraîchir dans la salle de bains, tout en me demandant si nous avions une chance de croiser Valentina Clifford au Rixos.

Yusuf avait dit vrai : l'hôtel était plein de correspondants de guerre et de photographes du monde entier. J'en reconnus certains dans le hall et échangeai quelques mots avec eux. Ensuite, nous prîmes un verre avec des amis de Yusuf. Au fur et à mesure que passait la soirée, je me sentis de plus en plus soucieuse. Plusieurs zones de combat s'étaient déclarées dans la région Des détachements de rebelles, lourdement armés, avaient investi de nombreuses villes. Ils menaient une guerre sans merci contre le régime honni de Kadhafi. La violence gagnait l'ensemble du pays.

Une vague d'appréhension m'envahit. Avais-je commis une terrible erreur en venant dans ce pays pour faire plaisir à Zac ? Lui faire plaisir et… chercher Valentina Clifford. Je sentis s'insinuer en moi une angoisse nouvelle, d'une intensité que je n'avais jamais ressentie auparavant. Je devais me rendre à l'évidence : le bébé changeait tout. J'avais pris un risque.

39

Notre première sortie eut lieu le lendemain, très tôt. Le dimanche 24 juillet.

La ville était déchirée par les combats. L'affrontement faisait rage depuis le mois de février et cela se voyait : murs effondrés, vitres en miettes, bâtiments réduits à l'état de ruines. Partout, mort et destruction. Et la haine.

La chaleur montait déjà, faisant trembler l'air. La température serait terrible dans la journée. Nous nous dirigions vers Green Square, une place où les rebelles et l'armée de Kadhafi s'affrontaient. Nous portions un gilet pare-balles et un casque, tous deux bleu marine et marqués du mot « presse » en grosses lettres blanches. Personne ne pouvait se tromper sur notre statut. D'autres correspondants de presse arrivaient, équipés de la même façon.

Tandis que nous progressions, je sentais le poids de mes deux appareils photo autour de mon cou. Dans le sac que je portais en bandoulière, se trouvaient un bloc-notes, des stylos, mon téléphone satellitaire, mes quatre autres téléphones, ma carte de presse et mes papiers d'identité, mes cartes de crédit et des espèces. J'avais également de l'argent dans les poches de mon pantalon. Il fallait garder tout cela sur soi au cas où l'on devrait s'enfuir sans pouvoir passer par l'hôtel.

Zac gardait le silence, comme à son habitude, scrutant les alentours au fur et à mesure de notre prudente avancée vers la place. Je marchais à côté de lui. Ensuite, venaient Yusuf puis Ahmed et Jamal en arrière-garde.

De la place, nous parvenait le vacarme des tirs de fusils, des explosions, des cris, des hurlements de souffrance ou de joie. Quelques secondes plus tard, nous étions avalés par la foule. Yusuf se rapprocha de moi, me prit par le bras et m'entraîna.

— Allons par là, du côté des rebelles, murmura-t-il. C'est plus sûr pour nous.

Je suivis des yeux la direction qu'il m'indiquait.

— Yusuf, ils n'ont pas l'air de rebelles mais de bandes hétéroclites ! Ils sont tous aussi désorganisés ?

— Je le crains, mais ils compensent leur manque d'organisation par l'enthousiasme et la détermination. En plus, ils savent tirer !

Ses derniers mots furent noyés dans le déchaînement des armes automatiques. Un pick-up fit une embardée en tournant le coin de la rue à toute allure, une mitrailleuse montée à l'arrière, et actionnée par un soldat en uniforme. D'autres véhicules suivaient, également occupés par des hommes des forces fidèles à Kadhafi. Ils agitaient leurs fusils, hurlaient et tiraient dans tous les sens.

Des rebelles se mirent à courir, tout comme nous. Yusuf nous guida vers un endroit moins dangereux, à l'angle d'une ruelle. Je vis deux femmes terrifiées, vêtues de noir et recroquevillées contre un mur. Une troisième était par terre, allongée sur le ventre, apparemment incapable de bouger. Il y avait aussi une fillette d'environ trois ans avec d'immenses yeux noirs dans un visage sale, et qui portait un tee-shirt trop grand en guise de robe. Elle me fixait. Je lui souris. Elle me rendit mon sourire, puis agita sa petite main vers moi. Je braquai mon appareil photo sur elle et pris plusieurs clichés.

Les deux femmes m'observaient d'un regard angoissé. J'avançai lentement et prudemment vers elles. Celle qui était allongée par terre était plus âgée. Un immense chagrin était peint sur son visage et des larmes coulaient de ses yeux noirs. Elle baignait dans son sang et je compris avec un choc qu'elle était sans doute en train de mourir.

— S'il vous plaît, dit l'une des femmes, aidez-nous !

— Oui, oui…

Me retournant, je découvris que Yusuf m'avait suivie.

— Cette femme s'est fait tirer dessus, lui dis-je. Elle me semble dans un état critique.

— Je vais appeler les urgences à l'hôpital, parfois ils ont des ambulances dans le secteur. Malheureusement, les hôpitaux débordent de blessés.

Il m'escorta ensuite de nouveau vers la place, où je suffoquai presque tant étaient forts les relents de poudre, de sang, de sueur et de chair brûlée.

— Quelle puanteur ! grognai-je entre mes dents.

Yusuf détourna brièvement la tête pour me regarder.

— Tu peux le dire ! C'est l'odeur de la guerre, de la haine et de la peur…

Il appela ensuite l'hôpital pour expliquer où se trouvait la blessée et donna son nom.

— J'ignore s'ils viendront ou pas, me dit-il en raccrochant.

Soudain, il me tira dans l'abri d'un porche où nous restâmes tapis, observant les événements qui se déroulaient sur la place. J'avais mis les pieds dans un pays en pleine guerre civile. Deux factions s'affrontaient dans un climat de haine et de colère pour le contrôle d'un pays dont les sous-sols étaient très riches en pétrole, mais où la majorité des gens vivaient dans une extrême pauvreté… Comment s'étonner que ce peuple ait fini par se soulever pour faire la révolution ? Et pour renverser Kadhafi, qui les dirigeait depuis quarante-deux ans en leur volant leurs richesses, leur santé, leur bien-être et leur bonheur, sans parler des droits de l'homme !

Oui, j'étais bien au front, il n'y avait pas à en douter en dépit de tout ce que Zac avait pu dire. Qui gagnerait cette guerre civile ? Je l'ignorais, même si j'espérais la victoire des rebelles. Ces gens qui avaient été trompés et piétinés méritaient la liberté et l'égalité.

Je voulais rester pour voir si l'ambulance arrivait, mais Yusuf m'obligea à nous éloigner de toute cette violence. Les hommes étaient très excités, prêts à tuer n'importe qui. Et la foule pouvait devenir à tout moment incontrôlable. Zac se mit en route derrière nous sans cesser pour autant de photographier. Ahmed et Jamal le suivaient, sans doute pour le protéger. J'avais remarqué en quittant l'hôtel qu'ils étaient armés. Je n'avais rien dit, cela ne me regardait pas. C'était Yusuf le chef !

Les tirs s'intensifièrent. La foule hurlait de toutes ses forces sous l'effet d'une colère croissante. Et il n'était même pas encore midi ! Yusuf nous fit quitter les environs de la place à toute vitesse.

— Il y a trop de monde, ça va être le chaos, et les morts vont pleuvoir. Mauvaise journée !

Zac nous rejoignit à cet instant.

— Il y a des enfants parmi les rebelles ! De très jeunes adolescents...

— Oui, répondit Yusuf. Ils sont inexpérimentés, pas entraînés, mais animés du désir de secouer le joug, de se libérer de Kadhafi. On se demande comment ils ont réussi à s'emparer de certains quartiers, ici comme ailleurs.

— Oui, à Benghazi, je sais, dit Zac. J'ai vu ça à la télévision avant de partir. CNN a fait des reportages formidables.

— Ils étaient presque écrasés, reprit Yusuf. Sans les frappes de l'OTAN, la ville serait rasée aujourd'hui. Les combats ont été d'une violence et d'une brutalité incroyables.

— Et certains ne sont que des enfants ! répéta Zac.

— Des étudiants, des ouvriers du pétrole, des médecins, des ingénieurs, des paysans, des juristes, énuméra Yusuf. En d'autres termes : des civils ! Ils composent ces milices hétéroclites qui font face aux forces armées de Kadhafi, armée de terre, marine et aviation. Je leur tire mon chapeau.

Au cours de la semaine, Yusuf nous emmena régulièrement à Green Square, mais aussi dans les quartiers périphériques et les faubourgs de Tripoli et dans quelques villages du désert. Les combats s'intensifiaient partout, la violence aussi. Le feu de l'enfer semblait s'être déchaîné.

Le pays tout entier était dévoré par la révolution. Chaque jour, surgissaient de nouvelles milices armées. Personne ne pouvait nous dire d'où provenaient les armes, mais j'avais vu de nombreux soldats de Kadhafi avec des kalachnikovs.

Sur les réseaux sociaux, les informations se propageaient à une vitesse démente, si bien que tout changeait de minute en minute. Cela ne laissait guère le temps de réfléchir.

La violence, le bruit, les morts... Tout cela commençait à me peser, ainsi qu'à mes compagnons. Même Ahmed et Jamal avaient l'air épuisés et démoralisés. Ils parlaient très peu, avec une extrême politesse, et toujours pour offrir leur aide. Chaque soir, j'insistais pour que nous prenions le temps de nous reposer un peu et de nous changer avant de descendre dîner. Evidemment, il fallait que Yusuf fasse son rapport à Harry et que nous lui parlions aussi, Zac et moi.

Certains soirs, nous avions envie de rester au Rixos. D'autres fois, nous préférions sortir et allions dans des hôtels comme le Corinthia, dans l'espoir d'y rencontrer des journalistes que nous connaissions.

Je n'osais pas, cependant, m'enquérir de Valentina Clifford. Zac s'offrit donc à le faire pour moi. Un soir, il eut une réponse. Un correspondant de guerre d'une chaîne française, Henri Brillet, avait entendu parler d'un groupe de femmes journalistes parties à Syrte. D'après lui, Valentina Clifford était du nombre, avec une Française, Ariel Salle, et peut-être Marie Colvin. Zac exprima des doutes au sujet de Marie, trop avisée pour prendre ce genre de risques. Personne ou presque n'osait plus s'aventurer à Syrte tant la zone était dangereuse.

J'attendis que nous soyons couchés pour en parler avec Zac.

— Je veux aller à Syrte pour voir si nous pouvons entrer en contact avec Val.

Zac fit une petite grimace et soupira.

— Pourquoi pas ? Kadhafi est né à Syrte et nous pourrions peut-être faire des clichés emblématiques de membres de sa famille. En fait, ajouta-t-il avec un petit rire ironique, à Syrte, tout le monde fait partie de sa famille ! C'est la raison pour laquelle nous ne devrions pas y aller, Pidge. C'est trop dangereux.

— Mais nous pourrions prendre des photos exceptionnelles ! Cela vaut la peine d'essayer. Tu dois en parler à Yusuf. Zac, tu dois le faire.

— Non ! dit-il avec un regard dur. Il sera toujours plus complaisant avec toi. Il a un faible pour toi.

Il se mit à rire, comme pour me convaincre qu'il n'était pas jaloux. Mais je savais qu'il l'était !

— Il vaut mieux que cela vienne de toi, Zac. Si je lui demande, moi, cela va lui paraître étrange et il en parlera à Harry. Et Harry finira par découvrir que Val se trouve à Syrte.

— Mais comment le pourrait-il ! répondit Zac avec exaspération. Henri Brillet n'a aucune certitude.

— Oui, c'est vrai. Tu as raison, il vaut mieux ne pas y aller… Pourrais-tu quand même lui en toucher un mot, Zac ? S'il te plaît !

Naturellement, le lendemain matin, la réponse de Yusuf fut un « non » retentissant.

— Trop dangereux, surtout pour les journalistes ! A moins d'être un soldat de Kadhafi, un membre de sa famille, un de ses courtisans ou de ses amis, la ville est dangereuse pour tout le monde. Elle regorge de loyalistes et ils nous abattraient sans hésiter. N'oubliez pas que nous sommes la presse étrangère et qu'ils se méfient de nous !

Je connaissais suffisamment Yusuf pour comprendre que toute discussion était inutile. Si nous insistions, il en parlerait à Harry. J'abandonnai donc mon idée, au grand soulagement de Zac, je crois…

Quelques jours plus tard, alors que nous nous trouvions dans un village du désert, non loin de Tripoli, je me sentis soudain nauséeuse et assez mal. J'expliquai à Yusuf et à Zac que je devais rentrer à l'hôtel parce que je n'en pouvais plus. Sans élever la moindre objection, ils revinrent avec moi au Rixos, inquiets et impuissants.

Ce malaise m'étonnait parce que je n'avais pas encore de nausées matinales. En arrivant à l'hôtel, cela se transforma en violents vomissements. C'était très inhabituel chez moi. Toutefois, j'étais enceinte et je me dis que cela expliquait probablement mon indisposition.

A Zac, je fournis une explication différente, celle d'une indigestion, et il l'accepta sans discuter, ajoutant que lui-même ne se sentait pas très bien. Dans la soirée, ce fut au tour de Yusuf d'avoir des problèmes d'estomac. Je me détendis à l'idée que nous souffrions d'une intoxication alimentaire.

Le lendemain, en fin d'après-midi, nous étions tous les trois installés au rez-de-chaussée du Rixos, en train de boire des boissons glacées. Il faisait une chaleur épouvantable et nous avions décidé de faire une pause et de nous détendre. L'air conditionné de l'hôtel et de grands verres de thé glacé nous aidaient à nous rafraîchir. La conversation portait sur Kadhafi : il était toujours à Tripoli, du moins d'après ce qui se disait. En réalité, il se cachait avec sa famille et ses fils adultes. Nous nous demandions ce qu'il allait faire.

Alors que Yusuf émettait l'idée qu'il essayerait peut-être d'exfiltrer sa femme et les plus jeunes de ses enfants vers un autre pays, vraisemblablement l'Algérie, je vis Henri Brillet, le correspondant de guerre français, s'approcher de notre table d'un air grave.

Je lui proposai de se joindre à nous, mais il déclina poliment l'invitation et se tourna vers Zac.

— J'ai de mauvaises nouvelles. Val Clifford et Ariel Salle ont été tuées aujourd'hui, ainsi que deux journalistes anglais. Une vraie tragédie...

Je m'étais figée.

— Henri, dit Zac, c'est affreux ! Es-tu sûr de tes infos ?

— Oui, je les tiens d'un caméraman de la BBC.

— Quelle horreur ! murmurai-je. Je ne supporte pas que des journalistes meurent en faisant leur travail. Nous sommes ici pour rendre compte des événements, pour chercher la vérité, pas pour nous battre.

Yusuf hocha la tête d'un air triste.

— Je pensais que tu voudrais le savoir, Zac, ajouta Henri.

Il nous salua et s'éloigna en direction d'un groupe de Français installés à une autre table.

De notre côté, le silence régna quelques minutes, puis mon BlackBerry sonna. Le numéro de Harry à New York s'afficha.

— Bonjour, Harry.

— Bonjour, ma puce. Tout le monde va bien ?

— Oui, mais…

Il ne me laissa pas achever.

— Serena, Val a été tuée aujourd'hui avec d'autres journalistes non loin de Syrte, sur une route dans le désert. On ne parle que de ça, ici.

— Nous venons juste de l'apprendre, Harry. C'est horrible de perdre des confrères de cette façon.

— Oui, Serena, mais elle est morte en faisant ce qu'elle aimait. Tu sais… nous prenons tous des risques quand nous couvrons une guerre. Je t'en prie, fais attention à toi, ma chérie. Que se passe-t-il en ce moment ?

Je le mis rapidement au courant de la situation, puis je passai le téléphone à Yusuf, qui parla longuement avec Harry après s'être éloigné.

Zac se tourna vers moi, l'air interrogateur.

— Je vais bien, Zac, mais je me sens très triste à l'idée qu'une photographe de guerre ait été tuée. Je ne l'ai pas connue, tu sais, je n'ai aucun souvenir d'elle. Mais c'est quand même un membre de ma famille qui s'en va.

Zac se contenta de me caresser la main en silence. Je me mis à penser à Valentina. J'aurais tant aimé la rencontrer, l'interroger au sujet de ces clichés d'elle enceinte. Ils étaient si troublants. A présent, je n'en aurais plus jamais la possibilité et peut-être était-ce aussi bien. Comme Harry me l'avait dit, je savais tout ce que j'avais besoin de savoir à mon sujet.

La mort de Valentina me frustrait cependant pour d'autres raisons. C'était une femme qui avait connu ma mère depuis l'enfance. J'aurais dû la rencontrer des années auparavant.

40

Je dus m'appuyer contre la porte de la salle de bains.

— Zac, je n'y arriverai pas.

Il était en train de se raser et tourna vers moi un visage couvert de mousse.

— Mais pourquoi, Serena ? Tu te réjouissais de notre soirée. Cela te ferait du bien.

— Désolée, mais je ne peux pas.

— Pidge, tu as juste besoin de te maquiller un peu, t'habiller, prendre l'ascenseur ! C'est juste en bas. Je t'ai connue capable d'aller beaucoup plus loin pour assister à une fête. Je m'en souviens très bien ! conclut-il en riant.

Cela me fit rire moi aussi.

— J'avoue tout, mais, ce soir, je n'en ai pas la force. Je peux à peine me traîner jusqu'au lit.

A présent, il commençait à s'inquiéter.

— Mais que se passe-t-il ? Qu'est-ce qui ne va pas ? Tu te sens mal ?

— Si tu parles de nausée, oui, je me sens totalement nauséeuse, mais je suis aussi épuisée. En plus, j'ai mal au ventre.

— J'espère que ce n'est pas encore une intoxication alimentaire ! Qu'avons-nous mangé ces derniers temps ?

Je haussai les épaules.

— Depuis deux jours, je n'ai presque rien avalé. Ecoute, Zac, je connais mon corps et je sais que ça ne va pas. J'aurais aimé aller à la soirée donnée par CNN, mais tu vas devoir m'excuser.

Péniblement, je rejoignis mon lit. Bien calée contre les oreillers, je remontai le drap sur moi. Ce qui m'inquiétait le plus, c'étaient mes douleurs au ventre. J'espérais vraiment ne pas avoir mangé un aliment douteux.

Zac vint s'asseoir à côté de moi.

— Je n'aime pas te voir aussi mal, dit-il en me caressant le front. J'ai eu tort de discuter avec toi. Si tu es malade, tu dois rester au lit. Veux-tu que je demande un médecin ?

— Non, je te remercie. Alors, tu veux bien m'excuser auprès de Tim Gordon ?

Il me promit de le faire et s'occupa ensuite de s'habiller, un tee-shirt blanc et un jean propre avec ses mocassins marron. Contrairement à moi, Zac emportait toujours une paire de chaussures correcte. Cela m'amusait ; je me disais qu'il y avait quand même plus utile dans une zone de guerre...

Zac s'apprêtait à partir et m'embrassait, quand Yusuf frappa à la porte de la chambre. Zac lui expliqua la situation.

— Ne t'inquiète pas, Yusuf ! lui dis-je. J'irai mieux demain. C'est surtout la fatigue, je pense. J'ai besoin de me reposer et de regarder la télévision en buvant un Coca.

— Tu as raison. Veux-tu autre chose ? Ou qu'on appelle un médecin ?

— Non, c'est inutile, mais est-ce que tu peux accrocher la pancarte *Do not disturb* à la porte en partant ?

— Bien sûr, Serena ! Et je ne dirai rien à Harry !

— Derrière les portes verrouillées, je ne cours pas beaucoup de risques. Donc, je compte sur toi pour ne pas envoyer tes associés veiller sur moi...

— Je n'oserais même pas l'imaginer, murmura-t-il en m'embrassant sur le front.

Zac se baissa vers moi et m'embrassa à son tour.

— Appelle si tu as besoin de moi, Pidge. J'ai mon portable.

— D'accord ! Donne-moi le mien, s'il te plaît, je vais le garder à portée de main.

Je m'endormis presque tout de suite. A mon réveil, il était déjà vingt et une heures trente. Me redressant, je pris mon Coca-Cola, mais j'eus à peine le temps d'en boire une gorgée. Pliée en deux par une violente douleur, je me ruai vers la salle de bains. Je perdais du sang – beaucoup de sang ! – avec des caillots. Inutile de me cacher la vérité : je faisais une fausse couche. Cela dura longtemps. Cela fut très douloureux. Quand je pus enfin me relever, je pleurais.

J'étais à genoux, en train de laver le carrelage avec une serviette, quand j'entendis Zac s'écrier :

— Mais qu'est-ce que tu fais, Serena ? Qu'est-ce qui se passe ?

Avec un sursaut, je levai la tête et lui répondis que je nettoyais. Ensuite, je me redressai et m'enveloppai d'une grande serviette de bain comme d'un sarong.

— Qu'est-ce qui s'est passé ? demanda encore Zac, l'air stupéfait.

— La soirée est déjà terminée ?

Je repoussai sur mon front mes cheveux humides, le regardant comme si de rien n'était. Je savais que j'offrais un spectacle consternant. Je sentais la transpiration, j'étais mouillée et je devais avoir des taches de sang à un endroit ou un autre.

— Non, ce n'est pas fini, mais je m'inquiétais pour toi, Pidge. Tout le monde boit beaucoup, en bas, et nous n'avons pas encore dîné. Je suis venu te dire que je remonterais plus tard que prévu.

— Alors, redescends vite t'amuser avec les autres, lui dis-je d'une voix aussi joyeuse que possible.

Je voulais qu'il s'en aille ; je voulais me redonner figure humaine. Malheureusement, je lui fis signe de la main qu'il pouvait me laisser et le drap de bain que je tenais autour de moi tomba. Zac poussa un cri horrifié. Il me prit par le bras.

— Mais qu'est-ce qui s'est passé ? Tu as les jambes couvertes de sang !

Il ne restait plus qu'une solution, lui dire la vérité. Je pris mon courage à deux mains.

— Zac, je crois que je viens de faire une fausse couche.

— Tu *crois* ? cria-t-il, l'air choqué. Tu ne le sais pas ?

— Enfin... Oui, j'ai fait une fausse couche.

— C'était mon enfant ?

Sa voix s'était durcie.

— Bien sûr que oui ! répondis-je avec indignation.

— Donc, tu étais enceinte quand nous avons quitté New York ?

— Oui.

— Et tu as quand même décidé de venir ici ? hurla-t-il. Tu es folle ? A quoi pensais-tu ?

La violence de son ton me laissa sans voix pendant quelques instants. J'étais pétrifiée.

— Je pensais à toi, Zac, finis-je par dire. Tu insistais tellement pour que je t'accompagne ! J'ai choisi de ne pas changer nos projets. Je n'étais enceinte que de deux mois.

— Tu as pris un risque insensé, me répondit-il d'un ton à présent glacial.

Pivotant sur ses talons, il quitta la salle de bains et je le suivis.

— Je suis solide et en bonne santé. Je ne pensais pas que je prenais un risque.

— On dirait que tu te trompais, non ? cria-t-il.

— Il semblerait.

Le visage convulsé de rage, Zac pouvait à peine parler.

— Comment as-tu pu faire ça ? dit-il enfin. Comment as-tu pu prendre un risque pareil ? Tu as mis notre enfant en danger et il est mort. C'est entièrement ta faute !

— Comment oses-tu me dire ça ! hurlai-je, furieuse. C'est minable, Zac !

Il s'approcha de moi, me prit par les épaules et me secoua. Ses yeux brillaient de rage, me rappelant la nuit de notre rupture, un an plus tôt. C'était la même furie qui le tenait, la même violence. Je le repoussai.

— Zac, je t'aime et j'étais heureuse d'attendre ton enfant. Je ne t'ai rien dit, parce que j'ai cru que tout irait bien. Je suis jeune et en bonne santé. Cette fausse couche n'est qu'un coup de malchance. J'aurais peut-être dû t'en parler...

— Oui, peut-être, me jeta-t-il sèchement.

J'étais là, debout devant lui, tenant le drap de bain serré contre moi. Il me tourna le dos et sortit de la chambre. Je faillis courir derrière lui, mais je me retins. Je le connaissais suffisamment pour savoir qu'il valait mieux attendre qu'il se calme. Dans quelques heures, il se serait repris. Je n'avais aucun doute à ce sujet.

Je terminai de nettoyer la salle de bains avant de laver les serviettes et ma chemise de nuit, puis je pris une douche et me fis un shampooing. Et je pus enfin me coucher. Je regardai la télévision pendant une demi-heure avant d'éteindre les lumières. Malgré ma fatigue, le sommeil fut très long à venir. Je me maudissais d'avoir été aussi stupide. Pourquoi ne lui avais-je pas tout dit quand nous étions à New York ?

Au milieu de la nuit, je me réveillai à demi, cherchant Zac à côté de moi. Sa place était vide. Je me levai. Mes jambes me portaient à peine, j'avais des vertiges et je me sentais nauséeuse, ce qui n'avait rien d'étonnant.

Zac n'était pas dans le salon. J'avais plus ou moins espéré le trouver endormi sur le divan. Il était quatre heures du matin. Où était-il ?

SIXIÈME PARTIE

Hors champ

Venise, août 2011

« Quelle tristesse, quelle horreur, quelle folie –
Mais aussi, quelle douceur ! »
Robert Browning, « Confessions »

« Donne tout à l'amour ;
Suis ton cœur ;
Amis, famille, journées,
Biens, bonne renommée,
Projets, honneur, et la Muse ;
Ne refuse rien. »
Ralph Waldo Emerson, « Donne tout à l'amour »

41

Yusuf Aronson s'occupa de me faire sortir de Libye, vite, sans histoire, avec un professionnalisme impressionnant. Je lui fus très reconnaissante de son calme, de sa discrétion et de sa gentillesse. C'était un ami de qualité et il me le prouva amplement dans ces conditions difficiles.

C'est ainsi que je me retrouvai en train de boucler ma ceinture de sécurité dans un avion privé, un Cessna Mustang. Le décollage me procura un soulagement intense. J'étais libre ! Libérée de la Libye, de la guerre et de Zac.

Je me sentais triste et je culpabilisais, me reprochant d'avoir causé ma fausse couche, mais cela ne m'empêchait pas de juger très répréhensible la conduite de Zac. Il s'était contenté de laisser parler sa colère, allant jusqu'à me secouer fortement, sans aucune considération pour mon état. A aucun moment il ne m'avait témoigné le moindre geste de réconfort, alors que moi aussi, moi surtout, je venais de subir une épreuve terrible, aussi bien physique que psychologique. Les signes de la violence enfouie en lui, qui m'avaient tant alarmée dans le passé, étaient réapparus. Je ne me rappelais que trop cruellement son éclat après les funérailles de papa.

L'avion prenait de l'altitude. Le soleil brillait. Avec un peu de chance, je me sentirais bientôt mieux, plus détendue. Dans deux heures, nous atterririons à l'aéroport Marco Polo et je m'installerais quelque temps au refuge pour reprendre des forces et faire le point. Puis j'irais à Nice. J'avais besoin de mes sœurs et de leur affection.

J'avais conscience que j'aimais Zac et que je l'aimerais sans doute toujours. Des sentiments aussi forts ne disparaissent pas en un jour ! En revanche, l'avenir de notre relation me semblait compromis. Avant de partir en Libye, j'avais dit à Harry que ma confiance en Zac était ébranlée : il avait rompu sa promesse de ne plus jamais couvrir un conflit. A présent, je m'interrogeais : n'avais-je pas été stupide en acceptant de l'accompagner ? Certes, il y avait ma raison personnelle d'y aller : Valentina Clifford. Mais là aussi, j'avais été stupide. Il n'y avait rien que j'aie besoin de savoir... Je savais exactement qui j'étais.

Bien que la capacité de Zac à s'énerver me fût bien connue, j'avais oublié l'immaturité avec laquelle il se comportait si nous avions un problème personnel. En apprenant ma fausse couche, il s'était mis dans une rage épouvantable et avait refusé la discussion. Il avait préféré s'en aller et m'abandonner à mon triste sort. Il y avait des années de cela, Cara, mon adorable porteuse de mauvaises nouvelles, m'avait dit de me méfier de l'égoïsme et de l'égocentrisme de Zac. Comme elle l'avait résumé : pour Zac, seul Zac comptait. En réalité, je l'avais toujours su. Bien sûr, comme la plupart des gens, je pouvais aussi me montrer individualiste, mais j'essayais de comprendre le point de vue des autres, de leur laisser le bénéfice du doute. Je me considérais comme une personne équitable.

Un soupir de regret m'échappa. J'aurais dû lui dire que j'étais enceinte, mais il voulait tellement aller en Libye avec moi ! Je n'avais pas eu le cœur de le décevoir. Nous avions été séparés pendant un an et notre réconciliation me rendait très heureuse. Tout comme lui !

Il n'en restait pas moins qu'il m'avait quittée sans un regard. Quand, à quatre heures du matin, je m'étais aperçue qu'il n'était pas rentré, j'avais commencé à me faire du souci. Dans le salon, je n'avais trouvé que Yusuf, en train de travailler sur son ordinateur portable. Il m'avait expliqué qu'il avait couché Zac dans la chambre occupée par Ahmed et Jamal à un autre étage.

« Il était très saoul, avait poursuivi Yusuf. Il ne savait plus ce qu'il disait. Après être monté voir comment tu allais, Zac est revenu dans un état de rage effroyable. Il m'a dit que vous aviez eu une terrible dispute. »

C'était à ce moment-là que je m'étais effondrée intérieurement. Et que j'avais compris que je devais quitter cet hôtel sur l'heure. Je ne pouvais plus rester un seul instant avec Zac. Sa colère et sa conduite à mon égard me le rendaient insupportable.

Avec un gros effort, j'avais réussi à conserver le contrôle de mes émotions ; je ne voulais pas m'écrouler devant Yusuf. J'avais seulement pu lui faire part de ma volonté de partir dès que possible. Il avait immédiatement réservé un jet auprès de la compagnie avec laquelle Global Images travaillait en Europe. L'avion serait à Tripoli quatre heures plus tard. Le temps de m'habiller, de faire mes valises, et j'avais quitté le Rixos avant même que Zac se réveille.

Sur le chemin de l'aéroport, Yusuf s'était montré la discrétion incarnée. Nous avions parlé de tout sauf de mon départ et de Zac. J'avais appelé Claudia à Venise pour la prévenir de mon arrivée, puis Harry depuis l'aéroport. Je lui avais expliqué que je ne me sentais pas bien depuis mon intoxication alimentaire et que j'estimais plus raisonnable de rentrer. Il m'avait approuvée. J'avais ajouté que Zac restait à Tripoli avant de passer mon BlackBerry à Yusuf.

« Serena, je crois que tu viens d'illuminer la journée de Harry, m'avait-il dit. Il est très heureux de ton départ. »

En dépit de tout, j'avais largement souri à mon vieil ami.

« Je veux bien te croire, Yusuf ! »

Bien que bercée par le ronronnement des moteurs, je n'arrivais pas à dormir. J'étais trop énervée, trop tendue. J'avais envie de hurler et de piquer une crise pour soulager ma colère. J'avais envie de taper sur n'importe quoi jusqu'à épuisement. Jusque-là, j'avais joué à la femme qui se maîtrise, mais c'était fini. Ça devait sortir ! Il s'était trop mal conduit ! J'aurais voulu, non : j'aurais eu besoin ! de sa présence, besoin de consolation, au lieu de quoi il ne m'avait adressé que des reproches.

La sensation d'effondrement intérieur réapparut. Zac m'avait fait de la peine et avait blessé mes sentiments. Je tentai de me calmer et fermai les yeux, luttant pour ne pas pleurer. A vrai dire, j'étais aussi en colère contre moi-même. Je m'étais fait du mal et je souffrais donc doublement. Et tout cela parce que j'avais accepté d'aller en Libye pour faire plaisir à Zac ! A cette idée, il me devint impossible de me retenir et je me mis à sangloter. Le désespoir que j'éprouvais… J'avais perdu mon bébé.

Yusuf avait pensé à tout. Après le contrôle des passeports, je fus accueillie à l'aéroport de Venise par une jeune femme d'une agence de voyages. Je l'aperçus, brandissant une grande pancarte planche où était écrit « Pidge » en lettres noires. Me donnant du Mlle Pidge, elle me guida jusqu'à un bateau-taxi et insista pour m'accompagner, suivant en cela les instructions de Yusuf.

Lucrezia – c'était son nom – se montra inflexible et je dus m'incliner. Bien installées sur la banquette du bateau, nous nous laissâmes emporter vers le cœur de la Sérénissime en bavardant à bâtons rompus. Il faisait un temps typique du mois d'août, chaud et ensoleillé avec un ciel bleu sans nuages. Malgré les circonstances, je savourai le trajet et le paysage familier des canaux. D'une certaine façon, je rentrais chez moi.

En arrivant sur la place Saint-Marc, je fus heureuse d'avoir Lucrezia avec moi. La place était noire de touristes venus du monde entier. Lucrezia prit ma valise à roulettes sans me laisser discuter. Je n'avais plus que ma sacoche photo et mon sac contenant mes papiers et mon argent. Yusuf avait eu raison. L'aide de Lucrezia était bienvenue. Une fois devant la porte du refuge, je la remerciai chaleureusement. Elle me quitta avec un grand sourire et un joyeux au revoir. Enfin, je glissai ma clé dans la serrure et m'armai de courage.

J'avais craint que tout ne me rappelle Zac et les moments passés ici avec lui. Il n'y eut rien de tel. Les souvenirs qui imprégnaient les murs parlaient de mes parents, de mes sœurs, de moi et de notre enfance. Ils m'accueillaient, me réconfortaient… Les images surgissaient en foule !

Le salon embaumait grâce au vase de roses épanouies posé sur la table basse. Il s'y mêlait les effluves du parfum d'ambiance pamplemousse-romarin de Jo Malone dont je raffolais.

Claudia avait disposé une grande coupe de fruits frais sur la table des repas. Je savais qu'il y aurait aussi dans le réfrigérateur tout ce que je pouvais désirer. Je commençai à me détendre. J'avais presque l'impression que cet appartement si familier me prenait dans ses bras ou, plutôt, que les souvenirs prenaient le pas sur mon chagrin et m'ouvraient leurs bras.

Je fis rouler ma valise jusqu'à la chambre qui avait été celle de mes parents et je m'assis sur l'un des lits pour appeler Harry. Il me répondit presque aussitôt.

— Harry, je suis arrivée au refuge et je vais bien. Tout va bien.

— Si tu savais comme je suis heureux de te savoir sortie de ce guêpier ! Je m'inquiétais affreusement pour ta sécurité, même avec Yusuf et ses gars pour veiller sur toi.

— C'est le meilleur, tu le sais !

— Oui. Dis-moi, Serena, comment te sens-tu ? Ne devrais-tu pas consulter un médecin ? Il pourrait s'agir d'autre chose que d'une intoxication alimentaire, un parasite ou je ne sais quoi…

— Je ne pense pas, Harry. Zac et Yusuf ont présenté les mêmes symptômes. En ce qui me concerne, je pense que le stress m'a achevée. Mais ne t'en fais pas, je vais bien, maintenant.

— Prends soin de toi, ma chérie, et profite de Venise ! Je te rappellerai plus tard.

— Harry ? Merci de m'avoir ramenée.

— Serena, tu sais bien que Yusuf a tout fait ! répondit-il gaiement.

Nous partagions le même soulagement.

Ensuite, j'appelai Jessica à Nice, mais son téléphone était sur répondeur. Je lui laissai un message et m'occupai de défaire ma valise. Je n'avais aucun projet pour les jours suivants, hormis du calme, du repos et le temps nécessaire pour faire le point sur ma vie. Je me mis à penser à Zac, mais cela me donna envie de pleurer. Il fallait que je me trouve des occupations.

Sur la table, à côté des roses, il y avait un mot de Claudia. Elle me souhaitait la bienvenue et me proposait de prendre un café avec elle le lendemain. Je n'y manquerais pas ! Je voulais la voir pour la remercier et lui rembourser ses dépenses.

J'allai dans la cuisine me préparer un thé et un sandwich. En voyant la poêle accrochée au mur, je frissonnai. Le souvenir de Zac détruisant le poste de télévision avec cette poêle me revenait avec netteté. Curieusement, je comprenais à présent son besoin de réduire quelque chose en miettes sous l'effet de la frustration et de la colère.

Même si j'avais décidé de ne pas le faire, je ne pus m'empêcher de repenser à Zac et à ses troubles post-traumatiques. Une grande part de sa colère trouvait là son origine. Et ses accès de violence ? Ce n'était pas impossible. Il avait travaillé comme photographe de guerre pendant seize ans, couvrant les pires conflits. Il souffrait sans doute de stress post-traumatique depuis plus longtemps que nous ne l'avions cru, Harry et moi. A force d'y réfléchir, je pris conscience de ne pas craindre d'être agressée physiquement par Zac. Sa violence sous-jacente restait essentiellement verbale. Qu'il m'ait secouée comme il l'avait fait la veille m'avait quand même profondément choquée.

Balayant ces tristes images d'un revers de main, je fis rapidement la vaisselle puis retournai dans ma chambre. Je me sentais brusquement très lasse et je m'allongeai dans l'espoir de dormir. Or, au lieu de cela, le souvenir de ma fausse couche m'assaillit et je me mis à pleurer. A présent que j'étais seule, je pouvais laisser sortir mon chagrin. Je pleurai longtemps sur le bébé que j'avais perdu, que je ne connaîtrais jamais et ne verrais pas grandir. Comme je m'en voulais d'être allée en Libye !

Quand mes larmes se tarirent enfin, je recommençai à penser plus clairement. Je repassai en esprit chacune de mes journées à Tripoli, l'une après l'autre. Il ne me fallut pas longtemps pour comprendre que je n'avais rien à me reprocher. Je n'avais rien fait de dangereux ou d'excessif. Yusuf était toujours resté à côté de moi avec ses « associés ». Et Zac aussi. Non, je n'avais pris aucun risque physique, ne sautant par exemple jamais de la jeep ou d'un camion, comme je le faisais autrefois. Si l'on oubliait l'intoxication dont nous avions été victimes, j'avais fait très attention à mon alimentation. Je m'étais surveillée en permanence.

Tout au fond de ma mémoire, un écho s'éveillait, celui de mots entendus des années auparavant : « Une femme peut faire une fausse couche sans raison particulière. Cela arrive, c'est tout. Ne t'inquiète pas, ma chérie, cela ne t'empêchera pas d'être de nouveau enceinte. »

La voix qui disait cela était celle de ma mère et elle parlait à Jessica. Jess était encore mariée à Roger. Je me trouvais avec elle et maman sur la terrasse de la Villa des Fleurs. Ce souvenir surgi de très loin me réconforta, tel un petit rayon de soleil venu éclairer mes ténèbres.

La sonnerie de mon BlackBerry sur la table de nuit me réveilla. Le numéro de Harry s'affichait sur l'écran.

— Allô ? dis-je d'une voix engourdie.

— Serena ? Tu as une voix bizarre.

— Non, tout va bien, Harry, je dormais. La nuit dernière a été courte.

— Cela ne m'étonne pas ! J'ai cru comprendre que tu as eu une terrible dispute avec Zac.

Je me raidis.

— Yusuf te l'a dit !

— Bien sûr que non ! C'est Zac qui m'en a parlé.

— Quand ?

— Il y a à peine une heure. Il était dans le trente-sixième dessous. Je me suis même demandé si tu n'avais pas rompu.

— Je ne le lui ai pas dit et lui non plus, mais… ce n'est pas impossible…

La gorge serrée, je me tus.

— Je n'y crois pas, Serena ! Vous étiez si bien, ensemble. Tu ne veux pas arranger les choses avec lui ? Tu pourrais au moins essayer ?

— Je ne sais pas… dis-je à voix basse.

— Pourquoi est-ce aussi violent ? Il ne peut rien y avoir de très grave, n'est-ce pas ?

Si sa voix trahissait sa sollicitude, la mienne trembla pour lui répondre.

— Je crains que si… Harry… J'ai fait une fausse couche, hier soir.

Au milieu de mes larmes, je réussis à lui faire le récit des événements de la veille ; il m'écouta jusqu'au bout sans m'interrompre.

— Je comprends, dit-il quand je me tus. Je comprends tout. Je suis navré d'apprendre que tu as perdu ton bébé, Serena, mais, sincèrement, tu n'aurais pas dû partir en Libye. Si j'avais su que tu étais enceinte, je te l'aurais interdit.

Son ton était sévère.

— Zac dit que tout est de ma faute, balbutiai-je. Et il s'est très mal conduit avec moi.

— Je suppose que cela peut s'expliquer, il a dû avoir un grand choc et se sentir blessé d'être tenu à l'écart. Il n'a entendu parler de son enfant que pour apprendre que tu l'avais perdu. J'imagine ce qu'il a pu ressentir et pourquoi il a réagi si fortement.

J'étais très étonnée, comprenant qu'il était choqué et me désapprouvait.

— Je suis désolée, Harry…

— Serena, je vois qu'il est vingt et une heures, à Venise. Je te propose qu'on se reparle demain.

— D'accord, Harry.

Je me sentais épuisée.

— Je t'aime très fort, ajoutai-je.

— Moi aussi, Serena.

J'avais déçu Harry. Je me sentais plus seule que jamais.

Ce n'était pas souvent que l'on entendait sonner la ligne fixe, au refuge. Je me levai en sursautant.

— Pidge ? C'est Jess. Ton portable était occupé.

— J'étais avec Harry. Je viens de raccrocher.

— Pidge, si tu savais comme nous sommes soulagées de te savoir hors de Libye !

— Moi aussi... Cara est avec toi ?

— Oui, et elle essaie de me prendre le téléphone.

Sans prévenir, la voix de Cara remplaça celle de Jessica.

— Serena, maintenant, on peut te le dire : on s'est affreusement inquiétées pour toi, au point qu'on te voyait revenir dans un sac mortuaire !

— Ça, Cara, je parie que c'était dans ton imagination, pas dans celle de Jessica.

Cela la fit rire.

— Jess se fait du souci pour toi en permanence, même plus que moi, petite sœur ! Elle veut te parler, je te la passe.

— Serena, j'espère que tu nous rejoindras vite. Tu n'as aucune raison de traîner à Venise, n'est-ce pas ? Tu vas bien ? Tu n'es pas blessée, rien de ce genre ?

— Non, ça va, lui dis-je calmement.

Je me sentis soudain assez déprimée. En un sens, j'étais blessée. Emotionnellement.

— Je commence à reprendre mes esprits, ajoutai-je. Je suis en vie et en pleine forme.

Jessica avait toujours été très perspicace quant à mes états d'âme.

— On ne dirait pas, répondit-elle de sa voix douce. C'est même le contraire. Qu'y a-t-il, Pidge ? Cela te ferait du bien de dire ce que tu as sur le cœur.

— Non, tout va bien, insistai-je aussi fermement que possible.

A l'autre bout de la ligne, un silence suivit ma déclaration puis j'entendis Jessica et Cara se parler, mais sans pouvoir comprendre ce qu'elles disaient. Au bout d'un moment, je les interrompis d'un ton un peu plus aigu que je ne l'aurais voulu.

— Qu'est-ce que vous racontez ?

— Cara voudrait savoir si Zac est avec toi ? questionna Jessica. Vous êtes rentrés ensemble ?

— Non, répondis-je après une brève hésitation. Il est resté en Libye.

— Oh ! Pourquoi es-tu rentrée seule, Serena ? C'est bien pour lui que tu es partie, n'est-ce pas ?

— Oui, c'est vrai ! Je suis partie et maintenant je suis rentrée !

Réfléchissant à toute vitesse, j'improvisai :

— J'ai été victime d'une intoxication alimentaire et j'ai du mal à m'en remettre...

— Je vois, répondit Jessica. Tu t'es disputée avec Zac ?

Mes sœurs me connaissaient mieux que quiconque. Je ne savais plus comment m'en sortir. Je n'avais pas envie de leur parler de ma fausse couche au téléphone.

— Tu es toujours là, Serena ?

— Oui, répondis-je d'une petite voix.

— Ton silence confirme nos soupçons, Pidge ! Vous vous êtes disputés.

— Oui, admis-je en soupirant, et j'ai préféré partir, d'autant que cette intoxication m'a réellement fatiguée.

— Je comprends ! Cara me harcèle pour que je te demande le motif de votre querelle.

— Rien d'important, je t'assure...

— Pidge, mon chaton, je sens qu'il y a un gros problème.

La voix de Jessica, apaisante et pleine d'affection, me fit craquer. J'éclatai en sanglots.

— Ne te retiens pas, Pidge, dis-moi ce qui ne va pas... Prends ton temps, j'attendrai que tu puisses parler...

J'attrapai une boîte de mouchoirs en papier et tentai de me reprendre.

— Désolée ! hoquetai-je. Je ne voulais pas t'embêter...

— Qu'y a-t-il ? Vous avez rompu ?

— Je crois.

— Mais pourquoi ? Je pensais que tout allait bien entre vous.

— Il est fâché contre moi.

Je me mordis la lèvre.

— A quel sujet ? insista Jessica.

D'un seul coup, les mots m'échappèrent.

— J'ai fait une fausse couche et il m'en veut terriblement. Il dit que c'est ma faute.

— Ma pauvre chérie, c'est affreux ! Je sais d'expérience ce que l'on ressent.

— Oui, je me souviens des paroles de maman quand cela t'est arrivé. Nous étions sur la terrasse…

— Elle essayait de me consoler et elle m'a dit que cela pouvait advenir sans que l'on ait fait la moindre erreur. J'espère que tu ne t'adresses aucun reproche ?

— Si, gémis-je. Je n'aurais pas dû aller en Libye. Zac a raison. J'ai mis notre bébé en danger.

— Te connaissant, je suis certaine que tu as fait très attention. Cela aurait très bien pu se produire à New York ou ailleurs. N'importe où, en fait. Reste positive, ma chérie, pense à l'avenir ! Un jour, tu seras de nouveau enceinte, crois-moi !

— Je l'espère, de toutes mes forces. Jess, si Zac est furieux, c'est aussi parce que je ne lui avais rien dit.

Le silence de Jessica me fit comprendre son étonnement.

— Je ne voulais pas le décevoir en ne l'accompagnant pas en Libye. Il en avait tellement envie.

— Je vois… Pidge, je peux comprendre qu'il soit en colère.

— Mais j'avais de bonnes intentions…

— Celles dont l'enfer est pavé ! dit-elle en me coupant la parole.

Je pleurai de nouveau, mais je réussis à lui expliquer comment cela s'était passé et elle se montra affectueuse et pleine d'empathie.

— Je suis de tout cœur avec toi, Serena. Je suis passée par là, même si les circonstances étaient différentes ; je comprends très bien ton sentiment de perte et ton chagrin.

— Merci, Jess ! C'est bon de savoir que vous ne me laissez pas tomber, toutes les deux.

— Je te passe Cara, elle veut te parler.

— Serena, écoute-moi ! J'ai compris l'essentiel, je crois ; je veux juste te dire que tu peux compter sur nous. Tu traverses un sale moment et tu as besoin de gens qui t'aiment pour s'occuper de toi. Alors, rejoins-nous dès que possible ; nous te remettrons sur pied.

— D'accord, je serai là dans quelques jours.

42

— Harry !

J'avais crié de toutes mes forces avant de hâter le pas. Je n'en croyais pas mes yeux ! C'était bien lui qui, tirant sa valise à roulettes, s'apprêtait à entrer dans l'immeuble du refuge.

En m'entendant, il se retourna, et un grand sourire éclaira son visage sérieux. Je me jetai dans ses bras et l'embrassai avec élan.

— Harry, je n'y crois pas ! Cela me fait tellement plaisir de te voir !

— Et moi donc, ma chérie.

— Pourquoi ne m'as-tu pas prévenue de ton arrivée au téléphone, hier ?

— J'avais envie de te faire la surprise.

— C'est réussi ! Mais pourquoi es-tu venu alors que tu es si occupé ? Tu es toujours fâché ?

— Serena, je n'étais pas fâché, mais triste de t'avoir laissée partir. Je voulais m'assurer que tu vas bien, psychologiquement et physiquement. Et si nous entrions ? Il fait une chaleur terrible.

— *Le joli mois d'août*... murmurai-je, citant le titre d'un de mes livres préférés.

— Ah ! Toi aussi, tu as lu Edna O'Brien ?

Quand la porte du refuge se referma sur nous, Harry poussa un grand soupir soulagé.

— L'air conditionné est vraiment une belle invention ! dit-il. Comment a-t-on pu s'en passer ?

Tout en parlant, il alla prendre une bouteille d'eau dans le réfrigérateur.

— Merci d'être venu, Harry, cela me touche beaucoup.

— Je ne pouvais pas te laisser seule alors que tu viens de vivre des moments très tristes, Serena. Ma chérie, tu es tout ce que j'ai et je tiens énormément à toi.

— Moi aussi, Harry... Je ne sais pas ce que je ferais sans toi.

L'émotion me serrait la gorge et je dus faire un effort pour ne pas pleurer. Qu'il ait pris la peine de faire le voyage jusqu'à Venise me bouleversait et sa présence me réconfortait. Tandis qu'il buvait à longues gorgées, j'essuyai discrètement mes yeux.

— Zac t'a appelée ? me demanda-t-il en reposant la bouteille.

Ses yeux bleus me fixaient avec tendresse.

— Non, mais je suppose qu'il avait compris que j'étais ici ?

— Oui, et je le lui ai confirmé. Apparemment, il ne veut pas quitter Tripoli, il veut rester au cœur de l'action...

Je haussai les épaules. Qu'aurais-je pu dire ?

— Votre dispute me désole, reprit Harry. Je croyais que tout allait bien entre vous. Tu as tellement fait pour l'aider à retrouver la forme !

Ignorant cette dernière remarque, je demandai à Harry si Zac avait mentionné ma fausse couche.

— Non, mais tu connais sa discrétion. Serena, nous n'allons pas rester enfermés ici ! Je t'emmène déjeuner. Nous allons profiter des quelques jours que je peux passer avec toi. Laisse-moi seulement le temps de prendre une douche !

— D'accord ! Moi, je vais me changer. Je ne supporte plus mon uniforme noir spécial « zone de combat ». Où veux-tu aller ?

— Pourquoi pas la terrasse du Bauer Palazzo ? Il y a toujours un souffle d'air et j'aime bien surplomber le Grand Canal.

Tandis que Harry s'enfermait dans la salle de bains, j'ouvris la grande penderie de ma chambre. J'y dénichai une robe en coton blanc achetée des années auparavant, des sandales rouges et un sac assorti. Ensuite, je me brossai les cheveux, je mis du mascara, du rouge à lèvres et un peu de mon parfum, Ma Griffe. Le temps de jeter deux ou trois choses dans mon sac, de prendre mes lunettes noires, et j'étais prête.

La terrasse du Bauer Palazzo était noire de monde. Il ne restait qu'une petite table près du canal et nous la prîmes sans hésiter. Bientôt, alors que nous dégustions nos Bellini, je racontai à Harry à quel point Yusuf m'avait impressionnée, ne serait-ce que par la rapidité avec laquelle il m'avait fait sortir de Libye.

— Il est comme ça, Serena. Quand il sait qu'une solution est la bonne, il fonce. Pour la location du jet privé, il ne m'a même pas demandé mon avis. Il n'avait pas le choix. Les vols commerciaux étaient déjà pleins et, compte tenu des listes d'attente, il n'aurait jamais pu te trouver une place.

— Je sais, les médias du monde entier affluent à Tripoli et il y a autant de monde pour en repartir. Tu as choisi ? ajoutai-je en ouvrant le menu.

— Oui, je vais prendre la salade de tomates et le bar grillé. Le poisson est toujours bien, ici.

— La même chose pour moi !

Harry passa la commande et je repris :

— Je suis heureuse que cela se passe aussi bien pour Geoff à Londres. J'ai cru comprendre qu'il prenait beaucoup de plaisir à diriger l'agence ?

— Oui, il a trouvé sa place dans la vie... et sa compagne. Depuis sa rencontre avec Cara, le sourire ne le quitte plus.

— D'après Jess, Cara elle aussi va beaucoup mieux. Je suis très heureuse pour elle, car Geoff est un homme sincère et fiable.

— Serena... je voudrais te poser une question. Pourquoi n'as-tu pas dit à Zac que tu étais enceinte avant de partir en Libye ? Parce que tu voulais l'accompagner ?

Je pris quelques secondes de réflexion avant de répondre.

— Harry, je ne sais pas vraiment. En tout cas, je ne pensais pas courir le moindre danger. Et je ne voulais pas décevoir Zac.

— Tu as pensé qu'il t'aurait demandé de rester à New York s'il l'avait su ? Et moi aussi ?

— Quelque chose comme ça, oui...

Harry poussa un gros soupir et termina son Bellini. Il avait l'air embarrassé.

— Serena, Val Clifford faisait-elle partie des raisons pour lesquelles tu as décidé d'aller en Libye ?

Il m'avait piégée ! Je n'avais pas d'autre issue que de lui dire la vérité.

— En partie. Je voulais lui parler.

— Pourquoi ?

— A cause des photos, Harry ! Depuis que je les ai découvertes, je n'arrête pas de me demander pourquoi mon nom y était.

— Je l'ignore, et aucun de nous ne le saura jamais. Mais qu'il s'agisse de tes sœurs ou de moi, nous pouvons tout te dire à ton sujet. Qu'est-ce que Val aurait pu t'apprendre de plus ?

— Je ne sais pas.

— Nous sommes deux, alors.

Comme je me taisais, il n'insista pas.

De retour au refuge, Harry s'excusa et partit faire la sieste, non sans me suggérer de réserver au Harry's Bar pour la soirée, mais « pas avant vingt et une heures trente » ! Je lui obéis puis allai m'allonger à mon tour. Le cocktail et le vin du déjeuner m'avaient engourdie. Un bon somme me ferait du bien, à moi aussi.

J'eus pourtant du mal à m'endormir. Je n'arrêtais pas de penser au futur, à mon futur sans Zac. Il me semblait que je ne l'intéressais plus. Moins que la Libye en tout cas. Car s'il avait parlé de moi à Harry en des termes positifs, ce dernier me l'aurait rapporté. Le fait est qu'il m'en voulait, et j'ignorais s'il me pardonnerait un jour. L'avenir me parut sombre. Je devais terminer la biographie de papa, mais après ? Qu'allais-je faire de ma vie ?

Je décidai de faire un effort de toilette pour le dîner. Comme mon père, Harry aimait avoir une femme séduisante à son bras. Je choisis donc un de mes plus jolis vêtements, une veste en gazar blanc, légère, aérienne, que je portai avec une robe rouge près du corps. Mes sandales et mon sac complétaient très bien cette tenue. J'y mis la dernière touche avec le collier et les boucles d'oreilles en fausses perles oubliés par Cara dans un tiroir lors de son dernier séjour.

Harry s'était également habillé avec un soin particulier : une chemise blanche dont il avait laissé le col ouvert, un pantalon noir et des mocassins noirs.

— Tu es magnifique, Serena !

Il était en train d'ouvrir une bouteille de vin blanc.

— Je me suis dit que ce serait agréable de prendre un verre avant de sortir.

— Pourquoi pas ?

Le temps de nous installer de part et d'autre de la table puis de goûter le vin, Harry avait peu à peu pris une expression sérieuse.

— Serena, je voudrais te parler de Val. Il y a quelques mois, elle a repris contact.

Sidérée, je me raidis sur ma chaise et reposai mon verre avec précaution.

— Je ne t'ai pas menti quand je t'ai dit qu'elle avait disparu de ma vie depuis plusieurs années. C'est juste que, il y a quatre mois, j'ai reçu une lettre d'elle.

— Pourquoi a-t-elle renoué ? balbutiai-je. De quoi s'agissait-il ?

— Elle invoquait notre vieille amitié pour me demander un petit service.

La curiosité l'emporta sur mon étonnement.

— Quel genre de service ?

— Je voudrais d'abord t'expliquer quelque chose. Ça concerne les années qui ont précédé ta naissance. Et ton père.

— Je t'écoute… Raconte-moi tout !

Et, en effet, il me raconta tout.

43

— Les deux années qui ont précédé ta naissance ont été une période très pénible pour ton père. J'ai essayé de l'aider, Serena, mais c'était impossible. Personne ne le pouvait.

— Pourquoi ? Que se passait-il ?

J'avais parlé calmement, je voulais tout savoir.

— Tommy a connu des moments difficiles en 1978 et en 1979. Le début de 1980 ne fut pas meilleur. Nous avions couvert je ne sais plus combien de conflits. Ta mère n'allait pas bien et ton père s'inquiétait sans arrêt pour elle. Il l'adorait, tu sais ! Un jour, alors que nous quittions le Salvador pour quelques semaines, j'ai cru qu'il allait avoir une dépression. Il était à bout. En réalité, il souffrait de stress post-traumatique. Moi aussi, d'ailleurs. Mais ce qui rongeait ton père, c'était la maladie de ta mère. Elizabeth était très bas. Tu sais à quel point elle souffrait, par moments.

— Oui, j'ai vu ce que l'ostéoporose lui faisait.

— Vers le mois de novembre, ton père était au fond du trou. Je l'ai persuadé de passer un moment ici, à Venise, pour qu'il reprenne des forces avant de rentrer à Nice.

J'avais compris…

— Harry, je sais ce que tu vas me dire, chuchotai-je. Il s'est consolé avec Val.

Relevant la tête, je le fixai.

— Oui, dit-il, mais cela n'a pas duré. Puis-je continuer ?

Je lui fis signe que oui, en dépit du malaise que j'éprouvais.

— Val, qui était une cousine de ta mère, était présente au mariage de tes parents. C'est là que Tommy l'avait rencontrée. C'était une photographe de talent, très douée même, et nous l'avions embauchée à Global Images. Les combats et les dangers ne l'effrayaient pas ; elle aimait être au cœur de l'action, en treillis et rangers. A l'époque dont je te parle, en 1980, elle travaillait avec nous depuis plusieurs années déjà, mais elle ne nous avait pas accompagnés au Salvador à cause d'une bronchite. J'avais remarqué que Tommy lui plaisait mais, lui, il n'avait rien vu… jusqu'à ce jour de novembre, à Venise, où il a succombé. Val était une femme attirante, charmante, qui partageait les mêmes passions et l'adorait. Et lui, il était en pleine dépression.

— Je comprends, Harry, et je ne le juge pas.

— Tu as raison. Ton père vivait pour ta mère et, entre eux, cela a été une magnifique histoire d'amour. Malheureusement, à cause de la maladie d'Elizabeth, ils n'avaient plus de vie sexuelle. Tommy était un bel homme, viril et plein de charme. Serena, il n'avait que trente-neuf ans ! Il était connu dans le monde entier pour son courage et son audace. Les femmes se jetaient sur lui et…

Je l'interrompis d'un geste de la main.

— Il a couché avec Val, dis-je à mi-voix.

— Oui, répondit Harry dans un souffle.

— Tout à l'heure, tu m'as dit que cela n'avait pas duré longtemps. Etait-ce une aventure d'une nuit ?

Harry soupira.

— Une aventure de deux semaines, plutôt… Il y a mis fin par amour pour ta mère. C'est lui qui me l'a dit, Serena. Il se sentait coupable, plein de remords. Il n'avait jamais trompé Elizabeth et cela lui semblait d'autant plus perturbant qu'il s'agissait de Val.

— Mais elle était enceinte de moi, n'est-ce pas ?

Un autre grand soupir et Harry avoua enfin :

— Oui, c'est vrai.

Il me revint de rompre le grand silence qui suivit.

— Donc, Valentina Clifford était ma mère.

— Non, Serena, elle t'a donné la vie, mais ta mère a été Elizabeth, dès le premier jour.

— Pourtant, on ne peut pas dire que Val était une mère porteuse ?

— Non, pas au sens où tu l'entends.

— Val ne voulait pas de moi ?

— Bien sûr que si, mais les circonstances étaient telles que... Enfin, il y a trente ans, la vie d'une mère célibataire n'était pas simple. Elle a pensé qu'elle n'y arriverait pas toute seule. Sans compter qu'il fallait affronter la désapprobation de la société. Et puis, la photographie de guerre était sa passion ; elle a compris qu'elle aurait du mal à y renoncer. En fait, elle doutait de sa capacité à élever un enfant correctement.

— A-t-elle voulu avorter, Harry ?

— Certainement pas ! Pas plus que ton père. Ils voyaient trop de morts et de destructions dans leur travail. Jamais ils n'auraient pris une vie. Il n'en a même pas été question.

— Alors, qu'est-il arrivé ?

— Ton père a voulu dire la vérité à Elizabeth, parce que sa relation avec elle comptait plus que tout. Il aimait bien Val, mais il aimait sa femme.

— Je suppose que tu as soutenu papa et qu'il a, en effet, tout révélé à maman ?

Pour la première fois depuis le début de cette conversation, je me sentis détendue. Je posai ma main sur celle de Harry.

— Ça va, dis-je, je trouve ça très bien.

Un profond soulagement se peignit sur son visage.

— Nous avons pris l'avion pour Nice et il a parlé à Elizabeth en lui demandant pardon. Elle a été extraordinaire, elle comprenait la situation et pourquoi c'était arrivé. Ta mère était une femme réaliste ; elle savait que sa maladie imposait à Tommy des privations intenables.

— Je suis certaine que maman s'est montrée très compréhensive. Cela faisait partie de ses grandes qualités. Je parie que papa lui a demandé si elle voulait le bébé ?

A présent, Harry souriait.

— On peut te faire confiance pour comprendre vite, Serena, mais tu es parfois trop intelligente pour ton propre bien ! Tu as raison, ton père lui a demandé si elle voulait garder le bébé et elle a accepté avec joie. Elle n'y a mis qu'une condition : que Val soit d'accord.

— Et Val a accepté. Ainsi, tout est bien qui finit bien...

Toujours souriant, Harry consulta sa montre.

— Ma chérie, nous devrions y aller si nous voulons avoir une table.

— J'ai encore des questions à te poser, Harry, dis-je en ramassant mon sac.

— Tu sais, tu connais la suite.

— Non, pas complètement. Juste une question avant de partir, Harry. Quand Val a pris contact avec toi, récemment, quel service avait-elle à te demander ?

— Elle voulait que je sois son exécuteur testamentaire.

— Oh !

Je ne pus rien dire d'autre, tant j'étais stupéfaitc.

— J'ai accepté, ajouta-t-il en me prenant par le bras. Je te dirai le reste au restaurant.

Comme tout le monde, Harry avait des défauts, mais ses qualités l'emportaient largement. En particulier, il était courtois et gentil avec tout le monde, ce qui expliquait qu'il soit aimé partout où il allait. Au moment où nous passions le seuil du Harry's Bar, le propriétaire, Arrigo Cipriani, nous accueillit chaleureusement et nous mena à la table préférée de Harry, dans un coin au fond de la salle.

A peine étions-nous assis que nos Bellini apparurent devant nous comme par magie, avec l'accompagnement habituel de petits toasts ronds et de gressins. Je levai mon verre :

— Tu es le roi, ici ! lui dis-je.

— Ton père me taquinait à ce sujet. Un jour, il a essayé de me faire croire que le restaurant avait été baptisé Harry en mon honneur ! C'était faux, évidemment, puisqu'il s'appelle ainsi depuis l'époque d'Hemingway. C'est un des endroits que je préfère dans le monde entier.

— Tu venais souvent ici avec papa et maman ?

— Oui, nous y avons passé maintes soirées, à rire comme des fous tout en dégustant cette merveilleuse cuisine italienne. Parfois nous étions quatre... Quand j'avais une amoureuse avec moi !

Il soupira, sans doute à cause d'un souvenir, puis me regarda droit dans les yeux.

— Veux-tu savoir pourquoi Val m'a nommé exécuteur testamentaire ?

— Oui, bien sûr.

— Val a épousé Jacques Pelletier plusieurs années après ta naissance. Après son décès, elle ne s'est pas remariée. Elle n'a pas, non plus, eu d'autre enfant à cause de sa carrière. Plus précisément, je crois que cela a joué un rôle essentiel dans sa décision. Donc, comme tu es son unique enfant, elle a fait de toi son héritière. J'ai une copie de son testament.

Je n'en croyais pas mes oreilles.

— Cela t'étonne, Serena, je le vois, mais c'est assez compréhensible pourtant. Val t'a portée pendant neuf mois et elle t'a donné le jour. Et puis, elle était la cousine germaine de ta mère ; elle faisait donc partie de la famille. Qui aurait-elle pu choisir d'autre comme légataire universelle ?

— Mes sœurs ? Ou mes sœurs et moi ?

— Elle y a pensé, mais elle a préféré tout te laisser parce que tu es photographe de guerre, comme elle, et aussi parce qu'elle t'a mise au monde.

Incapable de parler, je lui adressai un vague sourire. J'étais un peu perdue. Harry respecta mon silence avant de m'expliquer la suite.

— Valentina t'a laissé son appartement, tout ce qui s'y trouve et tous les droits sur ses photos.

Je me sentais bouleversée et je me mordis la lèvre pour l'empêcher de trembler. Que dire ?

— C'est très généreux de sa part... Harry, je peux te poser une question ?

— Bien sûr ! Que veux-tu savoir ?

— Comment mon acte de naissance a-t-il été falsifié ? Il nomme Elizabeth comme étant ma mère.

— Serena, Val a accouché à la Villa des Fleurs avec l'assistance du Dr Félix Lagrange et de l'infirmière Annette Bertrand. Dès le lendemain, tu étais dans les bras d'Elizabeth, et Tommy et moi, nous ramenions Val au Negresco, où elle avait une suite. Elle y est restée quelques jours pour se reposer, puis elle est rentrée à Paris. C'est le Dr Lagrange qui a rempli les formulaires officiels. Les informations qu'il y a portées ont permis d'établir ton acte de naissance.

— C'est ce que je soupçonnais. Le médecin devait être complice.

Harry parut choqué par l'expression que j'avais employée.

— Personne n'a été « complice » de quoi que ce soit, Serena ! Ce médecin savait à quel point ta mère désirait un autre enfant et il l'a aidée à en avoir un. Ta naissance a été facile, sans complications. Val est repartie, ta mère l'a remplacée et tout le monde était très heureux. Ni le médecin ni l'infirmière n'ont accepté un seul centime.

— Parce que maman était une célèbre vedette de cinéma...

Harry m'interrompit avec une sécheresse de ton inhabituelle chez lui.

— Certainement pas ! Ils ont fait ce qu'ils ont fait parce que ta mère était une femme adorable, douce, attentive aux autres, gentille avec tout le monde. Par ailleurs, le Dr Lagrange était un homme intelligent. Il avait compris l'incapacité psychologique de Valentina à être mère à plein temps, compris que sa carrière passait en premier, compris que tu aurais une meilleure vie avec Elizabeth et Tommy, une vie heureuse et protégée. Et c'est ce que tu as eu !

— Excuse-moi, Harry, dis-je, mortifiée. Je n'aurais pas dû parler de cette façon. Tu as raison, j'ai eu des parents extraordinaires.

— C'est le moins que tu puisses dire ! N'oublie jamais que tu étais le bébé qu'ils espéraient depuis des années et qu'ils ont aimé plus que tout !

— C'est exactement ce que Cara a dit : il est facile de faire un enfant, mais ce qui compte est de l'aimer et de s'en occuper après sa naissance.

— Elizabeth Vasson était vraiment ta mère, Serena, ne l'oublie jamais !

— Je te le promets, Harry. Même si j'essayais, je ne le pourrais pas. C'est grâce à elle que je suis devenue ce que je suis.

— Et grâce à Tommy ! Tu as eu de la chance, ma chérie.

Sur le chemin de retour, une question me vint soudain à l'esprit.

— Harry, si je n'avais pas trouvé ces photos, je n'aurais jamais su la vérité.

Il prit une profonde respiration.

— Quand Val a repris contact, elle m'a donné le choix. Soit je te disais qu'elle faisait de toi son héritière parce que tu étais de la famille et que tu exerçais le même métier qu'elle. Soit je te révélais la vérité. C'était à moi de décider quelle explication te donner. Je devais seulement agir de la meilleure façon pour toi. Elle ne voulait pas te perturber, elle a beaucoup insisté sur ce point.

Une fois de plus, les propos de Harry me désarçonnèrent.

— Si je n'avais pas mis la main sur les photos, qu'aurais-tu fait, Harry ?

Il continua de marcher en silence puis s'arrêta brusquement et me dévisagea. Nous étions au milieu de la place Saint-Marc.

— Je n'en suis pas certain, Serena, répondit-il avec un grand soupir. Comme Elizabeth et Tommy ne t'avaient rien dit, j'aurais peut-être respecté leur choix et gardé leur secret. Sincèrement, j'estimais que ce n'était pas à moi de contrarier leur décision et Val semblait du même avis quand nous avons parlé de son testament.

Je le pris dans mes bras et le serrai très fort.

— Harry, de toute façon, cela n'a aucune importance, je t'assure ! Quoi que tu eusses décidé, je sais que tu aurais fait pour le mieux.

— Merci, Serena ! Une dernière chose : je ne voudrais pas que tu penses du mal de ton père parce qu'il a couché avec Val. Il était toujours sous pression et très stressé, et il aimait ta mère par-dessus tout…

— Comment pourrais-je penser du mal de lui ? l'interrompis-je. C'était un homme extraordinaire, un père unique en son genre, non seulement pour moi mais aussi pour Jessica et Cara. En plus, je l'ai toujours vu se conduire en mari aimant et attentionné… Et aujourd'hui, j'ai trente ans, je suis une adulte, Harry. Je comprends à quel point la maladie de maman a dû lui rendre la vie difficile et frustrante par moments. Heureusement, la situation s'est améliorée avec l'apparition des nouveaux médicaments qui ont permis à maman d'aller beaucoup mieux. Ils ont recommencé à mener une existence normale.

— C'est exact. Et l'amour qu'ils te portaient les a aidés à surmonter les problèmes. Pour eux, ta naissance a été un vrai bonheur, Serena.

44

Le lendemain matin, quand je me levai, je trouvai Harry dans le salon, en train de travailler sur son ordinateur portable, un mug de café à portée de main. Il eut une exclamation joyeuse en me voyant.

— Tu es fraîche comme une rose, Serena, aujourd'hui. Tu sais que tu es ravissante ? Que dirais-tu d'un café bien chaud ?

— Volontiers ! Et merci pour les compliments. Tu vois, fini mon uniforme noir de baroudeuse. J'y ai renoncé pour toujours. Le blanc me va mieux, n'est-ce pas ?

J'avais mis un pantalon et un tee-shirt blancs.

— Il n'y a pas de comparaison !

Je m'assis à la table tandis qu'il allait me chercher un café dans la cuisine.

— Merci, Harry. Pour le café, pour la soirée d'hier et pour m'avoir dit la vérité. Je vais tout expliquer à Jessica et Cara, mais j'attendrai d'être à Nice avec elles pour le faire de vive voix.

— Tu as raison, elles doivent connaître la vérité, Serena, et je suis convaincu qu'elles comprendront la situation comme tu l'as fait. Nous ne sommes que des êtres humains, et nous avons tous nos faiblesses.

— Oui, je sais que cela ne leur posera aucun problème. A présent, dis-moi ce que tu aimerais faire, aujourd'hui ?

Harry me regarda en souriant. Ses yeux pétillaient.

— Tu n'as rien dit au sujet de l'héritage que te laisse Val, mais je crois que nous devrions aller voir ça de plus près, ce matin. Qu'en dis-tu ?

Décidément, il n'avait pas fini de m'étonner !

— Tu veux dire que son appartement est à Venise ?

— Oui. Donne-moi un instant, je reviens.

Il alla chercher dans sa chambre une enveloppe, qu'il me tendit.

— Val m'a envoyé ça avant de partir à Tripoli. Avec pour mission de te la donner uniquement si elle disparaissait et si je t'avais dit la vérité. C'est une lettre pour toi. J'ai aussi la clé de l'appartement. Il est situé sur le Grand Canal, à proximité du Bauer Palazzo.

J'allais de stupéfaction en stupéfaction.

— Tu ne veux pas l'ouvrir ? s'enquit Harry en me désignant l'enveloppe.

— Si, si, bien sûr.

Chère Serena,

J'ai parfaitement conscience de risquer ma vie en allant à Tripoli, mais j'en ai l'habitude. Mon métier a été ma grande passion et il a dirigé ma vie. Si tu lis cette lettre, c'est donc que tu sais que j'y suis restée. Je suis morte en faisant ce que j'aimais le plus au monde.

Je voulais aussi que tu saches que je t'ai toujours aimée. Tu as toujours eu ta place dans mon cœur. Te donner à Elizabeth et Tommy a été un acte d'amour de ma part. Cela a été ma façon de t'assurer une vie protégée, une vie où tu aurais tout, et en particulier leur amour inconditionnel.

Je t'ai vue plusieurs fois quand tu étais toute petite. Pour moi, tu étais la plus belle du monde. Je me sentais si fière ! Et j'ai été encore plus fière quand tu es devenue photographe de guerre, toi aussi. J'aime imaginer que tu as hérité quelque talent de moi.

Prends bien soin de toi.

Je t'aime,

Val

Mes yeux s'étaient embués. La lettre de Val me bouleversait et je la tendis à Harry d'une main tremblante pour qu'il la lise à son tour. J'essuyai mes larmes du bout des doigts et allai jusqu'à la fenêtre.

Une minute plus tard, j'entendis Harry se lever à son tour et, soudain, ses bras se refermèrent sur moi. Il me serra contre lui, sans un mot. Il n'y avait rien à dire. Val m'avait aimée à sa façon. Harry l'avait sans doute toujours su.

L'air conditionné du Florian, où nous prenions notre petit déjeuner – croissants et café –, nous parut d'une fraîcheur délicieuse. En dépit de l'heure matinale, il régnait dehors une chaleur écrasante. J'avais même pris un chapeau en coton.

Harry, voyant que j'étais encore très émue, eut la délicatesse de ne pas mentionner Val ni mes parents. A lieu de cela, il se mit à évoquer mes grands-parents paternels, Dave et Greta Stone.

— Sais-tu qu'ils m'ont sauvé la vie, Serena ?

— Non, je l'ignorais. Comment cela ?

— J'avais sept ans. J'étais un petit garçon triste et seul, complètement perdu. Mon père était un séducteur de la pire espèce, qui se vantait de ses conquêtes. Cela avait rendu ma mère alcoolique. Toutefois, mes parents n'étaient pas pauvres car mon père bénéficiait d'un fonds en fidéicommis. Par contre, ils l'étaient quand il s'agissait d'aimer leur enfant, moi. J'ai eu des parents épouvantables, Serena.

Je ne sus que dire.

— J'ai connu Tommy à l'école, reprit Harry, et il m'a en quelque sorte adopté, pris sous son aile. Un jour, il m'a accompagné chez moi ; quand il a vu l'appartement, il a été horrifié. C'était froid, terriblement froid. Un vrai désert ! Je crois que cela lui a fait peur.

— Je suis sûre que papa a eu mal pour toi. Il se mettait toujours à la place des autres.

— C'est vrai, au point qu'à partir de là il m'a régulièrement invité à dîner chez lui. Nous faisions nos devoirs ensemble et ensuite ta merveilleuse grand-mère nous servait un repas délicieux, préparé avec amour. C'était le paradis, pour moi ! Pendant le week-end, Tommy se débrouillait pour m'inclure dans ses sorties en famille, au cinéma ou, parfois, au théâtre ou même au restaurant. Avec le temps, j'ai fini par faire partie de la famille.

— Vous étiez comme des frères, alors.

— Tu as raison. Tu sais, nous sommes restés amis intimes toute notre vie, de l'enfance jusqu'à l'année dernière, quand il est mort. Et nous ne nous sommes jamais disputés. Soixante-deux ans d'amitié sans la moindre querelle !

— Vous avez certainement battu tous les records ! dis-je en riant.

— Je crois, oui.

J'étais un peu tendue quand j'introduisis la clé de Val dans la serrure de son appartement.

Pendant quelques instants, nous sommes restés sur le seuil, découvrant la pièce – le salon, vraisemblablement – qui s'offrait à nous. Très vastes, avec de hautes fenêtres qui donnaient sur le canal, les lieux ne manquaient pas d'allure.

Harry me poussa légèrement dans le dos.

— Avance, dit-il avant de refermer la porte derrière nous.

J'entrai et allumai une lampe tandis que Harry cherchait la commande de l'air conditionné pour la régler au plus fort.

— C'était au minimum, expliqua-t-il.

Je fis lentement le tour de la pièce. Le parquet était parfaitement ciré, et plusieurs sièges, de vastes canapés et des fauteuils, tous recouverts d'un épais tissu vert foncé, attendaient les invités. Les murs et les boiseries étaient peints dans deux tons de blanc cassé. Au plafond, pendait un grand lustre en verre de Venise très ouvragé. Je découvris également plusieurs sculptures. L'un des murs était couvert de hautes bibliothèques. Les rayonnages abritaient des livres, mais aussi d'innombrables photos : de moi à différents âges, de mes sœurs, de mes parents, de Val et Harry, et encore d'autres membres de ma famille. Pour chacune d'entre elles, Val avait choisi un cadre magnifique. Ces photos racontaient notre histoire, l'histoire de Val et ses sentiments pour nous. Elle nous avait aimés, je n'en avais pas le moindre doute.

Un instantané de mes parents, où Harry se tenait sur le côté, attira mon attention. Je m'approchai. Il suffit parfois d'une seule photo pour tout comprendre. L'expression de Harry ne laissait aucun doute : *il avait été amoureux de ma mère !* J'en eus la certitude.

Je pivotai vers Harry. Il me fixait d'un regard aigu. Il avait vu, lui aussi, lu ce que disait cette photo, car son expression changea légèrement.

— Oui, c'est vrai, dit-il, j'étais amoureux de ta mère, depuis toujours. C'est sans doute la raison pour laquelle mes deux mariages ont échoué, comme toutes mes relations avec d'autres femmes.

— Maman le savait-elle ? demandai-je d'une voix émue.

C'était incroyable ! Nous ne savons jamais rien des secrets d'autrui.

— Je n'en suis pas certain, Serena, dit-il à mi-voix. Je ne lui en ai jamais parlé, mais elle a dû le deviner. Les femmes sont très intuitives pour ces choses-là.

— Et Tommy ? Il le savait ? Il avait deviné ?

— Non, pas du tout.

— Et Val ?

— Peut-être... Serena, j'étais amoureux de ta mère, mais ton père était mon ami. De toute façon, Elizabeth a adoré Tommy depuis le premier moment de leur rencontre... soit une heure avant que je fasse sa connaissance moi-même et tombe amoureux d'elle.

J'en eus la gorge serrée.

— Harry, je suis désolée.

— Ne le sois pas, ma chérie ! répondit-il en me souriant avec affection. Je n'ai pas été trop malheureux, tu sais, et tu as toujours été la fille que je n'ai pas eue.

Glissant mon bras sous le sien, je l'entraînai vers le centre de la pièce.

— Viens, faisons le tour des lieux ! Il doit y avoir d'autres pièces ; peut-être devrions-nous regarder ce que cache cette porte là-bas.

L'appartement de Val était plein de charme : il y avait une chambre, qui donnait elle aussi sur le Grand Canal, une petite cuisine, une salle de bains et encore une autre pièce, moins grande, qui avait dû servir de bureau. C'était joliment meublé et bien entretenu, et la vue sur le Grand Canal était fantastique.

— Je crois que j'aimerais y aller, maintenant, dis-je enfin. Je reviendrai un autre jour, Harry. Je ne me sens pas d'humeur à fouiller dans les armoires et les tiroirs. Cela me donnerait l'impression de commettre une indiscrétion. C'est trop tôt.

— Je comprends très bien, Serena. Allons prendre un verre quelque part et ensuite j'appellerai Geoff à Londres et Yusuf à Tripoli. Histoire de savoir ce qui se passe dans le reste du monde.

Je soupirai, l'air soudain aussi sinistre que Cara.

— Ce qui se passe, Harry ? Plein de gens qui tuent plein d'autres gens, si tu veux mon avis.

45

La salle à l'étage du Harry's Bar était vaste, confortable et fraîche grâce à l'air conditionné. J'étais épuisée par le trajet que nous venions de faire depuis l'appartement de Val, dans la chaleur intense de la mi-journée. Il faut dire aussi que ce que j'avais appris au cours des dernières vingt-quatre heures m'avait bouleversée. Il me fallait du temps pour mettre de l'ordre dans mes émotions. Un mot s'imposa à mon esprit : secrets ! Toutes les familles devaient avoir des secrets, pas seulement la mienne.

Je bus mon verre d'eau pétillante d'un trait avant de me laisser aller contre le dossier de ma chaise. Harry, assis près d'une fenêtre, était en pleine conversation téléphonique. Le voir aussi actif me rappela mon père, toujours disponible pour son travail, toujours efficace, jamais négligent, des qualités qui avaient permis la réussite de Global Images. Harry, de la même façon, ne quittait pas son poste de commande ; il savait où travaillait chacun des photographes de l'agence, savait ce que chacun faisait.

Je repensai à ses confidences. Un amour non partagé... La vie lui avait joué un sale tour. Mais plutôt que d'un amour non partagé, peut-être valait-il mieux parler d'un amour silencieux. Maman avait certainement deviné les sentiments de Harry. Elle était trop intelligente et sensible pour ne pas avoir compris. Et elle l'avait aimé, d'une certaine façon, même si c'était de Tommy qu'elle était tombée amoureuse.

Je soupirai. La vie n'était pas facile. Soudain, j'entendis une voix dans ma tête. Un souvenir. C'était ma mère parlant à Cara : « C'est dur, la vie. Ça n'a jamais été facile et ça ne le sera jamais. Ce qui compte est de la battre à son propre jeu. »

Mais comment peut-on « battre la vie à son propre jeu » ? Je n'en avais pas la moindre idée, du moins en cet instant. J'aurais tant aimé que maman soit là pour me le dire ! J'aurais tant aimé qu'elle soit là, tout simplement.

Harry revenait vers moi, l'air très excité.

— Les rebelles sont en train de gagner dans plusieurs quartiers de Tripoli ! Apparemment, les troupes loyalistes déposeraient les armes.

— Vraiment ? Quelle bonne nouvelle ! Tu as parlé à Yusuf ?

— Non, à Geoff. A propos, il t'embrasse. Bon, j'appelle Yusuf. Je retourne à la fenêtre, la réception est meilleure.

— Je t'en prie, vas-y, je ne bouge pas. J'ai besoin de réfléchir. Il y a de quoi écrire un roman avec tout ce que j'ai appris ces dernières heures !

Harry me lança un regard amusé et s'éloigna. L'image de Val s'imposa à mon esprit. Quelle avait été sa vie ? Je me sentais triste pour elle. Non, je ne devais pas l'être. Peut-être avait-elle été heureuse. Après tout, le photojournalisme semblait avoir été un vrai choix de sa part, une passion. Connaissant mon père, je savais qu'il l'aurait aidée financièrement si elle avait voulu me garder et avait renoncé à sa carrière.

Val avait été très généreuse en me léguant tous ses biens. Quand les notaires, à New York comme à Venise, en auraient terminé avec les papiers, je pourrais prendre possession du bel appartement sur le Grand Canal. En attendant, je pouvais très bien y aller chaque fois que j'en aurais envie. J'avais la clé. Cependant, avais-je envie de garder cet appartement ? Je n'en étais pas certaine. Le refuge me manquerait. Ce bon vieux refuge débordait de souvenirs heureux. Quoi qu'il en soit, la décision ne pressait pas.

Je n'avais qu'une seule certitude : je n'avais pas envie de retourner tout de suite à l'appartement de Val. Il fallait laisser passer du temps. Ce matin, j'avais eu la sensation de faire intrusion dans la vie de Val. Plus tard, en septembre peut-être, je reviendrais à Venise et je m'en occuperais. Cet appartement était magnifique, élégant, et il me parlait de la femme qui avait joué un rôle si important dans ma vie. Sans elle, je n'aurais pas existé.

Harry me rejoignit à grands pas, interrompant mes réflexions. Il me tendit son BlackBerry.

— C'est Yusuf, ma chérie, il veut te parler.

Je pris le téléphone en souriant.

— Yusuf, comment vas-tu ?

— Très bien ! Et toi, Serena ?

— Mieux ! Je me repose, Harry me nourrit et je me détends. Je parie que je te manque, au milieu de cette suite pharaonique ?

— Tu me manques toujours, Serena. Mais j'ai laissé tomber la suite du Rixos. C'était trop grand ! Quatre chambres se libéraient au Corinthia et j'en ai profité. C'est moins cher, ajouta-t-il en riant.

— Alors, il paraît que la situation commence à changer et que les rebelles vont gagner. C'est exact ?

— D'après les apparences, oui, mais elles peuvent être trompeuses. Les troupes de Kadhafi n'ont pas renoncé partout. Elles se battent encore dans les faubourgs de Tripoli et dans d'autres villes. Cela dit, le gouvernement provisoire installé par les rebelles, le Conseil national de transition, semble très clair quant à ses priorités. Mais il ne faut pas s'y tromper : le pays reste dangereux. Je suis content de te savoir à l'abri.

— Moi aussi ! C'est bon de t'entendre, Yusuf, on reste en contact. Veux-tu que je te repasse Harry ?

— Non, ce n'est pas nécessaire. Au revoir, Serena.

Je rendis le téléphone à Harry, qui avait pris place à notre table.

— Qu'en penses-tu ? lui demandai-je. C'est la fin de la partie pour Kadhafi ?

— Pas tout à fait ! Il se cache avec ses fils, mais on ne sait pas où. Quant à ses partisans, ils veulent rester au pouvoir. L'armée ne s'est pas encore rendue. Les pillages continuent.

Presque tous les hommes et les jeunes garçons sont armés, à présent. Quant au Conseil national de transition, les gouvernements occidentaux se demandent s'il sera capable de gérer le pays. Il faut attendre.

— En tout cas, j'étais heureuse d'entendre Yusuf et de savoir qu'ils sont tous au Corinthia, maintenant. La suite du Rixos était un cauchemar ! Il fallait des patins à roulettes pour s'y retrouver.

Cela fit rire Harry.

— On pourrait peut-être rester ici, finalement ? Prendre un verre de vin ou un Bellini et déjeuner ensuite ? Quelque chose de léger ?

— Oui, bonne idée, on est au frais. Qui peut avoir envie de traîner dans Venise avec cette chaleur ? Certainement pas moi.

— Moi non plus !

Harry se servit un verre d'eau pétillante et se renversa contre son dossier, m'observant.

— Tu n'as pas demandé de nouvelles de Zac à Yusuf...

— Non, parce que Zac ne m'a pas appelée. Par ailleurs, il me semble clair qu'il veut rester là-bas, surtout avec les évolutions actuelles. Il doit courir les rues à la poursuite d'images spectaculaires !

— Tu le connais bien, remarqua Harry avec un sourire entendu.

— Puis-je te poser une question ?

— Evidemment, Serena ! Et puis, après tout ce que je t'ai raconté depuis hier, je n'ai plus de secrets pour toi.

— Vous êtes restés amis ? Mes parents, toi et Val ?

— Oui.

— C'est ce que je me suis dit en regardant les photos dans l'appartement. Elles parlent d'une amitié ininterrompue. Mais pourquoi ? Pourquoi êtes-vous restés les amis de Val ?

— D'abord, il n'y avait aucune hostilité de la part d'aucun de nous. Tes parents et Val s'étaient mis d'accord. Ensuite, Elizabeth ne voulait pas que sa cousine se sente coupée de la famille ou, pire, rejetée. Cependant, nous avons vu Val moins souvent après son mariage avec Jacques. En plus, elle avait démissionné de Global Images pendant sa grossesse. Elle n'est jamais revenue. Cela valait mieux.

— C'est compréhensible. Et Jacques Pelletier ? Elle a cessé de le voir pendant plusieurs années, je crois.

— Oui, mais quand Jacques a quitté son poste de correspondant de guerre, ils ont renoué et ils ont fini par se marier. Pourtant, ta grand-tante Dora ne l'appréciait guère.

En riant, je rapportai à Harry les propos de Cara à ce sujet.

— D'après elle, Val avait laissé entrer le loup dans la bergerie en se fiançant avec Jacques.

— Je n'arrive pas à croire que Cara utilise toujours les dictons de votre grand-mère.

Il avait fait une petite grimace, mais ses yeux pétillaient d'amusement.

— Pour les utiliser, tu peux lui faire confiance ! Harry, encore une question, d'accord ?

Il me fit signe qu'il m'écoutait.

— A ton avis, pourquoi papa a-t-il photographié Val enceinte et nue ?

— Sincèrement, je n'en ai aucune idée. J'ignorais l'existence de ces clichés. Depuis que tu me les as montrés, j'y ai beaucoup réfléchi. D'après moi, la seule conclusion possible est que Val le lui a demandé.

Je hochai la tête pensivement.

— Je suppose que tu as raison, Harry. Une dernière chose : sais-tu si Jacques a été informé de la situation ?

— Certainement pas ! Personne ne l'a su, sauf tes parents, moi, le médecin et l'infirmière ; et toi, maintenant. C'était un secret, et nous l'avons gardé.

Comme un serveur s'approchait de nous, Harry commanda nos Bellini, de la salade et de petits poissons frits avec du citron.

Nous terminions notre déjeuner quand le téléphone de Harry sonna. Il décrocha immédiatement.

— Yusuf ?

Ensuite, sans rien dire, il écouta attentivement. Cela dura quelques minutes à l'issue desquelles il se contenta de dire à Yusuf qu'il le rappellerait très vite.

— Zac veut rentrer, m'annonça Harry après avoir raccroché.

Je tentai de lire sur le visage de mon vieil ami ce qui se passait, mais il resta impénétrable et je me résolus à le questionner.

— Pourquoi maintenant alors que tout est en train de se jouer ?

— Il a avoué à Yusuf qu'il n'arrivait plus à se concentrer depuis votre dispute, qu'il n'était plus affûté comme avant.

— Zac m'avait déjà dit ça à son retour d'Afghanistan, lui rappelai-je, et c'était vrai. Il n'avait plus aucun mordant.

Harry me fixa d'un air pensif.

— D'après toi, il l'avait retrouvé, en Libye ?

— Oui, et moi aussi ! C'est bizarre comme on se remet d'un seul coup dans le bain. Les réflexes reviennent en un instant et on est de nouveau en pleine possession de ses moyens. Tu sais tout cela mieux que moi, Harry. Tu étais dans le métier longtemps avant moi.

— Yusuf réserve un jet privé pour Zac et nous le récupérerons demain.

D'un hochement de tête, j'indiquai que j'avais enregistré l'information.

— Il y a un détail, Serena. Zac veut s'arrêter à Venise…

— Ah, non ! Le refuge va exploser.

— Il n'a pas l'intention de s'y installer. Il a demandé à Yusuf de lui réserver une chambre au Bauer. Apparemment, il ne veut pas t'imposer sa présence. Il aimerait seulement parler avec toi de ce qui s'est passé à Tripoli.

Comme je restais silencieuse, Harry se pencha vers moi.

— Tu n'as pas envie de le voir, ma chérie ? Dis-moi ce que tu préfères et je me débrouillerai. L'avion peut très bien le déposer à Rome, à Paris, à Londres, dans n'importe quel endroit d'où partent des vols à destination de New York.

— Je suppose que je devrais le voir, dis-je avec un grand soupir. Tout est resté en suspens. Il est parti, je ne l'ai pas rappelé et je suis rentrée sans que nous nous soyons expliqués. Il faut éclaircir la situation.

— Je suis d'accord, Serena. Tu dois le voir, lui parler et, si vous devez vous séparer, faites-le d'une manière civilisée. Tu te sentiras mieux par la suite si tu préserves ta dignité.

— Je reste très en colère contre lui, Harry. Il s'est tellement mal conduit, de façon si puérile ! Il y a deux ou trois choses que j'ai besoin de lui dire.

Ces souvenirs m'énervaient et cela se voyait. Harry me sourit et déposa un baiser affectueux sur ma joue.

— Je te connais, Serena, et je sais que tu agiras correctement. Juste une chose : fais ce qui est bon pour toi. C'est de toi que je me soucie, de personne d'autre !

— Harry, que ferais-je sans toi ? répondis-je en prenant ses mains dans les miennes. Tu es un roc pour moi. Ne t'inquiète pas, cela me fera du bien de mettre les choses au point avec lui. Tu peux rappeler Yusuf avant que je change d'avis.

Cela ne lui prit qu'une minute.

— Oui, Yusuf, je le dirai à Serena et, toi, dis à Zac qu'il s'installe au Bauer et qu'il vienne au refuge vers dix-huit heures. Merci de me confirmer nos arrangements, et à bientôt, Yusuf !

On était vendredi en fin d'après-midi et je me préparais pour la rencontre avec Zac. Je m'étais coiffée et maquillée soigneusement et j'avais mis ma robe en soie rouge moulante. Je complétai ma tenue avec le collier et les boucles d'oreilles en fausses perles de Cara, puis j'enfilai des sandales en cuir noir à hauts talons.

Debout devant le grand miroir, j'étudiai ma silhouette. Mon besoin de me montrer à mon avantage pour régler mon différend avec Zac tenait à la fois de la fierté et de l'éducation. Maman nous avait appris, à mes sœurs et à moi, à « tout casser », autrement dit, en termes plus corrects, à soigner notre apparence. Elle avait une théorie à ce sujet : les gens se laissent intimider et impressionner par l'élégance et le raffinement, mais aussi par la manière dont on s'exprime et dont on se conduit. J'étais de son avis : une tenue recherchée, outre qu'elle aide à se sentir bien, donne toujours l'avantage à une femme.

Consultant ma montre, je constatai qu'il me restait un quart d'heure avant l'arrivée de Zac. Après un dernier coup d'œil au miroir, je passai dans le salon pour demander son avis à Harry. Le son de mes hauts talons sur le parquet lui fit tourner la tête et je le vis ouvrir la bouche d'étonnement.

— Bravo, ma grande ! dit-il enfin. Tu es éblouissante, tu vas le mettre K-O.

— J'avais besoin de ça, tu sais. La dernière fois que Zac m'a vue, j'étais à quatre pattes en train de nettoyer le carrelage d'une salle de bains et j'étais couverte de sang.

— Je comprends. Si jamais tu romps avec lui ce soir, au moins il ne lui restera pas l'image d'une femme de ménage. Bien au contraire. Pour moi, là, tu es le glamour personnifié...

— Harry, le coupai-je, tu trouves que j'en ai trop fait ? Je devrais peut-être ôter les perles de Cara ou mes hauts talons ?

— Surtout pas, ne change rien ! Tu es parfaite... Parfaitement belle.

Il m'embrassa sur la joue avant de prendre un pas de recul pour me regarder encore et je vis une larme briller au coin de ses yeux.

— Serena, tu crois que tu ne ressembles pas à Elizabeth, mais, par moments... Tu as une lueur dans le regard, une expression... Tu me la rappelles beaucoup.

— Zac me l'a dit aussi. Je suppose que cela vient de ma grand-mère, ou plutôt de sa sœur jumelle : Val était sa fille... Bon, quel est le plan pour la suite des opérations ?

— Quand Zac arrivera, je lui proposerai un verre et je resterai un moment à bavarder avec vous deux. Ensuite, je m'éclipserai. Je pense que ni toi ni lui n'avez besoin d'un public.

Tandis qu'il parlait, j'avais sorti la bouteille de vin blanc du seau à glace et rempli deux verres.

— C'est vrai... Tu sais, Harry, j'aime Zac et je crois que je l'aimerai toute ma vie. La question est ailleurs ; elle est de savoir si je peux vivre avec lui.

— Serena, c'est la question à un million de dollars, ça ! Je ne peux pas te répondre. Garde l'esprit ouvert et laisse-le parler en premier. N'oublie pas que c'est lui qui a demandé à te voir, pas l'inverse !

— Tu peux compter sur moi. Harry, je dois dire que tu es très élégant, toi aussi, ce soir. Aurais-tu un rendez-vous galant ?

Il éclata de rire.

— Avec qui j'aurais un rendez-vous galant ? Non, Serena, je vais juste retrouver Amos Haversmith au Harry's Bar. Tu te souviens de lui ? Il a pris sa retraite depuis quelques années. Ta mère aimait sa peinture. Je lui passe toujours un coup de téléphone quand je suis à Venise.

— Je saurai donc où te trouver en cas de besoin.

Je m'assis et goûtai le vin.

— Harry, changeons de sujet. J'ai vu les informations. Ce qui se passe au Rixos Hotel est incroyable et terrifiant.

— C'est le moins que l'on puisse dire, en effet. Yusuf a eu du flair en déménageant tout le monde au bon moment. C'est sa spécialité : sentir le vent tourner.

A cet instant, un coup frappé à la porte me fit me lever d'un bond. Soudain nerveuse, je ne savais plus que faire de moi et j'allai me planter devant le poste de télévision tandis que Harry prenait les choses en main.

— Bonjour, Zac ! Entre, je suis content de voir que tu es sorti de Libye sans problème, et juste quand il le fallait.

— Oui, je n'aimerais pas y être en ce moment.

Ils se donnèrent l'accolade, puis Zac fit quelques pas vers moi, hésita et s'arrêta au milieu du salon. Il avait une expression grave, mais il paraissait en bonne santé. Je souris en moi-même car, lui aussi, il s'était habillé avec soin. Je ressentis la même brusque excitation qui me saisissait chaque fois que je le revoyais après une absence. Pourvu qu'il ne se rende compte de rien !

Je l'embrassai du bout des lèvres sur la joue et me reculai.

— Veux-tu un verre de vin ? lui proposai-je.

— Oui, merci, me répondit-il avant de se tourner vers Harry. Nous avons eu une chance folle que Yusuf nous fasse changer d'hôtel. Sans cela, à l'heure qu'il est, nous ferions certainement partie des otages du Rixos.

— J'ai été sidéré en apprenant la nouvelle : plus de trente journalistes retenus en otages dans l'hôtel ! C'est de la folie. Les soldats loyalistes de Kadhafi qui brandissent leurs kalachnikovs dans tous les sens ne semblent pas comprendre qu'il y a un cessez-le-feu.

— Le plus inquiétant, c'est que la plupart des membres du personnel ont réussi à fuir et qu'il n'y a plus personne pour s'occuper de quoi que ce soit. Cela risque d'aggraver la situation.

— Je te crois ! répondit Harry en venant s'asseoir à côté de moi.

Zac prit un fauteuil en face de nous et la conversation se poursuivit sur la prise d'otages du Rixos.

— Il y aura certainement des interventions, fit remarquer Zac. La Croix-Rouge ou l'une des milices rebelles. J'espère seulement que le sang ne sera pas versé. Mais pourquoi retenir des journalistes captifs ?

— Cela donne un avant-goût de ce qui risque d'arriver à la fin de cette guerre civile, dit Harry. Le chaos !

— Je préfère ne pas y penser, conclut Zac.

Nous étions seuls. Harry était parti à son rendez-vous.

J'avais troqué le canapé contre un fauteuil. Une prise d'initiative dont je me félicitais : je ne voulais pas que Zac vienne s'asseoir à côté de moi. Je savais qu'il avait perçu mon trouble. C'était plus fort que moi ! Il y avait en lui ce quelque chose auquel je ne pouvais pas résister. Zac m'attirait, son corps m'attirait. Et j'avais toutes les peines du monde à rester calme.

Par chance, je me souvins à temps des conseils de Harry. Je gardai le silence, concentrée sur le vin que je dégustais à lentes gorgées. Zac se sentit finalement obligé de parler.

— Tu me sembles en pleine forme, Serena.

— En effet. Harry a passé la semaine à s'occuper de moi et à me gâter. Il a été comme un vrai père !

— Je comprends ce que tu veux dire. Puis-je avoir un autre verre ?

— Bien sûr...

— Merci, dit-il en allant se servir. Toi aussi ? ajouta-t-il sans me regarder.

— Non, merci.

Je craignis un instant qu'il ne passe la soirée à boire et à échanger des banalités avec moi. Je voulais qu'on parle de ce qui s'était passé à Tripoli. Je voulais qu'on en finisse, qu'on oublie ces horribles moments.

Zac reposa son verre sur la table basse.

— Je sais que tu es en colère contre moi, Serena, et je ne te le reproche pas. Ma conduite a été minable et je n'ai aucune excuse. J'ai été grossier, méchant, insensible et cruel alors que tu avais besoin d'amour et de soins. Je le regrette, Serena, je le regrette profondément.

Sans répondre, je restai d'une immobilité de marbre. Je n'allais pas me contenter de si peu.

— Ce soir-là, reprit-il, quand je suis monté te voir, j'avais bu. Je n'étais pas moi-même.

— Si, tu étais toi-même, et c'est le problème, répliquai-je froidement. Tu t'es conduit exactement comme l'année dernière, après les funérailles de mon père. Avec violence. Et tu as recommencé, Zac. Cette violence en toi me fait peur, car j'ignore ce qui la déclenche.

Il était devenu livide et je voyais du chagrin dans ses yeux. Je compris qu'il ne savait pas à quel point il pouvait être violent. Peut-être cela lui faisait-il peur, à lui aussi.

— Pourtant, je ne suis pas un homme violent, Serena, tu le sais. Je ne t'ai jamais frappée, je ne t'ai jamais fait de mal. Pas plus qu'à n'importe quelle femme ! Seuls les lâches s'en prennent physiquement aux femmes ; je ne suis pas un lâche.

— C'est vrai, tu ne m'as jamais frappée. Je vais donc préciser mes propos. Tu *parais* violent, c'est comme si tu couvais une terrible furie, et on a l'impression que la violence en toi va exploser d'une seconde à l'autre. C'est une sensation horrible et effrayante.

— C'est peut-être l'alcool, marmonna-t-il. Je devrais limiter ma consommation.

Avant de me répondre, il avait fait mine de se resservir puis il avait renoncé. Je le regardai sans fléchir.

— A mon avis, tu ne devrais pas boire du tout, dis-je d'un ton glacial.

— Pourquoi ?

— Parce que tu souffres de stress post-traumatique et que l'abstinence vaudrait mieux pour toi ! L'alcool alimente la colère que t'inspirent les horreurs que tu as vues sur les champs de bataille.

— Tu as peut-être raison. Je peux paraître violent, mais je ne te ferais jamais de mal, ni à toi ni à personne. Quant à la guerre, je ne remettrai jamais les pieds dans une zone de combat. C'est fini pour moi. Je me retire.

— Tu l'avais déjà dit en revenant d'Afghanistan. Or, à peine t'avais-je aidé à guérir que tu t'es emballé pour le Printemps arabe ; tu t'es rué en Libye parce que ton taux d'adrénaline était monté en flèche et que tu voulais être au cœur de l'action !

— Je sais. J'ai brisé ma promesse. Je suis désolé de tout cela, Serena, désolé d'avoir manqué à ma parole, désolé d'avoir crié contre toi, désolé de ne pas t'avoir témoigné la moindre compassion. Je ne me maîtrisais plus et l'alcool ne m'a pas aidé.

Il paraissait sincèrement peiné et avait perdu sa décontraction du début. Soudain, ses yeux s'emplirent de larmes. Je laissai passer un long silence avant de lui répondre.

— Zac, tu ne m'as pas donné la moindre chance de t'expliquer ce qui se passait. Tu es parti en hurlant, tu m'as traitée comme une moins que rien.

— Je sais ! J'ai eu tort, mille fois tort. Je ne comprends même pas comment j'ai pu me conduire aussi mal envers toi,

toi entre tous ! Tu es la seule femme que j'aie jamais aimée, Serena. Je suis sincère. Je suis fou de toi.

Comme je ne disais rien, il approcha son fauteuil du mien et me prit la main.

— S'il te plaît, Pidge, pardonne-moi ! Je t'en prie. Je ne peux pas vivre sans toi. La vie n'a aucun sens pour moi si tu n'es pas à mes côtés.

Sa voix se brisa et, se levant d'un bond, il alla se poster devant la fenêtre. Je compris qu'il se sentait humilié et contrit. Il avait pleinement conscience de la médiocrité de son comportement et cela le perturbait, car c'était fondamentalement un homme bien et bon. Je le rejoignis à la fenêtre. Aucun de nous ne parlait. Soudain, je vis qu'il pleurait. Ses joues ruisselaient. Le regard fixé sur le spectacle de la place sous la fenêtre, je posai ma main sur son bras.

— J'accepte tes excuses, Zac, lui dis-je doucement.

Sans me regarder lui non plus, il répéta sa question :

— Mais me pardonnes-tu ?

— Je voudrais et je vais essayer. Tu sais, tu m'as plus ou moins reproché d'avoir tué notre enfant. Tu crois que c'est ma faute si j'ai fait une fausse couche. Or, ce n'est pas vrai. J'ai été très prudente. Ce sont des choses qui arrivent, comme disait ma mère, et c'est la vérité.

— J'ai eu tellement tort, Serena. Je ne te dirai jamais assez à quel point je le regrette et le regretterai sans doute jusqu'à la fin de ma vie.

— Puis-je t'expliquer quelque chose, Zac ?

Il fit oui de la tête.

— Quand j'ai découvert que j'étais enceinte, c'était juste avant de partir à Tripoli. Je me suis demandé si je devais te le dire tout de suite et j'ai failli le faire. Je voulais partager ma joie avec toi. Mais...

Il m'interrompit :

— J'aurais été fou de joie ! Je veux un enfant de toi.

— Je pensais, en effet, que tu serais heureux, Zac. Mais je savais aussi que tu serais très déçu si nous décidions que je ne pouvais pas, que je ne devais pas aller à Tripoli. Je suppose que je voulais te faire plaisir. Voilà pourquoi je ne t'ai pas parlé du bébé. En Libye, j'ai fait très attention, je n'ai pris aucun risque. J'ai évité de sauter des camions ou des jeeps comme d'habitude. Si j'ai perdu mon bébé, c'est par malchance ; j'en suis très triste, moi aussi.

Je pris conscience d'avoir adouci mon ton. Ma voix avait même légèrement tremblé d'émotion. Zac s'essuya les joues d'un revers de main et se tourna vers moi.

— Désolé si je pleure beaucoup, Serena, mais je t'aime. Je ne peux pas imaginer ma vie sans toi.

Comme je le dévisageais sans rien dire, il reprit d'une voix faible :

— Serena, tu ne m'aimes plus ?

— Bien sûr que si ! m'écriai-je spontanément. Je t'aime, Zac, de toutes mes forces.

Il me prit dans ses bras et me couvrit doucement de petits baisers, sur le visage, dans le cou, puis ses lèvres trouvèrent les miennes. Collée à lui, je lui rendis ses baisers, incapable de résister plus longtemps.

Quelque chose bascula en moi ; je savais que cet homme était le seul avec qui je pourrais me sentir réellement heureuse. L'idée de vivre sans lui m'apparut ridicule, insensée. Il me caressa tendrement le visage.

— Donnons-nous une autre chance, Serena. Nous sommes faits l'un pour l'autre.

Je le pris par la main.

— Je te pardonne, dis-je à mi-voix, et je veux vivre avec toi. Me marier avec toi, comme nous l'avions décidé. Mais je dois te dire une chose et ça risque de ne pas te plaire.

— Tu veux poser tes conditions ? Je suis d'accord avec tout ce que tu diras, Pidge.

— Je veux que tu limites ta consommation d'alcool, en particulier les alcools forts. Je veux que tu te fasses soigner pour tes troubles liés au stress post-traumatique. Et, dernier point : tu ne retourneras jamais, jamais ! dans une zone de conflit.

— D'accord, Serena, j'accepte toutes tes conditions. J'aimerais aller à Nice. Je crois que je ne trouverai pas mieux que le Dr Biron pour s'occuper de moi.

Je souris, puis j'éclatai de rire, incrédule.

— Qu'y a-t-il ? demanda Zac.

— Je pense à Harry. A mon avis, il savait très bien comment cela se passerait entre nous. J'ai remarqué son air satisfait, tout à l'heure, quand il nous a laissés.

— Je n'ai rien vu, je n'avais d'yeux que pour toi. Accepterais-tu qu'on se marie à Nice au printemps prochain, comme prévu ?

Je lui répondis d'un sourire béat.

— Oh ! dit-il. Je dois aussi te présenter mes excuses pour autre chose : je ne t'ai pas beaucoup aidée à trouver Valentina Clifford ; je suis désolé.

— Excuses acceptées.

— J'avais l'impression bizarre que tu la prenais pour ta mère et que tu avais besoin de la rencontrer pour cette raison.

— A présent, j'ai les réponses. Val n'était pas ma mère, mais elle m'a donné le jour. Elizabeth Vasson Stone était ma mère. Elle m'a prise dans ses bras alors que j'avais à peine un jour, elle m'a aimée, elle a subvenu à mes besoins pendant vingt-six ans, jusqu'au jour de sa mort.

— Oui, Elizabeth t'adorait. Comment as-tu découvert que Val était ta mère biologique ?

Je lui expliquai l'histoire du testament et des confidences de Harry, puis j'allai chercher la lettre de Valentina et la lui tendis.

— C'est très émouvant, dit-il après l'avoir lue. On sent sa sincérité. Ainsi, tu avais vu juste : il y avait bien un secret dans ta famille.

— C'est le fait de voir mon nom au dos des clichés de Val enceinte qui m'a mis la puce à l'oreille.

— Ton père était le meilleur des hommes. Quoi qu'il se soit passé avec Val, Tommy était l'homme d'une seule femme.

— Oui, je n'ai aucun doute à ce sujet ! dis-je avec conviction. Mon père était, en effet, l'homme d'une seule femme.

— Comme moi, répondit-il. Je suis « ton » homme d'une seule femme.

— Jusqu'à ton dernier jour ? murmurai-je.

— Et même après.

Il m'entoura de ses bras tandis que nous admirions Venise à nos pieds. Quand il relâcha son étreinte, ce fut pour plonger son regard dans le mien.

— Je n'arrive pas à croire que tu seras ma femme, Pidge.

— Je *suis* ta femme…

Je sentais son amour pour moi.

— Et si nous allions l'annoncer à Harry ? proposa-t-il.

Ainsi fut fait.

Epilogue

Nice, octobre 2011

On était le vendredi 14 octobre. Jessica et Cara avaient trente-neuf ans et nous fêtions leur anniversaire à la Villa des Fleurs. Un dîner entre intimes.

Jessica s'était vu interdire l'entrée de la cuisine par Adeline. Cette dernière, aidée de sa sœur Magali, s'occupait de tout.

Nous avions eu une de ces belles journées du début de l'automne en Provence, mais le temps avait brusquement changé et l'air avait fraîchi. En entrant dans le salon, je me dis qu'un feu serait agréable, même si les bougies disposées un peu partout dans les photophores et les orchidées apportées par Cara créaient déjà une ambiance chaleureuse.

Ouvrant les portes-fenêtres, je sortis sur la terrasse. Dans un ciel sans nuages, la pleine lune brillait au milieu de myriades d'étoiles. Une nuit parfaite mais très fraîche ! Je rentrai précipitamment et courus me réchauffer auprès du feu. Je me sentais détendue. Cette maison possédait quelque chose de très paisible. Maman l'avait toujours su. Et comme elle, j'avais trouvé ici mon port d'attache et ma sécurité.

J'étais arrivée quelques semaines plus tôt avec Zac. Ce séjour m'avait apaisée : je me sentais moins triste d'avoir perdu mon bébé. Zac se montrait aimant, compréhensif et prévenant ; cela m'avait aidée à surmonter cette épreuve.

Jessica et Allen venaient de se fiancer et nous le considérions désormais comme un membre de la famille. Cara avait fini par admettre qu'ils formaient un couple très bien assorti. Voir Jessica heureuse et rayonnante nous réjouissait profondément.

Je vérifiai l'heure. Mes sœurs n'allaient pas tarder à me rejoindre. Je leur avais proposé de prendre un verre ensemble avant que Harry, Zac et Geoff ne descendent. Allen, quant à lui, arriverait de Nice en voiture.

Jessica et Cara firent leur apparition, comme toujours très séduisantes. Nous portions toutes les trois des robes en soie : la mienne était rouge, celle de Jessica bleu roi et celle de Cara vert émeraude. Nous formions un trio coloré ! Je remarquai qu'elles arboraient leurs cadeaux d'anniversaire. Avec Harry et Zac, nous leur avions choisi des boucles d'oreilles en or. Allen avait offert un rang de perles à Jessica et une élégante pochette de soirée à Cara. Quant à Geoff, il avait acheté un médaillon en or pour Cara et un châle bleu d'une très belle qualité pour Jessica, un cadeau parfait car le bleu était sa couleur préférée.

Cara me rejoignit devant la cheminée tandis que Jessica allait ouvrir la bouteille de champagne qui attendait dans le seau à glace. Quelques instants plus tard, je levai ma flûte à la santé de mes sœurs.

— J'ai une annonce à vous faire, leur dis-je. J'ai décidé de vendre l'appartement de Val à Venise.

Leur expression surprise m'apprit qu'elles ne s'attendaient pas du tout à cette nouvelle.

— Mais pourquoi ? s'enquit Jessica. Tu as dit que ce serait l'endroit idéal pour t'installer avec Zac pendant un an, le temps pour toi de terminer la biographie de papa et, pour lui, d'écrire ses mémoires.

— Je veux participer aux travaux de la maison. On a besoin d'un nouveau toit, voyons ! Et que pensez-vous faire pour les sols et les murs endommagés par l'eau ? Et le salon octogonal de maman en partie détruit ! Les factures atteignent déjà des sommets.

Elles me regardaient, bouche bée. Cara fut la première à réagir.

— Tu n'as pas besoin de contribuer, Serena ! Nous y arriverons à nous deux, Jess et moi.

— Mais...

Jessica m'interrompit avec autorité :

— Pidge, arrête, voyons ! Mon client a fini par acheter le collier de maman pour sa femme. En fait, il a même acheté toute la parure pour un très bon prix. En plus, l'année prochaine, aura lieu la vente aux enchères des autres bijoux de maman. Cela nous rapportera tout l'argent nécessaire.

— Est-ce que c'est parce que l'appartement appartenait à Val que tu veux le vendre ? demanda Cara. Cela te dérange ?

— Pas du tout. Je n'ai jamais été fâchée contre Val ou gênée par ce que j'ai découvert.

— Nous non plus, s'empressa d'ajouter Jessica. Pour nous, tu seras toujours notre sœur adorée.

— Oui, je me rappelle comme nous étions folles de joie lorsque papa nous a appris que nous allions avoir une petite sœur, renchérit Cara. Et quand on t'a vue pour la première fois, tu étais si petite, dans les bras de maman.

— Revenons à ton appartement, dit Jessica. Zac m'a dit qu'il aimerait bien s'installer à Venise pour quelque temps.

Une exclamation énervée de Cara m'empêcha de répondre.

— Zut, à la fin ! Fais ce que tu veux, Serena ! Cet appartement t'appartient, c'est ton bien, donc c'est à toi de décider, pas à nous.

— Cara a raison, Pidge. N'en parlons plus.

Je les regardai attentivement l'une après l'autre.

— Si vous n'avez réellement pas besoin de cet argent pour la maison, je crois que je vais le garder, alors. Passer une année à Venise nous fera du bien, à Zac comme à moi.

— J'en suis convaincue, me répondit Jessica avec un grand sourire. Tu sais, Serena, nous sommes tellement soulagées de savoir que vous ne retournerez plus dans des zones en guerre, ni toi ni lui.

— Nous le sommes aussi, tout comme Harry ! Surtout Harry ! D'ailleurs, quand on parle du loup...

— Bonsoir, mesdames ! dit Harry sur un ton faussement cérémonieux, avant d'ajouter, narquois : Ce n'est pas drôle, vous êtes toutes les trois parfaitement belles.

— Tu n'es pas trop mal, non plus, dis-je. Une coupe de champagne ?

— Avec plaisir, Serena.

Geoff et Zac apparurent à leur tour. Geoff me pressa l'épaule en signe d'affection, puis se dirigea vers Cara et déposa un baiser sur sa joue. Tête levée vers lui, elle lui sourit, tandis qu'il la regardait avec l'air d'un homme éperdu d'amour.

L'amour, pensai-je, il n'y a que cela de vrai ! C'est ce qui fait tourner le monde. La vie peut se révéler étonnante... Je me rappelai la rencontre de Cara et Geoff ici même, il y avait à peine quelques mois. Harry comme moi avions été témoins d'un véritable coup de foudre !

Un bruit dans l'entrée me fit tourner la tête et j'aperçus Allen venant vers nous. Jessica courut à sa rencontre et se jeta dans ses bras. Elle avait l'air transportée et Allen la contemplait comme s'il craignait de rêver. Encore un couple heureux ! A vrai dire, nous étions tous heureux, ce soir-là. La soirée s'annonçait comme un de ces moments parfaits où chacun se sent à l'aise avec les autres. Pas de drames à l'horizon !

Il commençait à faire trop chaud à côté de la cheminée. J'allai m'asseoir un instant près des portes-fenêtres.

Je suis un appareil photo, totalement passif, qui, obturateur ouvert, enregistre et ne pense pas.

La célèbre phrase de Christopher Isherwood, écrite de nombreuses années auparavant, me traversa l'esprit. Rien d'étonnant à cela : elle reflétait l'état d'esprit exact dans lequel je me sentais.

J'étais l'appareil photo, en train de graver dans ma mémoire les événements qui se déroulaient sous mes yeux. Dans leurs moindres détails. Ces images s'ajouteraient à toutes celles qui s'y trouvaient déjà : celles de mon enfance dans cette merveilleuse maison ; celles de mes parents bien-aimés ; celles de Jessica et Cara. Oui, avoir des souvenirs est important et même vital. Ils nous aident à supporter nos chagrins, adoucissent les pertes que nous subissons au fil des ans, nous permettent de nous reconstruire après une catastrophe.

Assise paisiblement dans mon coin, je voyais presque se dessiner l'avenir. Je laissai mon regard flotter, enregistrant image après image, autant de souvenirs photographiques. Je voyais les éclats de couleur vibrant sur les pétales des orchidées ; la flamme vacillante des photophores se reflétant en halo sur les tables cirées ; le feu qui pétillait gaiement ; et enfin les hommes de ma famille, à la fois décontractés et élégants.

Je me sentais en paix avec moi-même. L'avenir me semblait plein de promesses… Nous célébrerions au moins deux mariages cette année, Zac et moi au printemps, Jessica et Allen en été. Quant à Cara et Geoff… Quel chemin prendraient-ils ?

Ils s'étaient installés dans le canapé. Cara parlait, Geoff l'écoutait avec attention. Tout en lui disait l'amour qu'il lui portait. J'ignorais s'ils se marieraient ou non. La situation n'était pas simple : ils ne vivaient pas dans le même pays ; Geoff avait une petite fille, Chloe ; et Cara ne renoncerait pas à ses chères orchidées, ni à l'affaire qu'elle avait créée au prix d'un travail acharné. Toutefois, s'ils s'aimaient sincèrement, ils trouveraient leur solution.

Ensuite, il y avait Harry. Il était en pleine forme et encore bel homme. Peut-être rencontrerait-il quelqu'un ? Comme mon père, Harry attirait les femmes, et deux échecs conjugaux ne l'avaient pas dégoûté de l'amour. Au fond de moi, je savais que tout irait bien pour lui.

Zac s'approchait de moi d'un air décidé. Il avait visiblement un but précis.

— Tu me sembles bien pensive, Serena. Je donnerais cher pour savoir ce que tu complotes ?

Je me retins de rire.

— Cela ne vaut pas un sou ! Tu peux tout avoir pour rien, Zac. Je réfléchissais seulement à l'avenir, à ce qui nous attend tous.

— On ne peut pas prédire l'avenir. La vie nous joue parfois de drôles de tours. Nous en savons quelque chose, toi et moi. Viens, maintenant ! Tu es censée porter un toast à tes sœurs avant le dîner.

— C'est vrai, dis-je en me levant.

Zac prit mon bras et nous rejoignîmes les autres.

— Joyeux anniversaire, Jessica ; joyeux anniversaire, Cara ! Je me sens ce soir parfaitement heureuse. Je ne pouvais rêver de meilleures sœurs que vous. Vous avez toujours été à mes côtés.

L'émotion me serrait la gorge et je dus m'interrompre. La nostalgie m'avait saisie.

— Quand j'étais petite, repris-je, il y avait une phrase que je n'arrivais pas à prononcer correctement. Vous vous en souvenez ?

Leurs yeux riaient. Oui, elles se souvenaient.

— J'étais sincère, à l'époque, comme je le suis aujourd'hui, dis-je en les prenant par les épaules. Nous aimons lune d'autre !

— Oui, nous aimons lune d'autre ! reprirent-elles d'une même voix.

S'aimer les uns les autres, pensai-je, c'est cela, former une famille. Et ce sera toujours ainsi.

Je levai mon verre.

— A la famille !

— A la famille ! répétèrent-ils en chœur.

Mes sœurs me serrèrent contre elles, m'abritant de leur amour.

Remerciements

Nombre de mes amis m'expriment leur sympathie à l'idée que ma vie d'écrivain doit être une vie de solitude. Je leur fais remarquer qu'un métier solitaire n'implique pas forcément la solitude. En effet, il y a beaucoup de monde dans mon esprit. Et ces personnages imaginaires se transforment très vite en êtres vivants. C'est à cet instant qu'ils entrent dans ma pièce de travail et demandent à être écoutés.

Je suis heureuse de vivre avec eux pendant des mois et des mois, occupée à créer leurs existences compliquées, à régler leurs problèmes, à les aider à survivre aux événements dramatiques qui les frappent inévitablement.

Au fil de l'écriture, ils deviennent des personnes réelles pour moi ; je suis convaincue de leur existence et, comme je les ai rendus vivants et, apparemment, très réalistes, ils paraissent vrais non seulement pour moi mais aussi pour mes lecteurs. Cela me réjouit. Je n'oublie jamais mes personnages, ils restent à mes côtés pour toujours, comme de vieux amis.

Cependant, lorsque mon manuscrit terminé se retrouve en pile bien nette sur mon bureau, c'en est fini de ma vie solitaire. Une foule de gens me rejoignent, dont le travail consiste à revoir le texte, le mettre en pages et l'envoyer à l'impression. Et je soupire enfin de soulagement !

Je veux à présent citer leurs noms. Je remercie particulièrement Lynne Drew, directrice de la publication chez Harper-

Collins à Londres, éditrice formidable et de bon conseil. Ses idées et ses suggestions sont toujours justes. J'apprécie énormément son enthousiasme. Merci à Kate Elton, éditrice chez Harper Fiction ; à Thalia Suzuma, assistante d'édition, qui s'occupe avec efficacité et sourire des détails pratiques, mais non moins importants ; à Martha Ashby, son assistante ; à Susan Opie, ma directrice de collection ; et à Penelope Isaac, ma relectrice-correctrice.

Elizabeth Dawson, directrice de publicité chez Harper Fiction, mérite un chaleureux merci pour la promotion de mes livres. De même que Roger Cazalet, directeur du marketing, et Oliver Wright, directeur des ventes au Royaume-Uni, et toute l'équipe de HarperCollins à Londres.

Merci à Lonnie Ostrow de Bradford Enterprises pour son aide dans la préparation du manuscrit pour publication. Génie de l'ordinateur, il transfère mes nombreuses réécritures et corrections sur ordinateur avec bonne humeur et m'aide pour la documentation. Merci, enfin, à Linda Sullivan, de WordSmart, la meilleure dactylo que j'aie jamais eue, et qui accepte de travailler le week-end lorsque c'est nécessaire. J'avoue que cela se produit souvent !

Le dernier à qui j'exprime ma gratitude est toujours mon mari, Robert Bradford, alors qu'il devrait venir en premier. Il participe à chacun de mes romans autant que moi, m'écoutant dérouler mes scénarios pendant des heures et sans se plaindre. Ses conseils me sont infiniment précieux. Robert est un véritable partenaire ; il s'occupe d'une très grande partie de ma carrière et le fait avec tout son talent d'homme d'affaires et la créativité d'un producteur de films. J'ai de la chance d'avoir son soutien, son amour et son attention. Il ne m'en veut jamais quand mon travail m'absorbe complètement et semble envahir toute la maison ! Surtout, il sait me faire rire, jour après jour, même si c'est de moi-même que nous rions.

Composé par Nord Compo Multimédia
7, rue de Fives, 59650 Villeneuve-d'Ascq.

Dépôt légal : juin 2013
Imprimé au Canada